CB012516

AEM
ACERVO DE ESCRITORES
MINEIROS DA UFMG

FALE
FACULDADE
DE LETRAS

UFMG
UNIVERSIDADE FEDERAL
DE MINAS GERAIS

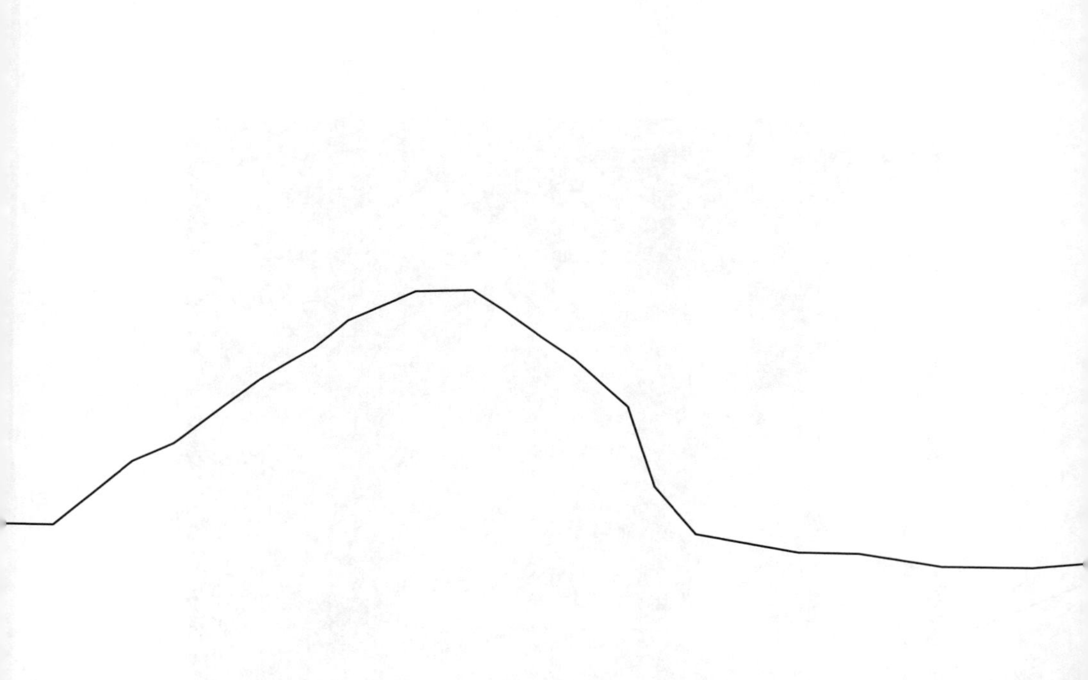

Conteúdo complementar
www.editorapeiropolis.com.br/henriqueta-lisboa

HENRIQUETA LISBOA

OBRA COMPLETA

POESIA TRADUZIDA

HENRIQUETA LISBOA

OBRA COMPLETA

POESIA TRADUZIDA

ORGANIZAÇÃO
REINALDO MARQUES
WANDER MELO MIRANDA

São Paulo, 2020

HENRIQUETA LISBOA
OBRA COMPLETA
3 VOLUMES

POESIA (VOLUME 1)
Entre o ser e a poesia
Nota dos organizadores
Poesia
Índices

POESIA TRADUZIDA (VOLUME 2)
Henriqueta Lisboa e o ofício da tradução
Nota dos organizadores
Poesia traduzida
Breves notas biográficas sobre os poetas traduzidos
Índices

PROSA (VOLUME 3)
Nota dos organizadores
Prosa: Convívio poético, Vigília poética e Vivência poética
Conferência literária: Alphonsus de Guimaraens
Discursos
Esparsos
Entrevistas
Fortuna crítica
Comentários
Cronologia
Bibliografia
Índice onomástico

Editores
Renata Farhat Borges
André de Oliveira Carvalho

Organizadores
Reinaldo Marques
Wander Melo Miranda

Colaboração
Maria Eneida Victor Farias

Projeto gráfico e diagramação
Silvia Amstalden

Revisão
Mineo Takatama

Dados Internacionais de Catalogação na Publicação (CIP) de acordo com ISBD

L769h Lisboa, Henriqueta

Henriqueta Lisboa – Poesia traduzida: Obra completa volume 2 / Henriqueta Lisboa; organizado por Reinaldo Marques, Wander Melo Miranda. – São Paulo: Peirópolis, 2020.

584 p.: il.; 15cm x 22,5cm. – (Henriqueta Lisboa – Obra completa; v.2)

Inclui bibliografia e índice
ISBN: 978-65-86028-74-4

1. Literatura brasileira. 2. Poesia traduzida. I. Marques, Reinaldo. II. Miranda, Wander Melo. III. Título. IV. Série

CDD 869.1
2020-2648 CDU 821.134.3(81)-1

Elaborado por Vagner Rodolfo da Silva – CRB-8/9410

Índice para catálogo sistemático:
1. Literatura brasileira : Poesia 869.1
Literatura brasileira : Poesia 821.134.3(81)-1

Editora Peirópolis
Rua Girassol, 310f – São Paulo – SP
T. (55 11) 3816-0699
vendas@editorapeiropolis.com.br

SUMÁRIO DESTE VOLUME

HENRIQUETA LISBOA E O OFÍCIO DA TRADUÇÃO

Reinaldo Marques

Para alguém que disse ter feito sua morada do silêncio e da sombra, a presente edição da poesia traduzida por Henriqueta Lisboa (1901-1985) projeta um foco de luz sobre um trabalho intelectual extremamente profícuo, retirando-o das sombras a que o relegou a personalidade recatada e discreta de uma simples e dedicada professora mineira[1]. E desvenda para o público amante da poesia, especialmente para os leitores de Henriqueta, uma instigante faceta da poeta – a de leitora e tradutora refinada de poesia. Mais ainda, na medida em que torna mais preciso e compacto seu perfil intelectual, certamente haverá de possibilitar melhor compreensão de uma figura artística extremamente singular das letras brasileiras, infelizmente ainda pouco estudada. Mesmo depois de ter obtido uma dupla consagração em 1984, ao receber o prêmio do Pen Clube do Brasil, pelo seu livro *Pousada do ser*, e o prêmio Machado de Assis, da Academia Brasileira de Letras, pelo conjunto da obra.

Singular e rica, quer pela obra poética que construiu, em que se destacam livros como *Prisioneira da noite*, *A face lívida* e *Flor*

1 No ensaio-depoimento "Poesia: minha profissão de fé", publicado em *Vivência poética:* ensaios (Belo Horizonte: São Vicente, 1979), Henriqueta Lisboa compõe uma significativa expressão de sua autoimagem, ao se apresentar como "quem fez do silêncio e da sombra sua morada".

da morte, quer pela força de sua reflexão crítica, revelando uma estudiosa e pesquisadora atenta da poesia, conforme demonstram os ensaios de *Convívio poético*, *Vigília poética* e *Vivência poética*. Quer, por fim, pela interlocução ágil e elevada que manteve com uma plêiade de intelectuais e poetas de seu tempo, a exemplo de Mário de Andrade e Gabriela Mistral, conforme testemunha extensa correspondência encontrada em seus arquivos. Interlocução que tem seu ponto mais denso e significativo, por suas profundas ressonâncias na formação da poeta, no diálogo com o grande líder modernista, de quem Henriqueta era talvez a mais dileta correspondente.

Em seu diálogo com Mário, todavia, já se nota um traço marcante e afirmativo da personalidade da poeta mineira. Se Mário representa a tradição modernista já instaurada que se espraia por todo o país, cumprindo um papel relevante de orientação e estímulo dos jovens escritores, conforme testemunha sua vasta produção epistolar, Henriqueta se apresenta como uma interlocutora local, dotada de uma individualidade própria, dado que sua atitude não é a de mera resposta ao desejo do outro, oferecendo estratégias próprias de interação, conforme revela o episódio da dona ausente. Episódio referido por Henriqueta, em carta a Mário de 12 de novembro de 1939, justificando o seu não comparecimento a uma conferência proferida pelo líder modernista, em Belo Horizonte, sobre o tema "O sequestro da dona ausente", em razão de ela já haver assumido outro compromisso, com a União Universitária Feminina[2]. Assim, se ela se propõe ao diálogo, nele é capaz de fazer inflectir sua particularidade. Ou seja, ao diálogo inter-regional, do particular com o geral, ela acopla questões de gênero, um modo de agir enquanto mulher, pertencente ao campo do feminino, que não é mero eco do masculino. Afirma uma personalidade literária própria que, embora situada num espaço periférico, tanto simbólico quanto físico, já comporta dimensões do universal. O que

2 Desse episódio, há um atilado e sugestivo estudo de Eneida Maria de Souza intitulado "A dona ausente", publicado em *A pedra mágica do discurso* (2. ed. rev. e ampl. Belo Horizonte: Editora UFMG, 1999. p. 216-226).

leva Mário a, mesmo discordando de umas tantas coisas do estilo de Henriqueta, saber respeitá-lo. E evidencia, desse modo, que as relações entre o local e o global, enquanto mediadas por sujeitos que operam recortes e definem estratégias de interação intersubjetiva e interdiscursiva, não são nada mecânicas e unilaterais, mas dotadas de extrema complexidade e diferentes níveis espaciais e temporais de intersecção.

Agora, a par de sua obra poética e crítica, de sua significativa atuação epistolar, emerge das sombras do esquecimento a intensa atividade tradutória de Henriqueta Lisboa, como demonstram aqui suas traduções de inúmeros poemas de Gabriela Mistral, de Ungaretti e de Dante, de cuja *Divina comédia* traduziu catorze cantos do "Purgatório". Dessa forma, ao se desvelarem as múltiplas facetas da atividade intelectual de Henriqueta Lisboa – poeta, crítica, tradutora, professora –, nos parece legítimo aproximá-la da grande tradição moderna dos poetas-críticos, em que se inscrevem Ezra Pound, T. S. Eliot, Octavio Paz, Haroldo de Campos, entre outros. Com efeito, ao trabalho de escrever poesia, Henriqueta soube aliar elevado grau de consciência e conhecimento dos problemas teóricos e técnicos envolvidos na operação tanto do fazer poético quanto da tradução.

* * * *

Em carta manuscrita dirigida a Henriqueta Lisboa, sem informação de data e local, assim se manifesta Gabriela Mistral quanto ao empenho da amiga e poeta mineira no trabalho de tradução de sua poesia: "*Su traducción me honra y me salva dentro de su lengua*". Tal afirmação, enunciada pela primeira autora latino-americana a ganhar um prêmio Nobel de literatura, nos permite recuperar e reconstruir a concepção teórica da tradução presente na obra tradutória da autora de *Prisioneira da noite*, em linhas gerais e num nível mais especulativo, a partir de certas aproximações e analogias com a teoria benjaminiana da tradução.

Nessa afirmação, recorto o verbo "salvar", associando-o de imediato ao seu correlato nominal – o substantivo "salvação" –, a fim de explorar o caráter polissêmico desses termos e pensar a metáfora da tradução como salvação. Em princípio, como operação salvífica, pode-se dizer que a tradução de Henriqueta salva a poesia de Gabriela Mistral para a língua portuguesa, coloca-a em diálogo com os seus leitores, os brasileiros em particular, além de afirmar Henriqueta como leitora privilegiada da poeta de *Desolación*. Inscreve a obra da poeta chilena na memória literária e cultural brasileira, ao mesmo tempo em que instala um olhar e uma leitura brasileira na literatura e cultura chilenas.

Mas, ao se pensar a tradução como salvação, cabe levar em conta a dimensão teológica e soteriológica dos vocábulos "salvar" e "salvação". Para tanto, importa recuperar aqui a teoria benjaminiana da tradução. Num texto de 1921, intitulado *Die Aufgabe des Übersetzers* ("A tarefa do tradutor"), que serviu de prefácio à sua tradução dos poemas de Baudelaire[3], Walter Benjamin postula uma peculiar concepção da tradução como operação salvífica, resultado de um movimento a um só tempo violento e redentor. Em que consiste essa ideia da tradução como processo salvador para Benjamin? De forma resumida, pode-se dizer que a tradução garante ao original uma sobrevida (*Überleben*) histórica, ao transportá-lo para outra língua e cultura. Mas valeria a pena aqui tornar mais explícito, em suas linhas gerais, o pensamento benjaminiano sobre a tradução.

Para Benjamin "a tradução é uma forma" cuja apreensão comporta um retorno ao original, no qual se encerra "a lei de sua traduzibilidade", entendida em termos de que a obra comporta internamente a exigência de sua tradução. Ao afirmar um vínculo estreito da tradução com o original, não está Benjamin hierarquizando a relação entre eles, nem postulando a autoridade do segundo, uma vez que se trata de um vínculo natural. "Tanto mais íntimo quanto nada mais significa para o original", diz ele. Assim, sucedendo ao

3 In *Gesammelte Schriften*. IV-1, Frankfurt am Main, Suhrkamp, 1972, p. 9 e seguintes. Desse texto há uma tradução em língua portuguesa, de 1992, feita por uma equipe de alunos e professores da pós-graduação da UERJ, com supervisão do professor Karlheinz Barck, e publicada pela gráfica da UERJ. As citações serão tiradas dessa tradução.

original, a tradução garante a ele uma sobrevida. Sobrevida que se manifesta em termos objetivos, concretos – como realidade histórica. E enquanto tal, na medida em que não se restringem a ser simples mediações dos significados de uma obra, é que as traduções, ao lhe garantir pervivência nas gerações vindouras, possibilitam a ela alcançar sua época de glória.

Nessa linha de raciocínio, entendida a tradução como forma, Benjamin recusa, como finalidade da tradução, a restituição do sentido do original, a imitação de seu conteúdo comunicativo, gesto tautológico reprodutor de identidades e supressor das diferenças linguísticas[4]. A tradução, antes de tudo, objetiva exprimir a íntima relação entre as línguas, atualizando-a, dado que elas não são estranhas entre si, mas se aparentam no que dizem. Essa oculta afinidade entre as línguas não se assenta numa relação linear entre original e tradução, muito menos numa teoria da imitação que afirma semelhanças entre eles. Nem deve a tradução aspirar a assemelhar-se ao original, porquanto este se renova e se modifica em razão da pervivência que aquela lhe confere; a tradução implica a metamorfose do original, submete-o ao princípio da transformação, da diferenciação, atuante tanto nas obras literárias, em sua língua original, quanto na língua do tradutor. Se não reside no princípio da similaridade entre as obras, ou entre suas palavras, em que bases então se apoia a vislumbrada afinidade entre as línguas? Segundo Benjamin, na língua pura; espécie de língua adamítica que desvela o caráter complementar das línguas. Para além de suas particularidades, das palavras e frases tomadas isoladamente, as línguas se revelam complementares no todo de suas intenções, o que implica postular uma distinção, no nível do modo de intencionar, entre o que-se-significa e o modo de significá-lo.

Na formulação benjaminiana da língua pura subjaz a ideia de uma língua superior, em direção à qual as línguas, incompletas em sua singularidade, caminhariam. Inflectida para um estágio último e definitivo da composição verbal, a tradução eleva o original a

4 Cf. MIRANDA, Wander Melo. *Corpos escritos:* Graciliano Ramos e Silviano Santiago. São Paulo: Edusp; Belo Horizonte: Editora UFMG, 1992. p. 91.

um nível mais alto – o da língua pura, promessa de reconciliação de todas as línguas –, ao alargar suas fronteiras pela interferência da língua estrangeira. Nesse âmbito é que se encontra o núcleo essencial da tradução e que faz dela algo mais do que simples comunicação; tal núcleo é algo que não é retraduzível, algo intocável, mas que absorve o trabalho do tradutor. Nesse ponto, Benjamin postula uma diferença completa entre o original, enquanto palavra criadora, e a tradução, em termos da relação entre conteúdo e linguagem. No caso do original, conteúdo e linguagem constituiriam uma unidade, expressa na metáfora da fruta e da casca, de tal sorte que a linguagem da tradução envolveria seu conteúdo com dobras sucessivas, à semelhança de um manto real, permanecendo, enquanto linguagem superior, inadequada e estranha ao próprio conteúdo. Fato que torna vã toda tentativa de transposição de sentido.

Nessa direção, Benjamin considera a tradução como testemunho superior da vida das obras e entende o trabalho do tradutor como dotado de autonomia e diverso daquele do escritor, cuja intenção seria primeira e intuitiva, ao passo que a do tradutor seria derivada e ideal, porquanto seu trabalho opera sobre a possibilidade de integração das diferentes línguas numa língua superior. Recusa também a tradução em termos de restituição e conservação do sentido do original, propondo-a mais como fidelidade na restituição da forma. O que indicia, por fim, o caráter suplementar da tradução.

A ideia da tradução como suplemento, como algo a mais que se sobrepõe ao original, já pode ser vislumbrada nas expressivas metáforas da casca e da fruta, das dobras sucessivas e do manto real. E se explicita seja na renúncia à ideia de comunicação, que libera a língua do tradutor para agir livremente, suplementando o original, cobrindo-o com a língua pura, seja na imagem da ânfora quebrada, cujos cacos são reconhecíveis como fragmentos de uma mesma ânfora, propondo o entendimento do original e de suas traduções como fragmentos de uma linguagem superior.

Haroldo de Campos reconhece na teoria benjaminiana da tradução a permanência de um significado transcendental, decorrente de sua relação com o pensamento teológico judaico, o que a tornaria presa da "clausura metafísica". Todavia, o poeta e crítico concretista não deixa de reconhecer o deslocamento que ela operou no campo da tradução, ao refutar o dogma da fidelidade ao significado típico da teoria tradicional e ao ressaltar o fato de a tradução se constituir numa forma pautada pela lei de outra forma[5]. Assim, a fidelidade da tradução não significa mais uma relação servil ao significado do original, mas se concretiza, por uma operação estranhante, na "re-doação" daquela forma, ou "modo de intencionar". Por meio dessa operação estranhante seria liberada a língua pura na língua do tradutor; língua pura que se encontra exilada na língua estrangeira.

Leitora atenta de Benjamin, Jeanne Marie Gagnebin postula que o recurso teórico à teologia, ao contrário, "não implica necessariamente a afirmação de um fundamento absoluto que seria a garantia de um sentido transcendente e definitivo"[6]. E assinala uma aproximação da teoria benjaminiana da tradução à dos românticos alemães de Iena, denunciada sobretudo pelo vocabulário vitalista empregado: as traduções como sobrevivência e continuação viva do original. Todavia, anota ela uma imediata relativização desse vocabulário, uma vez que esta vida, para Benjamin, vincula-se menos ao reino do natural e espontâneo que à história. História que não é cenário indiferente dos acontecimentos, mas apreendida como dinâmica essencial e sobredeterminante do domínio do vivo. Assim, ao submeter a vida de uma obra literária, com sua redação original e suas traduções, à dinâmica histórica, afirma-se uma relação de confronto entre a origem e a história das línguas, em contraposição a um desenvolvimento linear e espontâneo. Mais ainda, desvela-se o caráter de violência e estranheza a que as traduções submetem o original. Esse processo violento e estranhante das traduções, raciocina Gagnebin, expressa-se no fato de que as traduções rompem com aquela unidade quase orgânica entre conteúdo e linguagem própria do original, visualizada na metáfora da fruta com sua casca.

5 Cf. CAMPOS, Haroldo de. Para além do princípio da saudade. *Folhetim*, São Paulo, 9 dezembro de 1984, p. 6.

6 GAGNEBIN, Jeanne Marie. *História e narração em Walter Benjamin*. São Paulo: Perspectiva; Campinas: Editora da Unicamp, 1994. p. 26.

Se, por um lado, a tradução submete o original a uma necessidade de destruição, fazendo a história intervir com sua arbitrariedade, violência e estranheza, por outro, ela transforma cada língua numa outra, elevando-a a uma língua mais alta. No primeiro caso, tem-se o caráter violento da tradução; no segundo, o redentor. E nesse movimento a um só tempo violento e redentor, assim o entende Gagnebin, ancora a teoria benjaminiana da tradução como processo salvador. Entendida dessa forma, a verdadeira tradução não dissolve o original na língua de chegada, naturalizando-o, mas inscreve nesta a ordem daquele. Longe de apagar a diferença do original, as diferenças linguísticas, antes as ratifica e torna a língua do tradutor numa língua estranha e estrangeira, na medida em que força os seus limites, enriquecendo-a e também ameaçando-a com o perigo do estilhaçamento, da desagregação sintática e semântica.

Como operação salvífica, por fim, ao articular paradoxalmente processos de destruição e de construção, a tradução coloca em xeque a aparência de unidade natural própria de cada língua ou de cada obra separadamente, desvelando "sua verdade profundamente histórica: a de aludir a uma língua maior na qual as línguas múltiplas encontrar-se-iam ao mesmo tempo abolidas e redimidas"[7]. E evidenciando, segundo o olhar de Benjamin, que não passam de fragmentos, de cacos de uma língua mais pura e superior, cada uma de nossas línguas imperfeitas.

Retomando aquela frase de Gabriela Mistral – "*Su traducción me honra y me salva dentro de su lengua*" –, pode-se dizer que ela alude à sobrevida que a tradução de Henriqueta garante para a poesia da poeta chilena. O que implica submetê-la àquele processo violento, destruidor e reconstrutor próprio da experiência tradutória. E que resulta na elevação da língua de chegada ao patamar superior da língua mais pura. Todavia, diversamente do que foi apontado em Benjamin, pode-se dizer que a operação tradutória em Henriqueta Lisboa mantém-se no âmbito da "clausura metafísica",

7 GAGNEBIN, Jeanne Marie, *op. cit.*, p. 29.

vinculada a um significado transcendental, responsável este por certa visão sacralizadora do original.

A validade da observação anterior pode ser atestada em alguns ensaios da poeta mineira contidos em *Convívio poético*. São ensaios marcados por uma preocupação mais metafísica e ontológica ante o fenômeno poético, visível até mesmo nos títulos de alguns deles. Em "Definição da poesia", por exemplo, Henriqueta define a poesia como "coação do eterno dentro do efêmero"[8]. Num outro ensaio, a "Essência da poesia", postula ser a poesia testemunha da plenitude e não da carência, entendendo-a como expressão da vida interior superabundante do poeta que diz sempre menos do que este conserva em sua potencialidade[9]. Tal postulação supõe, obviamente, a valorização do sujeito lírico, de seu mundo interno, psíquico e espiritual, entendido como fonte da poesia, traindo clara influência do idealismo hegeliano. Já no ensaio "Poesia: minha profissão de fé", contido em *Vivência poética*, a própria Henriqueta afirma a índole metafísica e ontológica de sua poesia, tão presente em seus livros *Velário*, *Azul profundo*, *Além da imagem* e *O alvo humano*[10].

O reconhecimento dessa visada de ordem mais metafísica da poesia, longe de inviabilizar a ideia da tradução como salvação, em Henriqueta Lisboa, antes a ratifica e torna mais aguda a compreensão de seu ofício de tradutora, ao ressaltar algumas tensões e ambiguidades nele existentes. Especialmente se se leva em conta que, conquanto o peso teológico das noções de "salvar" e "salvação" permeie a dicção tanto da poeta chilena quanto da brasileira, cujas obras são marcadas por uma visão metafísica e mesmo religiosa do mundo e da existência, tais noções vão se alterando, adquirindo conotações mais profanas. Com efeito, no mundo mediático e informático, o verbo "salvar" vai ganhando outras ressonâncias,

8 LISBOA, Henriqueta. *Convívio poético*. Belo Horizonte: Secretaria de Estado da Educação/Imprensa Oficial, 1955. p. 14.

9 *Ibid.*, p. 19.

10 LISBOA, Henriqueta. *Vivência poética*. Belo Horizonte: São Vicente, 1979. p. 19.

principalmente para aqueles que lidam com o computador e que estão sempre "salvando" o que escrevem, os seus textos. Trata-se de uma operação salvadora própria da memória, da memória cultural, cujo contraponto fúnebre consiste no "deletar", no apagamento radical da memória, algo diverso do esquecimento, vetor dialético do lembrar. Num mundo globalizado e numa cultura mundializada, em que as línguas e textos se avizinham e se convizinham cada vez mais, traduzir consiste em salvar – inscrever em outra língua e cultura uma língua e cultura estranhas e, ao mesmo tempo, já tão próximas; instaurar na língua e cultura da tradução novas temporalidades e ressonâncias culturais e literárias.

A tradução como iniciativa salvadora, conforme praticada por Henriqueta na perspectiva de Gabriela Mistral, se aproximaria talvez do ideal goethiano da *Weltliteratur*, de uma literatura mundial. Não no sentido de uma universalidade abstrata e eurocêntrica, mas no sentido de que diversas literaturas particulares, nacionais, estabeleceriam um diálogo intenso entre si, constituindo um universo cultural híbrido, de múltiplas vozes, espacialidades e temporalidades. Mais ainda, à luz do diálogo intelectual entre Henriqueta e Gabriela Mistral, a tradução se constituiria num espaço limiar, marcado pela lógica do suplemento e propício tanto à mobilidade e ao contato das línguas quanto aos processos de trocas interculturais.

* * * *

No seu ensaio "Da tradução como criação e como crítica", Haroldo de Campos retira da tese da impossibilidade de tradução dos textos criativos, poéticos, sugerida por Max Bense e Albrecht Fabri, a possibilidade mesma de recriação desses textos, postulando a ideia da tradução como "*recriação*, ou criação paralela, autônoma porém recíproca"[11], dotada de caráter também artístico.

11 CAMPOS, Haroldo de. Da tradução como criação e como crítica. In: ___. *Metalinguagem & outras metas*: ensaios de teoria e crítica literária. 4. ed. rev. e ampl. São Paulo: Perspectiva, 1992. p. 35 (grifos do autor).

Enquanto tal, a tradução não se atém apenas ao plano do significado, do sentido; o que se traduz é o próprio signo em sua dimensão física, material e icônica. Rompe-se, pois, com a tradução literal, tomando-se o significado apenas como "baliza demarcatória do lugar da empresa recriadora".

Dessa forma, concebida a tradução como recriação e alçado o tradutor à condição de recriador, o trabalho crítico adquire especial relevância. Antecedendo o próprio ato da tradução, esse trabalho pressupõe uma relação íntima e intensa do tradutor com a mente e a técnica do autor a ser traduzido. E também com o seu contexto histórico e cultural, uma vez que a tradução reescreve o original e a história, evidenciando-se sua dimensão política. Essa "vivência interior do mundo e da técnica do traduzido", nas palavras de Campos, faz da tradução a via privilegiada da leitura crítica, o modo mais atento de ler, na medida em que possibilita desvendar os mecanismos e engrenagens internos dos textos. Mais ainda, o labor crítico do tradutor revitaliza a tradição, confere-lhe um caráter ativo, tornando reveladoras as escolhas dos textos a serem traduzidos. No entanto, ao dar vida nova ao passado literário, segundo o lema poundiano do *make it new*, a tradução pode incorrer em traições à letra do original, a fim de permanecer fiel ao seu "espírito".

Enquanto tradutora de poesia, percebe-se que Henriqueta Lisboa lia muito, infatigavelmente, entregue a uma faina tão própria do intelectual latino-americano. E, borgianamente, operava recortes na tradição literária, no cânone, instituindo seus precursores. Elegia, assim, os poetas e textos de sua predileção e que seriam objeto de tradução. As escolhas dos poetas a serem traduzidos, em Henriqueta, supõem diversas afinidades. Em Dante, admira o poeta do mundo interior, sua permanência e modernidade. Em Gabriela Mistral, as ligações entre poesia e magistério. Num e noutra, também os laços entre religião e poesia. Em Giuseppe Ungaretti e Jorge Guillén, identifica-se com o alto grau de consciência sobre o fazer poético.

No ofício de tradutora de poesia, Henriqueta Lisboa revela-se uma leitora atenta e sagaz dos poetas traduzidos. Mergulha amorosamente no mundo e na técnica deles; vivencia intimamente cada poema, cada texto. Mergulho e vivência que a impelem muitas vezes a buscar o convívio e o diálogo epistolar com os autores traduzidos, quando possível. Desse movimento dão testemunho quer os ensaios críticos que elaborou sobre alguns dos autores traduzidos, quer a troca de correspondência com eles, quer ainda o contato pessoal e de amizade.

Desveladores da intensa atividade crítica de Henriqueta sobre os poetas eleitos como objeto de sua tradução estão os ensaios dedicados a Dante, Mistral, Ungaretti e Guillén. Comportam inúmeras observações sobre o estilo dos autores e o trabalho com a linguagem, sobre suas predileções temáticas e concepções de poesia. No ensaio "Gabriela Mistral"[12], dedicado à poeta chilena, Henriqueta aponta o seu paradigma – Santa Teresa – e destaca, na sua obra poética, o poder de síntese, a firmeza de pensamento e a emoção sublimada. Recorta ainda dois símbolos bastante sugestivos e representativos de sua poesia: a pedra e a fruta. A primeira, dotada de peso e densidade, de resistência e duração, e a segunda, tomada em seu aspecto adstringente, amargo; ambas simbolizando o Chile e a América Latina para o mundo, como espaços de resistência e acolhimento.

Quanto a Jorge Guillén, acentua a lucidez de sua poesia, marcada pela lei do equilíbrio estático, pelo domínio da inteligência sobre a inspiração. Uma poesia que valoriza a metáfora, tornando o abstrato em concreto, e testemunha a alegria de viver e a fidelidade ao instante[13]. Já no ensaio "A poesia de Ungaretti"[14], Henriqueta apreende algumas das características mais significativas da poética ungarettiana: a valorização da palavra pelo silêncio; o poder de condensação e síntese, visível no recurso à metáfora-imagem; o ritmo como força propulsora de seu verso; o desdém pela ordem sintática tradicional e o abandono da rima. Salienta ainda, no poeta italiano, a convergência de paixão e lucidez, bem como sua visão cristã e católica da existência.

12 LISBOA, Henriqueta. *Convívio poético*. p. 187-191.

13 *Ibid.*, p. 193-198.

14 LISBOA, Henriqueta. *Vigília poética*. Belo Horizonte: Imprensa Oficial, 1968. p. 135-143.

Marcados por uma escrita leve e condensada, alicerçados mais na intuição poética da tradutora do que em pretensões teorizantes, esses ensaios demonstram o apurado conhecimento que Henriqueta adquiria de questões estilísticas e técnicas, de procedimentos linguísticos e retóricos, dos aspectos semânticos e sintáticos referentes à poesia de cada um dos poetas traduzidos. Revelam o seu domínio de problemas críticos, sobretudo de ordem intrínseca, da linguagem, afetos ao âmbito da poética. O que a obrigava certamente a um esforço de leituras de textos teórico-críticos da época, com vistas a manter sua reflexão sobre a arte poética sempre atualizada. Por sinal, um rápido levantamento dos críticos e teóricos citados em seus ensaios comprova isso; entre eles, sem mencionar brasileiros e portugueses, contam-se T. S. Eliot, René Wellek, Johannes Pfeiffer, Wolfgang Kayser, Hegel, Carlos Bousoño, Dámaso e Amado Alonso, Jacques Maritain, Charles Baudelaire, Henri Bremond, Benedetto Croce. E, para tanto, contribuía também seu trabalho como professora de literatura hispano-americana na antiga Faculdade de Filosofia, Ciências e Letras Santa Maria, hoje PUC-Minas, e na antiga Escola de Biblioteconomia da UFMG.

Em relação à sua experiência interior e crítica da poesia de Dante, de quem se mostrou uma leitora apaixonada, Henriqueta Lisboa nos deixou dois testemunhos. Um é a página introdutória que fez para a publicação de suas traduções dos cantos do "Purgatório", página dotada de "alto valor interpretativo", segundo Edoardo Bizzarri, em carta de 6 de agosto de 1968 dirigida à tradutora. O outro é o depoimento que prestou ao Instituto Cultural Ítalo-Brasileiro, por ocasião das comemorações dos setecentos anos da *Divina comédia*[15]. Trata-se de depoimento esclarecedor da trajetória henriquetiana de leitora e tradutora de Dante. Nele relata seus primeiros contatos com a obra-prima do florentino, ainda na infância, mediados seja pelas vozes de migrantes italianos em Lambari, cidade do interior mineiro onde nasceu, seja pela tradução do barão

15 Depoimento publicado no volume *O meu Dante*: contribuições e depoimentos. São Paulo: Instituto Cultural Ítalo-Brasileiro, 1965. Caderno n. 5.

de Villa da Barra, existente na biblioteca do pai, mas que não logrou ler por conta das inversões estilísticas. Contatos que serão aprofundados mais tarde, quando já havia estudado a língua italiana, com auxílio da tradução de Machado de Assis de um trecho do canto XXV do "Inferno", e da de Bartolomeu Mitre, em espanhol.

Na leitura da *Divina comédia*, embora tenha começado pelo "Inferno", sugestionada pelos críticos, é do "Purgatório", no entanto, que Henriqueta se enamora. Deslumbrada ante "tão grave beleza e serena poesia", considera-o o clímax do poema de Dante. Assim é que o "Purgatório" irá reter a atenção da leitora e consumir anos de sua atividade de tradução. Nele Henriqueta vê o predomínio da expressão pictórica, diversamente do "Inferno" e do "Paraíso", escultural aquele e mais voltado para dança este. No texto de Dante, chamam atenção da poeta mineira sobretudo a simetria da estrutura, com a organização dos tercetos e das três rimas encadeadas como elos de corrente, a força do ritmo e o poder escultural das imagens.

A troca de correspondência parece constituir-se em outra via de penetração na mente do autor traduzido. Exemplifica-o a correspondência entre Henriqueta e Gabriela Mistral, prova da existência de estreitos laços de amizade entre elas. Em carta de 22 de setembro de 1940, manuscrita em papel timbrado do Consulado do Chile, a escritora chilena agradece a visita que Henriqueta lhe fez em Niterói e lamenta não poder retribuir, indo a Minas. Faz apreciações sobre a poeta mineira, considerando-a uma "grande e profunda poeta". E, queixando-se do contexto de guerra mundial que muito a deprime, encarece sua amizade e suas cartas: "Necessito, pois, que as almas fortes e melhores que eu me ajudem a viver com suas cartas". Manifesta ainda o desejo de traduzir a poesia de Henriqueta. Em duas outras cartas, também manuscritas mas sem data e local, numa, Mistral comenta sua situação no Brasil, a ditadura do Estado Novo, e se considerando *persona non grata* no país; noutra, fala de suas leituras e dos livros que comprou[16].

16 Cartas pertencentes aos arquivos de Henriqueta Lisboa e que se encontram no Acervo de Escritores Mineiros, localizado na Biblioteca Central da UFMG.

Em bem menor proporção, Henriqueta também correspondeu com Jorge Guillén. O contato pessoal, porém, se verifica com Gabriela Mistral e com Ungaretti, que estiveram com sua tradutora em Belo Horizonte. Conforme relata Henriqueta no depoimento que incluiu na edição de *Poesias escolhidas de Gabriela Mistral*, de 1969, da Editora Delta, Mistral esteve com sua tradutora em Belo Horizonte em setembro de 1943, quando passou onze dias na capital mineira e proferiu uma conferência sobre o Chile, no Instituto de Educação, e outra sobre *O menino poeta*. Foram dias de intenso convívio com a poeta chilena, que visitou as obras de arte da Pampulha, recém-inaugurada. A propósito, essa relação intelectual e pessoal entre as duas poetas torna-se mais forte num dos momentos mais significativos da vida da autora chilena. Segundo Fernando Alegría, entre os diversos períodos em que Mistral viveu no exterior representando seu país como cônsul, o período brasileiro é, "inquestionavelmente, o mais dramático"[17]. Residindo no Brasil de 1940 a 1945, em Niterói e Petrópolis, é nesse período que experimenta a tragédia e a glória. A tragédia ocorre em 1943, com o suicídio de seu sobrinho Juan Miguel, que com ela vivia e a quem tratava como filho; a glória lhe sobrevém com a notícia de ser a ganhadora do prêmio Nobel, em 1945.

Quanto a Ungaretti, numa de suas últimas vindas ao Brasil, em abril de 1967, veio a Minas Gerais, acompanhado de Bruna Bianco. Ambos hospedaram-se em Belo Horizonte e saíam a cada manhã para visitar uma das cidades históricas, voltando à noite para a capital. Numa dessas noites, segundo depoimento de Bruna, jantaram com a poeta Henriqueta Lisboa[18]. E, na edição de 5 de julho de 1969 de *O Estado de S. Paulo*, Henriqueta publica suas traduções do poeta de *L'allegria* e *Sentimento del tempo*.

17 ALEGRÍA, Fernando. *Genio y figura de Gabriela Mistral*. Buenos Aires: Editorial Universitaria de Buenos Aires, 1966. p. 68.

18 Informações extraídas da entrevista concedida por Bruna Bianco – poeta e advogada italiana residente no Brasil que manteve um relacionamento amoroso com Ungaretti em fins dos anos 1960 – ao caderno Mais! da *Folha de S. Paulo*, em sua edição de 21 de julho de 1996, à página 5.

Todo esse trabalho crítico, de vivência e assimilação do mundo e da obra dos poetas traduzidos, permite a Henriqueta apreender as engrenagens mais recônditas do texto poético, facilitando a execução do trabalho propriamente técnico da tradução e garantindo o alto nível estético de muitas das suas recriações. Sirva de exemplo sua tradução do poema "Pan", de Gabriela Mistral, em que capta, muito mais que o significado, o *tonus* do original, conforme atesta a seguinte passagem:

Dejaron un pan en la mesa,
mitad quemado, mitad blanco,
pellizcado encima y abierto
en unos migajones de ampo.

Me parece nuevo o como no visto,
y otra cosa que él no me ha alimentado,
pero volteando su miga, sonámbula,
tacto y olor se me olvidaron.

Huele a mi madre cuando dió su leche,
huele a tres valles por donde he pasado:
a Aconcagua, a Pátzcuaro, a Elqui,
y a mis entrañas cuando yo canto.
[...]

Deixaram sobre a mesa um pão
meio branco, meio queimado,
beliscado em cima e aberto
como umas migalhas de nácar.

Parece-me desconhecido
quando sempre me alimentou.
Alheia, porém, à substância,
Olvidei esse tato e odor.

Tem o aroma de minha mãe
quando amamentava, o dos vales

chilenos que andei, o de minhas
próprias entranhas quando canto.
[...]

O domínio dos problemas da tradução e a capacidade inventiva de Henriqueta na busca de soluções podem ser comprovados em muitas passagens de suas recriações do poeta florentino. Em seu trabalho de tradução de Dante, ela se valeu de um diálogo epistolar muito profícuo com o professor Edoardo Bizzarri, experiente tradutor do *Grande sertão: veredas*, de João Guimarães Rosa, para o italiano e profundo conhecedor de Dante. Em muitas de suas cartas, Bizzarri tece considerações sobre problemas técnicos da tradução de Henriqueta, oferecendo sugestões no tocante à seleção vocabular, à construção sintática. Em carta datada de 6 de abril de 1965, ele comenta: "Da tradução, há trechos de que gostei muitíssimo. Há outros que têm demais sabor de tradução, e não de poesia original". E reprova, a seguir, o uso feito por Henriqueta do adjetivo "paciente", por "*piacente*", significando em italiano algo "que dá prazer", "que agrada", por modificar um conceito típico do *stil novo* e inserir, segundo ele, "um elemento, a paciência, que é alheio à figura estética e à linha psicológica de Beatriz". Já em carta de 31 de outubro de 1965, comentando o uso do adjetivo por parte da tradutora, faz a seguinte advertência:

> Dante é inimigo do adjetivo: sua imaginação poética trabalha sempre em sentido dinâmico, utilizando precipuamente a forma verbal, que é ação, e não em sentido estático-descritivo. Exigências de rima e de metro, além de diferente espírito da língua portuguesa, acabam, sem dúvida, tornando necessária a introdução de adjetivos que não se encontram no original. Mas é justamente nesse ponto que há o maior perigo, para quem entra na façanha sempre meritória e louvável de traduzir o poeta.[19]

19 As cartas aqui citadas fazem parte também dos arquivos de Henriqueta Lisboa e encontram-se no Acervo de Escritores Mineiros.

Por fim, numa correspondência de 13 de dezembro de 1965, ao fazer apreciações sobre a tradução dos cantos II e XXIX, Bizzarri reconhece o aperfeiçoamento de Henriqueta no trato com o texto original da *Divina comédia*: "Ao que parece, sua intimidade com Dante e com o uso do terceto vai crescendo cada vez mais".

A esse respeito, em estudo sobre Henriqueta Lisboa como leitora e tradutora de Dante, Ângela Vaz Leão já observou que a tradutora conserva os traços formais da *Divina comédia*: a *terzina* ou terceto, o metro decassílabo, o esquema rímico (aba/bcb/cdc/ded etc.). Nesse esquema de rimas alternadas, há equivalência sonora entre as últimas sílabas do segundo verso de uma estrofe e as do primeiro e do terceiro versos da estrofe seguinte, de modo que a rima ocorre em terno, ultrapassando os limites das estrofes e soldando umas às outras. Tal procedimento, contudo, não implica a submissão da tradutora ao original, conforme adverte a própria Ângela Vaz Leão em passagem esclarecedora do mesmo estudo:

> Não se pense, porém, que essa espécie de camisa de força, ou melhor, esse constrangimento formal, tenha impedido, na tradução, o voo livre da poesia. Embora também a fidelidade ao assunto tenha sido perfeita, a tradução está muito longe de ser literal: preservam-se, dentro da equivalência, a unidade e a identidade do texto de Henriqueta.[20]

Dessa forma, nas opções sintáticas, no vocabulário, percebem-se as preferências de Henriqueta Lisboa, a afirmação de sua personalidade poética para além das exigências da semântica ou da métrica. De tal sorte que aquela visão um tanto auratizante do original, apontada anteriormente, não implica o exercício de uma tradução meramente literal, de restituição do significado original e de apagamento dos traços do tradutor, de sua identidade.

20 LEÃO, Ângela Vaz. Henriqueta Lisboa, leitora e tradutora de Dante, em CARVALHO, Abigail de O., SOUZA, Eneida M. de, MIRANDA, Wander M. (org.). *Presença de Henriqueta*. Rio de Janeiro: José Olympio, 1992. p. 68.

Em suma, em seu ofício de tradutora, pode-se dizer que Henriqueta Lisboa realiza a tarefa libertária do tradutor, que supõe a busca da fidelidade na liberdade, e contribui para a transformação da língua da tradução, fazendo-a crescer e ampliando seus horizontes. Daí que, retomando a leitura reversa de Benjamin, é possível dizer que aquelas palavras de Gabriela Mistral sugerem mais do que uma concepção de tradução. Elas indicam o caráter de incompletude do original, visto como suplicante e devedor da tradução. Ratificam o débito de qualquer texto e de qualquer autor para com seu possível tradutor, cujo trabalho lhes confere uma existência continuada e a glória.

NOTA DOS ORGANIZADORES

A edição da poesia traduzida por Henriqueta Lisboa foi publicada primeiramente no ano do centenário de seu nascimento, e só foi possível graças a um trabalho de equipe, que envolveu pesquisadores e bolsistas do projeto integrado de pesquisa Acervo de Escritores Mineiros, desenvolvido na Faculdade de Letras da UFMG, com apoio do CNPq. Como sua finalidade principal, o projeto cuida da organização e preservação do acervo bibliográfico e documental dos escritores Henriqueta Lisboa, Murilo Rubião, Oswaldo França Júnior, Abgar Renault e Cyro dos Anjos, além das coleções Alexandre Eulalio, Octavio Dias Leite, Aníbal Machado e José Osvaldo de Araújo.

A pesquisa do acervo bibliográfico e documental de Henriqueta Lisboa – biblioteca pessoal, correspondência passiva etc. – permitiu a recuperação não apenas de suas traduções como também do diálogo que travou com alguns poetas traduzidos e especialistas em tradução, a exemplo de Gabriela Mistral e Edoardo Bizzarri. Nesse trabalho de pesquisa, procedeu-se inicialmente ao levantamento das traduções feitas pela poeta mineira, na sua maior parte publicadas em livros e, parte menor, em jornais. Esse trabalho de levantamento possibilitou a descoberta de algumas traduções inéditas, que foram incorporadas à presente edição. Depois, veio o processo de digitação dos textos, levado a cabo pelo trabalho dedicado dos bolsistas do projeto Acervo de Escritores Mineiros.

Como leitora, Henriqueta Lisboa frequentou de modo mais assíduo a poesia de língua espanhola. Ao lado da de Dante Alighieri, a obra poética de Gabriela Mistral, poeta chilena ganhadora do prêmio Nobel de literatura em 1945, foi a que mereceu maior atenção da atividade tradutória de Henriqueta, da qual traduziu para o português um total de sessenta e um poemas e sete textos em forma de prosa poética. Os poemas no original espanhol, aqui publicados, foram extraídos da edição das *Poesías completas* (Madrid: Aguilar, 1958); quanto aos textos em prosa poética, constituem fragmentos de "Poemas de las madres" e "Poemas de la madre más triste", encontrados no livro *Desolación* e transcritos de edição argentina (Buenos Aires: Espasa-Calpe, 1951). Já as traduções foram transcritas do livro *Poesias escolhidas* (Rio de Janeiro: Delta, 1969), de Gabriela Mistral, edição organizada por Henriqueta Lisboa.

Os demais poetas de língua espanhola traduzidos por Henriqueta foram Lope de Vega, Luis de Góngora, José Martí, Rosalía de Castro, Delmira Agustini, Joan Maragall e Jorge Guillén. Entre estes, Rosalía de Castro e Joan Maragall escreviam também em galego e em catalão, respectivamente. De Lope de Vega, Henriqueta traduziu o poema "La niña de plata", com o título de "Soneto", cujo original em espanhol foi extraído das *Poesías líricas* (Buenos Aires, México: Espasa-Calpe, 1942); de Góngora, recriou o poema "Al nacimiento de Cristo Nuestro Señor", encontrado no original em *Obras completas* (Madrid: M. Aguilar, 1943); de Martí, o poema "Mi caballero" e o de "Versos sencillos – XLV", extraídos de suas *Poesías completas* (La Habana: Aguilar, 1953). Da lavra de Rosalía de Castro, Henriqueta transcriou o poema XXXV, do livro *Cantares gallegos*, e contido em suas *Obras completas* (Madrid: M. Aguilar, 1947), com o título de "Cantiga"; já de Delmira Agustini verteu "Lo inefable", a partir da segunda edição de suas *Poesías completas* (Buenos Aires: Editorial Losada, 1955); de Maragall traduziu o "Canto espiritual", encontrado em *Obres completes* (Barcelona, 1947); e, finalmente, de Jorge Guillén, os poemas "Estatua ecuestre" e "Gallo del amanecer", extraídos de *Cántico* (Buenos Aires: Editorial Sudamericana, 1950).

Quanto às traduções de Henriqueta Lisboa dos poemas acima mencionados e incluídos nesta edição, à exceção do poema de Delmira Agustini, publicado no jornal *Estado de Minas*, edição de 9 de outubro de 1986, todos os demais encontram-se na *Antologia poética para a infância e a juventude* (Rio de Janeiro: INL/MEC, 1961), organizada também pela própria Henriqueta.

Na poesia italiana, Henriqueta tinha especial predileção pela *Divina comédia*, de Dante. Identificava-se, em particular, com os cantos do "Purgatório". Destes, ela havia traduzido dez cantos, já publicados no Caderno n. 7, de 1969, do Instituto Cultural Ítalo-Brasileiro, de São Paulo, com o título *Henriqueta Lisboa – "Cantos de Dante": Traduções do "Purgatório"*. Foi dessa edição que se transcreveram tanto os dez cantos no original, em italiano, quanto as traduções ora publicadas.

No entanto, ao preparar este volume, encontramos, em cópias datilografadas, mais quatro traduções inéditas dos cantos do "Purgatório", a saber: os cantos III, V, XXI e XXX. Juntamente com eles, também inéditas e datilografadas, havia as transcriações de três sonetos da *Vita nuova*. Esse material inédito foi incluído nesta publicação. Os cantos e os sonetos inéditos, em italiano, foram extraídos de *Tutte le opere de Dante Alighieri* (Firenze: Sansoni Editore, 1965), edição organizada por Luigi Blasucci.

Além de Dante, Henriqueta realizou traduções de Giuseppe Ungaretti, Cesare Pavese e Giacomo Leopardi. Deste último, transcriou o poema "L'infinito", extraído dos *Canti* (Torino: Einaudi, 1969). A tradução em português consta da *Antologia poética para a infância e a juventude*, já mencionada. De Ungaretti traduziu treze poemas, sendo nove de *L'allegria* e quatro de *Sentimento del tempo*, cujas traduções apareceram na edição do *Estado de S.Paulo* de 5 de julho de 1969, exceto a do poema inédito "La Pietà". Os poemas de Ungaretti, em italiano, foram transcritos de *Vita d'un uomo* (Milano: Mondadori, 1974). Quanto a Pavese, foram inicialmente objeto de recriação por Henriqueta três de seus poemas – "Lo spiraglio dell'alba", "Hai un sangue, un respiro" e "Verrà la morte e avrà i tuoi occhi" –, encontrados em *Verrà la morte e avrà i tuoi occhi* (Torino: Einaudi, 1957). Trata-se de edição contendo poemas inéditos, encontrados após sua morte. E a publicação dos três primeiros poemas recriados se deu no Suplemento Literário do *Estado de S. Paulo*, edição de 8 de agosto de 1970, à página 3.

No caso de Ungaretti e Pavese, também localizamos algumas traduções inéditas de ambos os poetas, aqui incluídas. Os originais dessas traduções encontram-se todos em cópias datiloscritas, com emendas manuscritas nas margens.

Da língua alemã, mereceram tradução da poeta mineira um poema de Friedrich Schiller e outro de Ludwig Uhland, respectivamente "Hoffnung" e "Frühlingslaube". Os originais em alemão foram tomados de Schiller, *Saemtliche Gedichte* (Frankfurt am Main: Deutscher Klassiker Verlag, 1992. p. 117), e de Uhland, *Gedichte und Balladen* (Zuerich: Daphnis-Verlag, 1971. p. 9). As traduções desses poemas encontram-se na referida *Antologia poética para a infância e a juventude*.

Deparamos, ainda, com três traduções inéditas de língua inglesa, sendo duas de poetas norte-americanos. De Henry Longfellow, Henriqueta traduziu o poema "The arrow and the song", que transcrevemos de *The complete poetical works of Longfellow* (Cambridge, Massachusetts: The Riverside Press, 1922). De Archibald MacLeish, recriou "Ars poetica". Na pasta em que foram encontrados tais inéditos, existe apenas o original manuscrito da tradução do poema de Longfellow; do de MacLeish, há o original manuscrito da tradução e uma cópia datilografada do poema, no original em inglês, sem indicação da fonte bibliográfica, mas que confrontamos com a edição de seus *Collected poems, 1917-1982* (Boston: Houghton Mifflin, 1985). Além dessas duas composições, Henriqueta traduziu ainda fragmento do poema "The Apostle", do poeta húngaro Sándor Petöfi, a partir da tradução inglesa de Victor Clement (Budapest: Corvina Press, 1961); dessa tradução existem duas cópias datiloscritas.

Embora Gabriela Mistral e Dante tenham sido os poetas mais traduzidos por Henriqueta Lisboa, importa esclarecer que adotamos o critério cronológico da data de nascimento dos poetas para estabelecer a ordem de entrada de cada um deles na presente edição e reunimos ao final do volume uma sintética informação biográfica sobre eles. Também procedemos à atua-lização ortográfica do texto das traduções, quando necessária. E fizemos algumas correções naqueles casos em que se tratava de evidente erro de impressão. Queremos agradecer, por fim, à Fundación Legado Gabriela Mistral e às editoras Giulio Einaudi, Houghton Mifflin, Arnoldo Mondadori e Tusquets a cessão dos direitos para publicação. Agradecemos também a inúmeras pessoas que colaboraram para que essa publicação se tornasse possível: Wander

Melo Miranda, Abigail de Oliveira Carvalho e Eneida Maria de Souza, pelo estímulo e apoio; Maria Zilda Ferreira Cury, que também participou do trabalho inicial de preparação do volume; Albert von Brunn, que localizou e nos enviou os originais dos dois poemas em alemão, anexando informações sobre os autores; Prosolina Marra, pelo original do poema de Joan Maragall; Daniela Guimarães Mendes, Bento Sérgio Almeida Belisário, Marília Scaff Rocha, Regilane Alves Pereira, Henrique Romaniello Passos e Ana Flávia Lage Sartori – bolsistas de Aperfeiçoamento e de Iniciação Científica que participaram do levantamento das traduções e colaboraram seja com a digitação dos poemas na versão original e em português, seja com a revisão de textos.

De modo especial, gostaríamos de agradecer ao CNPq o apoio constante ao projeto Acervo de Escritores Mineiros, do qual este livro constitui um dos resultados.

A colaboração e participação de todos tornaram mais prazerosa a tarefa de organização e preparação desta publicação da poesia traduzida por Henriqueta Lisboa, que agora entregamos ao público leitor.

DANTE ALIGHIERI

O MEU DANTE[1]

Com toda a pureza de sua essência, espelho partilhado é sempre espelho, em cada uma das partículas refletoras.

Contemplado, bafejado, esquadrinhado, percutido e perquirido em suas facetas, esse monumental retrato da humanidade que é a *Divina comédia* conserva a mesma limpidez de há sete séculos.

Milhares de seres de todos os quadrantes da terra têm se abeirado dessa maravilhosa fonte de conhecimento e de dor, de beleza e poesia, sem que a criação de Dante se enevoe sequer do sopro humano. Cada qual procura, na dinâmica variedade desse painel, a cor de seus próprios olhos, o que condiz com o seu temperamento.

Os temerários buscam de preferência os lances do "Inferno" em que ao negror das tintas se mescla o horror das formas em convulsão e dos clamores do desespero. Os que talvez por timidez amadureceram na meditação sobre o efêmero encontram no "Purgatório" a super-realidade de suas cismas. Os de natureza mística, os que já se desprenderam dos interesses comuns estarão predispostos a captar as mensagens do "Paraíso".

Não é de estranhar que também eu procurasse nesse grande mural o meu Dante. E por isso mesmo, com a devida modéstia, com ele me identificasse psicologicamente.

O que deve causar espécie é o fato de haver eu sobrevoado as montanhas de Minas para falar esta noite, aqui em São Paulo, a uma assistência ilustre e conhecedora dos segredos da literatura italiana, sobre "O meu Dante". Quer dizer: para me confessar, trair de público as minhas predileções e idiossincrasias, as minhas singelas interpretações sentimentais.

Cessam meus escrúpulos à lembrança de que venho a convite expresso do Professor Edoardo Bizzarri, Diretor do Instituto

1 LISBOA, Henriqueta. "O meu Dante". In: *O meu Dante*: contribuições e depoimentos. São Paulo: Instituto Cultural Ítalo-Brasileiro, 1965. Caderno n. 5, p. 7-12.

Cultural Ítalo-Brasileiro, respeitável autoridade. A ele cabe a minha defesa, pois bem sabia ao chamar-me que não sou mais do que Poeta. Entretanto, não o acuseis de antemão. Quando ele me propôs o tema, foi explícito – tratava-se de um depoimento pessoal. E por isso nos entendemos de imediato. Que poderia eu apresentar, em matéria de crítica e mesmo impressionista, depois de De Sanctis, Croce, Momigliano e dezenas mais de ensaístas famosos, para só me referir a estudos italianos dos últimos tempos?

Todavia, qualquer ser dotado de alma tem uma palavra a acrescentar ao inesgotável assunto.

Data da infância o meu primeiro encontro, já não digo com Dante, mas com certo preâmbulo dantesco. Falavam-me de um homem que havia conhecido o inferno por dentro. Apavorava-me, desde logo, a ideia de chamas eternas, abismava-me conceber, na minha frágil meninice, a visita de uma criatura, em carne e osso, à maldita fornalha.

Numa cidadezinha do interior mineiro, em que a colônia italiana era numerosa, a notícia devia ter vindo das camadas imigrantes.

No internato de religiosas francesas, em que imperavam Racine e Corneille, mal se pronunciava o nome de Dante.

Meu pai possuía uma tradução da *Divina comédia*, possivelmente a do Barão da Vila da Barra com que me deparei mais tarde e não logrou interessar-me, pelas suas dificultosas inversões estilísticas.

Um dia encontrei em Machado de Assis a tradução de um trecho do "Inferno", Canto XXV. Já havia estudado algo da língua italiana, já havia decifrado alguns livros em prosa, escusa dizer romances, no original. Embora o trecho escolhido pelo escritor brasileiro não me fosse muito simpático, teve o condão de estimular-me para o confronto. Havia força naquele ritmo, havia poder escultural naquele retorcimento de imagens, havia não sei que desafiante sortilégio. A simetria da estrutura, para quem sempre amou a ordem, com a organização dos tercetos e das três rimas encadeadas como elos de corrente, foi decisiva para que eu me aproximasse de Dante. Tinha de principiar pelo "Inferno", era lógico e era fatal. Toda gente se referia ao "Inferno", elogiava o "Inferno", desde as pessoas que à puridade não o haviam lido até os mais acatados espíritos do nosso mundo literário. Não me foi fácil abordá-lo à primeira investida. Uma, duas, três, não sei quantas vezes interrompi essa leitura, trocando-a por outras mais acessíveis ao longo dos anos. Eu pressentia, confusamente, que algo de maravilhoso ali estava à minha espera, em sentido vertical e profundo. Mas a intuição não bastava para penetrar tantos mistérios, não apenas poéticos mas igualmente filosóficos e científicos.

Ao encontrar a tradução integral de Bartolomeu Mitre para o espanhol, animei-me de novo a desbravar, em confrontação de página a página, a edição comentada por Scartazzini. Então avancei para o "Purgatório". Havia chegado o momento. Enamorei-me do "Purgatório", deslumbrada diante de tão grave beleza e serena poesia. Dificilmente o abandonarei em troca do "Paraíso". É o clímax da *Divina comédia*, a meu ver. É a hora da consciência a refletir-se na translucidez do mármore, a debater-se fosca nas arestas do rochedo confessional, a receber no rubor sangrento da aurora o perdão de seus descaminhos. É a hora da responsabilidade que dignifica, da justiça que se cumpre, do claro reconhecimento da destinação humana.

É a hora dos crepúsculos, da contemplação e da melancolia. Nem violentos impactos nem aleluias sem fim. É o equilíbrio, a soma dos contrários, a síntese do bem e do mal, da virtude e da culpa, a recorrência da própria história do homem na terra, aquilo que está ao alcance de nossos sentidos, a medida exata da serenidade espiritual e do domínio artístico do poeta, dentro da concepção total do poema.

É a hora em que a imaginação predomina sobre a fantasia, em que se trata de experiências tangíveis e por isso mais palpitantes e comovedoras na gama dos sentimentos.

Desculpai-me a justificativa: sempre dei preferência às obras da imaginação sobre as da fantasia. Explico-me: àquelas que supõem uma realidade sofrida e vivida integralmente pelas potências do ser, embora não me furte ao fascínio da pura invenção, da faculdade divinatória diante da qual se ofuscam nossos olhos mortais, assim como os de Dante em face dos anjos celestes ou de Beatriz triunfante.

Em verdade, no "Inferno" se encontra uma consistência compacta em que os vultos se deixam tocar, tão sólido é o verbo que os anima. Aí se acha um dos mais belos trechos da obra, o encontro de

Francesca da Rimini, tão apaixonantemente descrito que equivale a uma tentativa de perdão para o pecaminoso amor.

No "Paraíso" tudo é graça, movimento alado, alegria inefável, em círculos cada vez mais prodigiosamente envolventes de claridade, sabedoria e pureza. O valor da verdade, proclamado no Canto XVII, talvez não logre mais alta expressão na literatura universal. Impressiona e edifica o Canto XIV, repleto do amor divino e em que a palavra "Cristo" por três vezes é a sua própria rima, tão grande é o respeito que inspira.

Porém o "Purgatório", para a nossa sensibilidade moderna, é todo uma complexa e numerosa variedade dialética, dentro de uma perfeita unidade artística.

No "Inferno", a linguagem está ligada à escultura, aos efeitos plásticos de alto e baixo-relevo, ao bronze e à pedra.

No "Paraíso", a dança, o desenho e a iluminura sobrelevam em tênues coloridos de éter.

No "Purgatório" se reúnem todas as artes: é a música orquestral de fundo, presidindo a encontros fraternos; é o solo angélico a entoar de quando em quando uma das bem-aventuranças, é o canto e é o contracanto do coro das almas, ora lamentoso no "Miserere", ora contrito no "Agnus Dei", ora enlevado no "Summo Deus clemente". E nessas vozes reconhecemos o timbre que nos é familiar.

Como expressão pictórica, os ambientes revezam-se em paletas variadas e espessas colgaduras de fumaça, ora premidos em desfiladeiros, ora abertos ao infinito. Já no vale ameno a descrição da paisagem é tela multicor de tão vivas tintas que venceriam, na voz do Poeta, o ouro, a prata, o carmim, o alabastro e a esmeralda partida. O revestimento da escarpa interna possui gravações históricas de incisiva nitidez. A peanha em que se assenta o sólio do Anjo é de mármore níveo no 1º degrau, de cor estranha a que talvez caiba a denominação de "petróleo" no 2º, e escarlate no 3º. A própria cena da escuridão, que é o castigo dos iracundos, tem sugestões visuais. Assim, tudo é mutável e contrastante, como o espetáculo da terra que habitamos. Escusa dizer que tais recursos plásticos apoiam e jamais deslustram o valor intelectual da palavra, porque são rigorosamente simbólicos.

Tão harmoniosa é essa cidadela da mútua compreensão que às vezes nem se sabe se é o Anjo que pronuncia determinado comentário, se é o homem que reconhece uma verdade; será talvez um duo afinado pelo mesmo espírito:

A questo invito vegnon molto radi:
o gente umana, per volar su nata,
perché a poco vento così cadi?
(Purgatorio XII, 94-96)

Nenhum conceito sobre a amizade e a solidariedade calaria mais fundo em nossa alma do que a emoção traduzida em metáfora, no início desse mesmo canto, quando o Poeta parece arrastar o sofrimento de outrem:

Di pari, come buoi che vanno a giogo,
m'andava io con quell'anima carca.
(Purgatorio XII, 1-2)

Entre luz e sombra, não haveria recanto mais propício para as confidências e tertúlias de companheiros de ideal. Então nos deparamos com a nova plêiade de poetas, preocupados com teorias de estilo. É quando a voz ardente proclama:

[...] "I' mi son un che, quando
Amor mi spira, noto, e a quel modo
ch'e' ditta dentro, vo significando".
(Purgatorio XXIV, 52-54)

Já anteriormente havia sido tratado o problema da arte sob o aspecto histórico-social da transição e da evolução. É neste momento que, não obstante o conceito emitido sobre a caducidade da glória, mas antes – é de notar-se – que lhe seja apagada da fronte o 1º estigma, o Poeta se abandona a um pecadilho venial de orgulho. Pensava em si mesmo – é claro e é compreensível – quando disse:

Così ha tolto l'uno all'altro Guido
la gloria della lingua, e forse è nato

chi l'uno e l'altro caccerà di nido.
(Purgatorio XI, 97-99)

Todas as questões que interessam à espécie aí repontam, ora trazidas à baila por meio de imagens, ora refletidas em conceitos, como a teoria cristã do amor, no Canto XVII, de indelével memória.

A fim de avivar minhas impressões, reli este mês, depois de longo tempo, várias passagens do grande livro. Senti-me de tal maneira enlevada que não me pude recusar ao impulso de traduzir-lhe algumas páginas cujas primícias vos ofereço: o "Proêmio do Purgatório" na íntegra, o "Canto XXVIII", *idem*, e o final do "XXVII" ou seja, a despedida de Virgílio.

Antes dessa leitura, quero louvar ao meu Dante o dom da amizade e da admiração que possuía no mais alto grau e que é tão caro ao meu coração. Qual foi o motivo do reconhecimento que o fez exaltar a outro poeta acima de si mesmo, invocando-o com os mais doces epítetos, emprestando-lhe a cada passo os nobres dizeres reveladores de uma formação espiritual perfeita? Tenho a impressão de que ele deixou patente a causa desse profundo sentimento – que transcende o objetivo literário – quando pôs nos lábios de Estácio, com referência ao Mestre comum, tais palavras:

[...] "Tu prima m'inviasti
verso Parnaso a ber nelle sue grotte,
e prima appresso Dio m'alluminasti.
....
Per te poeta fui, per te cristiano."
(Purgatorio XXII, 64-66 e 73)

Segundo a hipótese de que o autor tenha deixado aqui o testemunho de sua profunda dívida, o termo *cristão* teria sentido bem mais abrangente e teria sido inspirado pela intensa religiosidade de Virgílio, sempre solícito a escutar a voz dos deuses.

Como ele, o Alighieri não fez senão obedecer a uma vocação sobrenatural, pelo que pôde realizar na terra o seu altíssimo destino de Poeta do mundo interior.

E este, entre os muitos existentes, é o meu Dante.

SONETOS DE VITA NUOVA

Tanto gentile e tanto onesta pare
la donna mia quand'ella altrui saluta,
ch'ogne lingua deven tremando muta,
e li occhi no l'ardiscon di guardare.

Ella si va, sentendosi laudare,
benignamente d'umiltà vestuta;
e par che sia una cosa venuta
da cielo in terra a miracol mostrare.

Mostrasi sì piacente a chi la mira,
che dà per li occhi una dolcezza al core,
che 'intender no la può chi no la prova:

e par che de la sua labbia si mova
un spirito soave pien d'amore,
che va dicendo a l'anima: Sospira.

Tão discreta e gentil se me afigura
ao saudar, quando passa, a minha amada,
que a língua não consegue dizer nada
e a fitá-la, o olhar não se aventura.

Ela se vai sentindo-se louvada
envolta de modéstia nobre e pura.
Parece que do céu essa criatura
para atestar milagre foi baixada.

Ao que a contempla infunde tal prazer,
pelos olhos transmite tal dulçor,
que só quem prova pode compreender.

E assim, parece, o seu semblante inspira
um delicado espírito de amor
que vai dizendo ao coração: suspira.

Vede perfettamente onne salute
chi la mia donna tra le donne vede;
quelle che vanno con lei son tenute
di bella grazia a Dio render merzede.

E sua bieltate è di tanta vertute,
che nulla invidia a l'altre ne procede,
anzi le face andar seco vestute
di gentilezza, d'amore e di fede.

La vista sua fa onne cosa umile;
e non fa sola sè parer piacente,
ma ciascuna per lei riceve onore.

Ed è ne li atti suoi tanto gentile,
che nessun la si può recare a mente,
che non sospiri in dolcezza d'amore.

Vê-se dentro do céu prodigamente
quem minha amada entre outras damas veja.
E toda aquela que a seu lado esteja
rende graças a Deus por ser clemente.

Tanta virtude tem sua beleza
que inveja acaso às outras não consente,
por isso as tem vestidas simplesmente
de confiança, de amor, de gentileza.

Tudo se faz humilde em torno dela;
por ser sua visão assim tão bela
às que a cercam também chega o louvor.

Pela atitude mostra-se tão mansa
que ninguém pode tê-la na lembrança
que não suspire, no íntimo, de amor.

Deh peregrini che pensosi andate,
forse di cosa che non v'è presente,
venite voi da sì lontana gente,
com'a la vista voi ne dimostrate,

che non piangete quando voi passate
per lo suo mezzo la città dolente,
come quelle persone che neente
par che' intendesser la sua gravitate?

Se voi restaste per volerlo audire,
certo lo cor de' sospiri mi dice
che lagrimando n'uscireste pui.

Ell'ha perduta la sua beatrice;
e le parole ch'om di lei pò dire
hanno vertù di far piangere altrui.

Ó peregrinos cuja fronte encerra
lembrança de algo que ficou distante,
vindes assim de tão longínqua terra
sem o mostrardes ao primeiro instante

que não chorais quando passais sequer
em meio à triste dor desta cidade
como alguém que resiste e que não quer
enternecer a sua gravidade?

Se prestardes ouvido de bom grado
– assim me diz o coração magoado –
quedareis entre lágrimas, no entanto.

Ela perdeu a sua beatitude,
e o que dela se diz tem a virtude
de às outras gentes inspirar o pranto.

CANTOS DO "PURGATÓRIO"

TRADUÇÕES DO "PURGATÓRIO"[2]

A Edoardo Bizzarri
Mestre e amigo em Dante

DO "PURGATÓRIO"

O Purgatório é a casa do poeta. Sei que também o Inferno, com seus embates de paixão. E o Paraíso também, com seus êxtases. Mas diz e repete meu coração que o Purgatório é a casa natural do Poeta. E aqui mora e demora o poeta nas pegadas do Irmão Maior, com seu coração sofrido porém não desamoroso. Aqui se restauram suas forças, daqui parte para novos degraus de purificação e mansuetude. Nestas plagas encontra velhos amores sempre verdes, mortos amigos sempre vivos, confidentes repletos de complacência, mestres de amor. Aqui discorre do que adora com os artistas, conversa de ternura com os cândidos, comove-se com os que guardam no peito o antigo relógio, alegra-se com o ruflar das asas do anjo sobre cabelos revoltos. No Purgatório se concebe em névoas, além do longe, a transcendência das coisas que passam mas não se perdem. O homem compreende e confia, embora desconheça a derradeira palavra. E a contensão e o sofrimento da espera se traduzem com nobreza, profunda e moderadamente. Aqui existe

2 LISBOA, Henriqueta. In: "*Cantos de Dante*". São Paulo: Instituto Cultural Ítalo-Brasileiro, 1969. Caderno n. 7, p. 5-6.

silêncio, um silêncio vindo de outrora, contido em si mesmo, igual à levedura que alimenta o pão e o faz crescer em ouro e flama, o silêncio que suspende o respiro na expectativa da música, o silêncio que preludia o fim dos trabalhos da alma, a anunciar o cântico. O Purgatório é o reino do fazer, não mais o do agir, nem ainda o do contemplar. E o fazer condiciona a dignidade do homem, segundo seus postulados. Aqui se carregam pedras de construção, pedras semelhantes em cor, peso e tamanho, às que encontramos cada dia nos caminhos do tempo. Aqui se alteiam montanhas e serpenteiam rios que a imaginação trasladou do nosso próprio torrão natal. Aqui se edifica o dossel da estrela que está por nascer, enquanto os olhos se prolongam de adeus às estrelas que em breve morrerão. Porque tudo é efêmero, nesta jornada, até mesmo a doce cor de oriental safira, os sentidos estão em alerta para os mais tênues matizes e os mais leves sussurros. Enquanto na amêndoa se contém a força da planta, é preciso que o orvalho das manhãs se recolha gota a gota. E enrubesçam as nuvens no altar do crepúsculo. Aqui se reza a mais bela oração, a que foi ministrada pelo filho de Deus. Aqui se consagra e se coroa o poeta dos poetas, em nome da liberdade de criar. Por isso aqui permaneço com minha lâmpada acesa, meus dedos tateantes ao longo das rochas, minha frágil voz seguidora da voz primeira, para melhor sentir em mim mesma, na língua materna, o segredo da beleza e da arte – essa água inefável sempre a fluir e a fugir do manancial.

CANTO I

Per correr migliori acque alza le vele
omai la navicella del mio ingegno
che lascia dietro a sé mar sì crudele;

e canterò di quel secondo regno
dove l'umano spirito si purga
e di salire al ciel diventa degno.

Ma qui la morta poesì risurga,
o sante Muse, poi che vostro sono;
e qui Calliopè alquanto surga,

seguitando il mio canto con quel suono
di cui le Piche misere sentiro
lo colpo tal, che disperar perdono.

Dolce color d'oriental zaffiro
che s'accoglieva nel sereno aspetto
del mezzo, puro infino al primo giro,

a gli occhi miei ricominciò diletto
tosto ch'io uscii fuor dell'aura morta
che m'avea contristati gli occhi e il petto.

Lo bel pianeta che d'amar conforta
faceva tutto rider l'oriente,
velando i Pesci, ch'erano in sua scorta.

Io mi volsi a man destra e posi mente
all'altro polo, e vidi quattro stelle
non viste mai fuor che alla prima gente.

Goder pareva il ciel di lor fiammelle:
o settentrional vedovo sito,
poi che privato sei di mirar quelle!

CANTO I

Para águas mais propícias alça a vela
a navezinha do meu gênio errante
deixando o mar com sua cruel procela.

Canto o segundo reino de ora em diante
onde se purifica a alma à porfia
para que digna atinja o céu distante.

Aqui ressurja a pálida poesia,
ó Santas Musas, pois que vos pertenço.
Ensine-me Calíope a melodia

de encantamento igual àquele intenso
feitiço que acompanha o som da lira
e às irremíveis Pegas foi infenso.

A doce cor de oriental safira
que participa do éter suavemente
desde o horizonte puro que a cingira,

os meus olhos deslumbra novamente
depois das auras mortas que a outro ensejo
me haviam contristado a vista e a mente.

O formoso planeta em que só vejo
amor, tornando alegre todo o ambiente,
ofusca os astros que há no seu cortejo.

Volvi-me à mão direita e assim de frente
avistei no outro polo quatro estrelas
que apenas viu a primitiva gente.

Por certo o céu gozava de contê-las.
Viúvo septentrião entristecido,
que não ostentas flâmulas tão belas!

Com'io dal loro sguardo fui partito,
un poco me volgendo all'altro polo,
là onde il Carro già era sparito,

vidi presso di me un veglio solo,
degno di tanta reverenza in vista
che più non dee a padre alcun figliuolo.

Lunga la barba e di pel bianco mista
portava, a' suoi capelli simigliante,
de 'quai cadeva al petto doppia lista.

Li raggi delle quattro luci sante
fregiavan sì la sua faccia di lume,
ch'io 'l vedea come il Sol fosse davante.

"Chi siete voi, che contro al cieco fiume
fuggita avete la prigione eterna?"
diss'ei movendo quelle oneste piume.

"Chi v'ha guidati? o che vi fu lucerna
uscendo fuor della profonda notte
che sempre nera fa la valle inferna?

Son le leggi d'abisso così rotte?
o è mutato in ciel novo consiglio,
che, dannati, venite alle mie grotte?"

Lo duca mio allor mi diè di piglio,
e con parole e con mani e con cenni
reverenti mi fe' le gambe e il ciglio.

Poscia rispose lui: "Da me non venni:
donna scese dal ciel, per li cui prieghi
della mia compagnia costui sovvenni.

Quando deixei de olhá-las distraído
voltei-me um pouco para o oposto lado
lá onde o Carro havia submergido.

E vi o vulto de um ancião voltado
para mim, cujo aspecto merecia
ser filialmente reverenciado.

Longa barba grisalha possuía
à basta cabeleira semelhante
que em madeixas no peito lhe caía.

As quatro luzes de fulgor distante
no ato de iluminar-lhe as faces brandas
punham-lhe o sol à frente do semblante.

"Quem sois, que o rio de águas miserandas
vencestes, livres da prisão eterna?"
– disse – movendo as barbas venerandas.

"Quem vos guiou acaso, que lucerna
vos protegeu ao longo da jornada,
pois o negror a todo o vale inferna?

A lei do abismo foi desrespeitada?
Aos réprobos o céu mandou decreto
que lhes permita acesso a esta morada?"

Meu guia então me fez severo objeto
de sinais e palavras; e o tributo
prestei de joelhos ao ancião proveto.

Depois lhe respondeu: "Por mim não luto.
Dama vinda do céu para salvar
a este ser, me pediu auxílio arguto.

Ma da che è tuo voler che più si spieghi
di nostra condizion com'ella è vera,
esser non puote il mio che a te si nieghi.

Questi non vide mai l'ultima sera,
ma per la sua follia le fu sì presso
che molto poco tempo a volger era.

Sì com'io dissi, fui mandato ad esso
per lui campare, e non v'era altra via
che questa per la quale io mi son messo.

Mostrata ho lui tutta la gente ria,
e ora intendo mostrar quelli spirti
che purgan sè sotto la tua balìa.

Com'io l'ho tratto, saria lungo a dirti:
dall'alto scende virtù che m'aiuta
conducerlo a vederti e a udirti.

Or ti piaccia gradir la sua venuta:
libertà va cercando, ch'è sì cara,
come sa chi per lei vita rifiuta.

Tu il sai, che non ti fu per lei amara
in Utica la morte, ove lasciasti
la vesta che al gran dì sarà sì chiara.

Non son gli editti eterni per noi guasti;
chè questi vive, e Minòs me non lega;
ma son del cerchio ove son gli occhi casti

di Marzia tua, che in vista ancor ti priega,
o santo petto, che per tua la tegni:
per lo suo amore adunque a noi ti piega.

Mas já que queres te certificar
de nossa condição mais verdadeira,
cousa nenhuma a ti posso negar.

Este não viu a noite derradeira
mas foi sua loucura tão bravia
que por pouco do caos esteve à beira.

Em seu socorro, como eu te dizia,
fui enviado e seguindo meu intento
não encontrei sequer uma outra via.

Já lhe mostrei os maus em sofrimento.
Os que se purificam quero agora
mostrar-lhe, a cuja guarda estás atento.

Dizer-te como o trouxe é vã demora.
Da altura recebi essa virtude
de conduzi-lo a ver-te e ouvir por ora.

É de esperar que teu favor o ajude:
liberdade procura, ideal de quem
a superpõe à vida em gesto rude.

Suave por ela é a morte, sabes bem,
tu que em Útica abandonaste a veste
que mais clara será no juízo além.

Não se violou edito eterno: que este
se encontra vivo; e Minos não me envia.
Sou do núcleo em que estão os que perdeste

castos olhos de tua Márcia pia
que, ó nobre coração, demonstra o anelo
de que a cuides em tua companhia.

Lasciane andar per li tuoi sette regni;
grazie riporterò di te a lei,
se d'esser mentovato là giù degni".

"Marzia piacque tanto alli occhi miei
mentre ch'io fui là" diss'egli allora
"che quante grazie volle da me, fei.

Or che di là dal mal fiume dimora,
più mover non mi può, per quella legge
che fatta fu quando me n'uscii fora.

Ma se donna del ciel ti move e regge,
come tu di', non c'è mestier lusinghe:
bastiti ben che per lei mi richiegge.

Va dunque, e fa che tu costui ricinghe
d'un giunco schietto, e che gli lavi il viso
sì ch'ogni sucidume quindi stinghe;

chè non si converria l'occhio sorpriso
d'alcuna nebbia, andar dinanzi al primo
ministro, ch'è di quei di Paradiso.

Questa isoletta intorno ad imo ad imo,
là giù colà dove la batte l'onda,
porta dei giunchi sovra il molle limo:

null'altra pianta che facesse fronda
o indurasse, vi puote aver vita,
però che alle percosse non seconda.

Poscia non sia di qua vostra reddita:
lo Sol vi mostrerà, che surge omai,
prendere il monte a più lieve salita".

Por seu amor atende-nos o apelo:
os sete reinos teus queremos ver.
De ti a ela falarei com zelo

se à tua dignidade isto aprouver."
"Márcia – disse – a meus olhos foi tão doce
que era satisfazê-la meu prazer.

Agora habita a sombra. Transformou-se
a nossa vida pela lei que a ordena
e, ao vir da terra por mim mesmo, trouxe.

Porém se dama celestial te acena
para tal viagem, cumpra-se o pedido.
Lisonjear-me é vão, não vale a pena.

Em nome dela vai com o protegido.
De um junco fresco cinge-lhe a cintura.
Lava-lhe o pó do rosto enegrecido.

Não convém que apresente a face impura
e olhos em que haja bruma ao outorgante
maior do paraíso aquém da altura.

Ao redor desta ilha mais adiante
lá onde as ondas batem na baixada,
medra no limo o junco vicejante.

Planta alguma de fronde mais copada
ou tronco endurecido aqui resiste
senão esta, flexível, delicada.

Não regresseis àquela senda triste.
O sol vos mostrará melhor caminho
que, à subida do morro, o atalho assiste."

Così sparì: ed io su mi levai
senza parlare, e tutto mi ritrassi
al duca mio, e gli occhi a lui drizzai.

Ei cominciò: "Seguisci li miei passi:
volgiamci indietro, chè di qua dichina
questa pianura a' suoi termini bassi".

L'alba vinceva l'ora mattutina
che fuggia innanzi, sì che di lontano
conobbi il tremolar de la marina.

Noi andavam per lo solingo piano
com'uom che torna alla perduta strada,
che infino ad essa li pare ire invano.

Quando noi fummo là 've la rugiada
pugna col Sole, e, per essere in parte
ove adorezza, poco si dirada,

ambo le mani in su l'erbetta sparte
soavemente il mio maestro pose;
ond'io, che fui accorto di sua arte,

porsi ver lui le guance lacrimose;
ivi mi fece tutto discoverto
quel color che l'Inferno mi nascose.

Venimmo poi in sul lito diserto,
che mai non vide navigar sue acque
uomo che di tornar sia poscia esperto.

Quivi mi cinse sì com'altrui piacque:
oh maraviglia! chè qual egli scelse
l'umile pianta, cotal si rinacque

subitamente là onde l'avelse.

E nisso desapareceu sozinho.
Levantei-me em silêncio perscrutando
os olhos de meu guia, que adivinho.

"Segue-me – começou – vamos andando
para trás que o planalto aqui declina
lá para os vales ínfimos." Foi quando

a alba vencendo a hora matutina,
de muito longe divisei o mar,
trêmula superfície de neblina.

Íamos pelo plaino a meditar
como quem volta à estrada que perdida
fora e tornara vão seu caminhar.

Ao chegarmos ao ponto em que ainda lida
com os vapores o sol à tenuidade
da aurora não de todo aparecida,

o meu mestre baixou com suavidade
as mãos à relva úmida. Entretanto
ao gesto compassivo que persuade,

dele me aproximei o rosto em pranto.
Purificou-se então a minha face
das nódoas infernais que queimam tanto.

Depois seguimos pelo ermo onde nasce
a água da solidão de que vivente
algum regressaria se a tentasse.

Cingiu-me o junco ali, lembrando o ausente,
meu mestre. E a maravilha aconteceu:
cortada a planta eis que subitamente

do mesmo galho trunco renasceu.

CANTO II

Già era il sole all'orizzonte giunto
lo cui meridian cerchio coverchia
Ierusalem col suo più alto punto;

e la Notte, che opposita a lui cerchia,
uscía di Gange fuor con le bilance,
che le caggion di man quando soverchia;

sì che le bianche e le vermiglie guance,
là dov'io era, della bella Aurora,
per troppa etate divenivan rance.

Noi eravam lunghesso il mare ancora,
come gente che pensa a suo cammino,
che va col cuore e col corpo dimora;

ed ecco, qual, sul presso del mattino,
per li grossi vapor Marte rosseggia
giù nel ponente sovra il suol marino,

cotal m'apparve, s'io ancor lo veggia,
un lume per lo mar venir sì ratto,
che il mover suo nessun volar pareggia;

dal qual com'io un poco ebbi ritratto
l'occhio per domandar lo duca mio,
rividil più lucente e maggior fatto.

Poi d'ogni lato ad esso m'appario
un non sapea che bianco, e di sotto,
a poco a poco un altro a lui uscìo.

Lo mio maestro ancor non fece motto,
mentre che i primi bianchi apparser ali;
allor, che ben conobbe il galeotto,

CANTO II

O sol resplandecia no horizonte
cujo contorno meridiano abraça
Jerusalém cobrindo-lhe a alta fronte.

E a noite que um oposto giro traça
do álveo do Ganges vinha com a Balança
que deixa resvalar quando se espaça.

Onde me achava, a branca e rósea nuança
de suas faces já perdia a aurora
à cor dourada que com o tempo avança.

Junto do mar estamos como o que ora
seu caminho perscruta reticente
entre a alma alada e o corpo que demora.

E assim como no céu amanhecente
Marte, pelo vapor que se irradia
paira acima do mar junto do poente,

aos meus olhos um lume aparecia
sobre as ondas vogando tão ligeiro
que mais veloz um voo não seria.

Após interpelar meu companheiro
sobre a visão, achei-a mais brilhante
ao fitá-la de novo por inteiro.

De cada lado vinha para diante
algo de branco que centralizava
aos poucos alvo núcleo fulgurante.

Por enquanto meu mestre se calava.
Mas quando viu as asas bem abertas,
reconhecendo a quem se aproximava,

gridò: "Fa, fa che le ginocchia cali.
Ecco l'angel di Dio. Piega le mani:
omai vedrai di sì fatti officiali.

Vedi che sdegna gli argomenti umani,
sì che remo non vuol né altro velo
che l'ali sue, tra liti sì lontani.

Vedi come l'ha dritte verso il cielo,
trattando l'aere con l'eterne penne,
che non si mutan come mortal pelo".

Poi, come più e più verso noi venne
l'uccel divino, più chiaro appariva,
per che l'occhio da presso nol sostenne,

ma chinail giuso; e quei sen venne a riva
con un vasello snelletto e leggiero
tanto che l'acqua nulla ne inghiottiva.

Da poppa stava il celestial nocchiero
tal che parea beato per iscripto;
e più di cento spirti entro sediero.

"In exitu Israel de Aegypto",
cantavam tutti insieme ad una voce,
con quanto di quel salmo è poscia scripto.

Poi fece il segno lor di santa croce,
ond'ei si gittar tutti in su la spiaggia;
ed ei sen gì, come venne, veloce.

La turba che rimase lì, selvaggia
parea del loco, rimirando intorno
come colui che nove cose assaggia.

"Dobra os joelhos – aconselhou-me – alerta!
De mãos postas! Eis o Anjo celestial.
Como este, outros verá tua alma desperta.

Vê que desdenha o apoio natural,
não precisa de remos nem de vela:
para viajar tem asas por fanal.

Vê como erguidas para o céu vão elas
rompendo o azul com perenal plumagem
que à plumagem que cai não se nivela."

Vem avançando prestes pela aragem
sempre mais claro, o pássaro divino
a cuja luz meus pobres olhos reagem

de ofuscados. Então a fronte inclino.
E o baixel toca a praia esbelto e brando
sem resvalar no líquido marino.

À popa o nauta angélico assomando
é a figura cabal de um ser bendito.
Cem espíritos vêm com ele em bando.

Cantam: "In exitu Israel de Aegypto"
em voz uníssona piedosamente
com as demais expressões do salmo escrito.

O Anjo faz o sinal da cruz à frente.
E ao ver que estão as almas já na praia,
volve como chegou, rapidamente.

A turba que no entanto ali se espraia
o imprevisto local observa atenta
como quem junto ao que é novel ensaia.

Da tutte parti saettava il giorno
lo Sol, che avea con le saette conte
di mezzo il ciel cacciato Capricorno,

quando la nova gente alzò la fronte
ver noi, dicendo a noi: "Se voi sapete,
mostratene la via di gire al monte".

E Virgilio rispose: "Voi credete
forse che siamo esperti d'esto loco;
ma noi siam peregrin come voi siete.

Dianzi venimmo, innanzi a voi un poco,
per altra via, che fu sì aspra e forte,
che lo salire omai ne parrà gioco".

L'anime che si fur di me accorte,
per lo spirare, ch'io era ancor vivo,
maravigliando diventaro smorte.

E come a messagger che porta olivo
tragge la gente per udir novelle,
e di calcar nessun si mostra schivo,

così al viso mio s'affisar quelle
anime fortunate tutte quante,
quasi obliando d'ire a farsi belle.

Io vidi una di lor trarresi avante
per abbracciarmi, con sì grande affetto,
che mosse me a far lo simigliante.

Oh ombre, vane fuor che nell'aspetto!
Tre volte dietro a lei le mani avvinsi,
e tante mi tornai con esse al petto.

Em plenitude o dia se apresenta
e com as setas o sol sobre o horizonte
atinge Capricórnio a que afugenta.

Em direção a nós alçando a fronte
a gente estranha inquire: "Se o sabeis,
mostrai-nos o caminho para o monte".

E Virgílio responde: "Vós, talvez,
pensais que conhecemos tal lugar
a que o espírito nosso não se afez.

Acabamos há pouco de chegar
por estrada tão áspera e tão forte
que será um brinquedo, o continuar."

Sentindo meu respiro e desta sorte
assombrada de ver que eu estava vivo,
a turba ficou pálida de morte.

Como defronte ao mensageiro ativo
que o ramo de oliveira traz, ninguém
por ter notícias se conserva esquivo,

a mim com interesse o grupo vem
das bem-fadadas almas, esquecidas
quase de aperfeiçoar-se mais além.

Apressou-se uma delas, incontida,
a abraçar-me provando tal afeto
que a retribuir-lhe o gesto me convida.

Ó sombras vãs além de todo aspecto!
Por três vezes tentei cingi-la e as mãos
três vezes recolhi ao peito inepto.

Di maraviglia, credo, mi dipinsi:
per che l'ombra sorrise e si ritrasse,
e io, seguendo lei, oltre mi pinsi.

Soavemente disse ch'io posasse;
allor conobbi chi era, e pregai
che per parlarmi un poco s'arrestasse.

Risposemi: "Così com'io t'amai
nel mortal corpo, così t'amo sciolta:
però m'arresto; ma tu perché vai?"

"Casella mio, per tornare altra volta
là dov'io son, fo io questo viaggio"
diss'io; "ma a te com'è tant'ora tolta?"

Ed egli a me: "Nessun m'è fatto oltraggio,
se quei che leva quando e cui li piace,
più volte m'ha negato esto passaggio;

chè di giusto voler lo suo si face.
Veramente, da tre mesi egli ha tolto
chi ha voluto entrar, con tutta pace.

Ond'io, ch'or era alla marina volto
dove l'acqua di Tevere s'insala,
benignamente fui da lui ricolto.

A quella foce ha egli or dritta l'ala,
però che sempre quivi si ricoglie
quale verso Acheronte non si cala".

E io: "Se nova legge non ti toglie
memoria o uso all'amoroso canto
che mi solea quetar tutte mie voglie,

A sombra percebeu minha emoção:
retraiu-se e afastou-se com um sorriso.
E onde ela vai, meus passos também vão.

Que me resigne, foi o seu aviso.
Agora a reconheço. E lhe roguei
falássemos de modo mais preciso.

"Assim – me respondeu – como te amei
com meu corpo mortal, amo-te ainda.
Mas por que estás aqui como eu, não sei."

"Meu Casella – replico – para a infinda
viagem futura me preparo agora.
Mas por que retardaste tua vinda?"

E ele: "Ultraje nenhum sofri, embora
o condutor que sempre age à vontade
me retivesse um pouco. Não se ignora

que o inspira a justiça. E em verdade,
há três meses transporta para aqui
a quem quer vir com toda amenidade.

Quando me achava em frente ao mar, ali
onde o Tibre se salga e se derrama,
recolhido por ele me senti.

Sua missão àquela foz o chama,
de onde arrebanha com solicitude
as almas que o Aqueronte não reclama."

"Se não há lei que te proíba ou mude,
se ainda te lembras do amoroso canto
– digo – que me acalmava as inquietudes,

di ciò ti piaccia consolare alquanto
l'anima mia, che con la mia persona
venendo qui, è affannata tanto!"

"Amor che nella mente mi ragiona"
cominciò egli allor sì dolcemente
che la dolcezza ancor dentro mi suona.

Lo mio maestro, e io, e quella gente
ch'eran con lui parevan sì contenti,
come a nessun toccasse altro la mente.

Noi eravam tutti fissi ed attenti
a le sue note; ed ecco il veglio onesto
gridando: "Che è ciò, spiriti lenti?

Qual negligenza, quale stare è questo?
Correte al monte a spogliarvi lo scoglio
ch'esser non lascia a voi Dio manifesto!"

Come quando, cogliendo biada o loglio,
li colombi, adunati alla pastura,
queti, senza mostrar l'usato orgoglio,

se cosa appare ond'elli abbian paura,
subitamente lasciano star l'esca
perché assaliti son da maggior cura;

così vid'io quella masnada fresca
lasciar lo canto e gire inver la costa,
com'uom che va né sa dove riesca;

né la nostra partita fu men tosta.

sê bondoso, consola-me, porquanto
me sinto de alma e corpo fatigado
por essa viagem que perturba tanto."

"Amor que reges todo o meu cuidado"
começou a cantar tão docemente
que o dulçor em meu ser se há prolongado.

O mestre, a multidão ali presente,
eu, todos nós quedávamos felizes
sem nenhum outro pensamento em mente,

presos àquela música em matizes.
Eis que aparece o austero ancião nessa hora.
"Espíritos – gritou – mas que deslizes

são estes, que descuido, que demora?
Correi ao monte e o espólio abandonai
que vos privou de Deus até agora."

Como um bando de pombas que lá vai
pela veiga a bicar o joio e o trigo,
sem a altivez que nelas sobressai,

ao primeiro sinal de algum perigo
subitamente voa amedrontada
buscando algures mais seguro abrigo,

assim vi eu a turba alvoroçada
deixar o canto e demandar o outeiro
sem mesmo conhecer onde era a estrada.

E assim o nosso andar se fez ligeiro.

CANTO III

Avvegna che la subitana fuga
dispergesse color per la campagna,
rivolti al monte ove ragion ne fruga,

i' mi ristrinsi alla fida compagna:
e come sare' io sanza lui corso?
chi m'avrìa tratto su per la montagna?

El mi parea da sé stesso rimorso:
o dignitosa coscïenza e netta,
come t'è picciol fallo amaro morso!

Quando li piedi suoi lasciar la fretta,
che l'onestade ad ogn'atto dismaga,
la mente mia, che prima era ristretta,

lo 'ntento rallargò, sì come vaga
e diedi 'l viso mio incontro al poggio
che 'nverso il ciel più alto si dislaga.

Lo sol, che dietro fiammeggiava roggio,
rotto m'era dinanzi alla figura,
ch'avea in me de' suoi raggi l'appoggio.

Io mi volsi da lato con paura
d'essere abbandonato, quand'io vidi
solo dinanzi a me la terra oscura;

e 'l mio conforto "Perché pur diffidi?"
a dir mi cominciò tutto rivolto:
"non credi tu me teco e ch'io ti guidi?

Vespero è già colà dov'è sepolto
lo corpo dentro al quale io facea ombrea:
Napoli l'ha, e da Brandizio è tolto.

CANTO III

Embora as almas, cada qual de um lado,
buscassem a correr pela campanha
o monte que redime do pecado,

ao espírito fiel que me acompanha
me estreitei. Como houvera então fugido?
Quem me levara ao cimo da montanha?

Ele me parecia compungido:
ó consciência tão digna quanto pura,
como falta assim leve te há ferido?

Quando refez a nobre compostura
liberado da pressa que embaraça,
minha mente sofrida pela agrura

se expandiu e, por ver o que se passa,
curioso contemplei a alta colina
que o panorama em círculo ultrapassa.

O sol contra meu dorso se ilumina
rubro e se apaga à frente, contornando
a projeção de minha sombra fina.

Volto-me pleno de ansiedade, quando
ao ver diante de mim a terra escura
imaginei a solidão chegando.

Porém ouço: "Por que não te asseguras
– agitada era a voz – que estou contigo
e a minha proteção a ti perdura?

Vésper se encontra aonde jaz o antigo
corpo que minha sombra delineara.
Nápoles, após Brindes, deu-lhe abrigo.

Ora, se innanzi a me nulla s'aombra,
non ti maravigliar più che de' cieli
che l'uno all'altro raggio non ingombra

A sofferir tormenti, caldi e geli
simili corpi la Virtù dispone
che, come fa, non vuol ch'a noi si sveli.

Matto è chi spera che nostra ragione
possa trascorrer la infinita via
che tiene una sustanza in tre persone.

State contenti, umana gente, al quia;
ché se possuto aveste veder tutto,
mestier non era parturir Maria;

e disïar vedeste sanza frutto
tai che sarebbe lor disio quetato,
ch'eternamente è dato lor per lutto:

io dico d'Aristotile e di Plato
e di molt'altri"; e qui chinò la fronte,
e più non disse, e rimase turbato.

Noi divenimmo intanto a piè del monte:
quivi trovammo la roccia sì erta,
che 'ndarno vi sarìen le gambe pronte.

Tra Lerice e Turbia, la più diserta,
la più rotta ruina è una scala,
verso di quella, agevole e aperta.

"Or chi sa da qual man la costa cala"
disse 'l maestro mio, fermando il passo,
"sì che possa salir chi va sanz'ala?"

Se diante de mim a vista é clara,
não te admires, que isenta a luz de zelo
a outra luz não se opõe nem se compara.

Para sofrer tormento e fogo e gelo
os nossos corpos, Deus assim os fez,
sem que agora possamos compreendê-lo.

Louco é o que espera que a razão de vez
transcorra toda uma infinita via
em que a substância é de pessoas três.

Que à humanidade satisfaça o 'quia'
pois se tudo entendesse, não houvera
jus à maternidade de Maria.

Se cuidasse de sonho e de quimera
não recolhera frutos do cuidado
mas o luto perene lhe coubera.

De Platão e Aristóteles hei dado
e de outros, os conceitos." Nisto a fronte
reclinou em silêncio, perturbado.

Estávamos então ao pé do monte:
tão íngreme era a rocha quão incerta
a subida. Hesitamos lá defronte.

Entre Lerice e Túrbia, a mais deserta,
a mais áspera ruína é uma escada
contrariamente, sugestiva e aberta.

"Onde se inclina a encosta, moderada
– disse o mestre – que acaso favoreça
a quem asas não tem para a escalada?"

E mentre ch'e' tenendo il viso basso
essaminava del cammin la mente,
e io mirava suso intorno al sasso,

da man sinistra m'apparì una gente
d'anime, che movìeno i piè ver noi
e non parea, sì venian lente.

"Leva" diss'io, "maestro, li occhi tuoi:
ecco di qua chi ne darà consiglio,
se tu da te medesmo aver nol puoi."

Guardò allora, e con libero piglio
rispuose: "Andiamo in là, ch'ei vegnon piano;
e tu ferma la spene, dolce figlio".

Ancora era quel popol di lontano,
i' dico dopo i nostri mille passi,
quanto un buon gittator trarrìa con mano,

quando si strinser tutti ai duri massi
dell'alta ripa, e stetter fermi e stretti
com'a guardar, chi va dubbiando, stassi.

"O ben finiti, o già spiriti eletti",
Virgilio incominciò, "per quella pace
ch'i' credo che per voi tutti s'aspetti,

ditene dove la montagna giace
sì che possibil sia l'andare in suso;
ché perder tempo a chi più sa più spiace."

Come le pecorelle escon del chiuso
a una, a due, a tre, e l'altre stanno
timidette atterrando l'occhio e 'l muso;

Enquanto ele a pensar baixa a cabeça
concentrado em seu íntimo, a alma atenta,
eu mirava ao redor a escarpa avessa.

À esquerda, longe, um grupo se apresenta
de almas a caminharem bem de leve
e nem parece que andam, de tão lentas.

Eu disse ao mestre: "O teu olhar se eleve.
No alto encontra conselho quem no crivo
adentro de si mesmo não o teve".

Olhou então e com semblante vivo:
"Sim, vamos lá. Como andam devagar!
Caro filho, o momento é decisivo".

Entre nós a distância regular
seria, após mil passos percorridos,
igual ao jacto de uma pedra ao ar.

Logo, os espíritos ali reunidos
se encostam ao talude com firmeza,
tomados pela dúvida, transidos.

"Ó almas de eleição ou fortaleza
– falou Virgílio – por aquela paz
almejada de todos com certeza,

dizei-nos onde o monte desce assaz
a permitir acesso sem mais risco,
que perder tempo ao sábio não apraz."

Como ovelhas que vão deixando o aprisco
uma, duas e três e, por instinto
as outras em seguida, o modo arisco,

e ciò che fa la prima, e l'altre fanno,
addossandosi a lei, s'ella s'arresta,
semplici e quete, e lo 'mperché non sanno,[1]

sì vid'io muovere a venir la testa
di quella mandra fortunata allotta,
pudica in faccia e nell'andare onesta.

Come color dinanzi vider rotta
la luce in terra dal mio destro canto,
sì che l'ombra era da me alla grotta,

restaro, e trasser sé in dietro alquanto,
e tutti li altri che venìeno appresso,
non sappiendo il perché, fenno altrettanto.

"Sanza vostra domanda io vi confesso
che questo è corpo uman che voi vedete;
per che il lume del sole in terra è fesso.

Non vi maravigliate; ma credete
che non sanza virtù che da ciel vegna
cerchi di soverchiar questa parete."

Così 'l maestro; e quella gente degna
"Tornate" disse, "intrate innanzi dunque",
coi dossi delle man faccendo insegna.

E un di loro incominciò: "Chiunque
tu se', così andando volgi il viso:
pon mente se di là mi vedesti unque".

1 Henriqueta Lisboa não traduziu esta estrofe. Dela apresentamos a seguinte tradução livre: "o que faz a primeira as outras fazem, / encostando-se a ela, ela para / simples e quieta e o porquê não sabem;". (N. dos O.)

assim da turba o movimento sinto
vendo o primeiro vulto posto à frente
a face delicada, o andar distinto.

Tendo visto à direita, de repente,
interceptada a luz junto ao rochedo
por minha própria sombra diferente,

se deteve e recuou mostrando medo
e os outros o imitaram por expresso
ignorando a razão de tal enredo.

"Mesmo sem que o indagueis, eu vos confesso
que este é um corpo humano vivo ainda;
por isso a luz do sol deixa em recesso.

Não vos maravilheis: virtude vinda
do céu permite que ele espere e tente
superar a barreira agora advinda."

Falou o mestre. E a turba complacente
indicando com as mãos em que sentido
nos advertiu: "Volvei, passai à frente".

E um deles me abordou: "Desconhecido,
repara, mesmo andando, se algum dia
acaso me avistaste, em tempos idos".

Io mi volsi ver lui e guardail fiso:
biondo era e bello e di gentile aspetto,
ma l'un de' cigli un colpo avea diviso.

Quand'i' mi fui umilmente disdetto
d'averlo visto mai, el disse: "Or vedi";
e mostrommi una piaga a sommo 'l petto.

Poi sorridendo disse: "Io son Manfredi,
nepote di Costanza imperadrice;
ond'io ti priego che, quando tu riedi,

vadi a mia bella figlia, genitrice
dell'onor di Cicilia e d'Aragona,
e dichi il vero a lei, s'altro si dice.

Poscia ch'io ebbi rotta la persona
di due punte mortali, io mi rendei
piangendo, a quei che volentier perdona.

Orribil furon li peccati miei;
ma la bontà infinita ha sì gran braccia,
che prende ciò che si rivolge a lei.

Se 'l pastor di Cosenza, che alla caccia
di me fu messo per Clemente allora,
avesse in Dio ben letta questa faccia,

l'ossa del corpo mio sarìeno ancora
in co del ponte presso a Benevento,
sotto la guardia della grave mora.

Or le bagna la pioggia e move il vento
di fuor dal regno, quasi lungo il Verde,
dov'e' le trasmutò a lume spento.

Voltando-me encarei-o com porfia:
louro era e belo e de gentil aspecto
mas nos cílios um golpe se lhe via.

Quando eu lhe declarei com ar discreto
que nunca o divisara, "Eis um segredo"
diz, mostrando uma chaga sobre o peito.

E acrescenta a sorrir: "Eu sou Manfredo,
o neto de Constança, a imperatriz.
Ao regressares, por favor, vai cedo

procurar minha filha, geratriz
da glória de Sicília e de Aragão;
transmite a confidência que te fiz.

Ao ser ferido, um golpe de coração,
de dois golpes mortais, eu recorri
chorando a quem despende o seu perdão.

Ah que horríveis pecados cometi!
Mas a bondade infinita é tal que abraça
todos os convertidos junto a si.

Se o pastor de Cosenza que na caça
dos meus restos, a mando de Clemente,
de Deus houvesse pressentido a graça,

meus ossos estariam ainda em frente
à ponte quase junto a Benevento
sob a guarda da lápide silente.

Agora os banha a chuva e os move o vento
fora do reino perto ao rio Verde
transportado com lumes de escarmento.

Per lor maladizion sì non si perde,
che non possa tornar l'eterno amore,
mentre che la speranza ha fior del verde.

Vero è che quale in contumacia more
di Santa Chiesa, ancor ch'al fin si penta,
star li convien da questa ripa in fore,

per ogni tempo ch'elli è stato, trenta,
in sua presunzïon, se tal decreto
più corto per buon prieghi non diventa.

Vedi oggimai se tu mi puoi far lieto,
revelando alla mia buona Costanza
come m'hai visto, e anche esto divieto;

ché qui per quei di là molto s'avanza."

Mas essa maldição nunca nos perde
nem nos priva do eterno amor jamais
se da esperança brota a flor do verde.

Verdade é que quem morre contumaz
contra a Igreja, ainda mesmo arrependido,
deve quedar distante, para trás,

trinta vezes o tempo em que há vivido
na sua presunção, se tal decreto
não for por boas preces diminuído.

Vê se podes tornar-me satisfeito:
dize a Constança minha filha, um dia,
o que sabes de mim e o mais secreto

– que a piedade de lá nos auxilia."

CANTO V

Io era già da quell'ombre partito,
e seguitava l'orme del mio duca,
quando di retro a me, drizzando il dito,

una gridò: "Ve' che non par che luca
lo raggio da sinistra a quel di sotto,
e come vivo par che si conduca!"

Li occhi rivolsi al suon di questo motto,
e vidile guardar per maraviglia
pur me, pur me, e 'l lume ch'era rotto.

"Perché l'animo tuo tanto s'impiglia"
disse 'l maestro, "che l'andare allenti?
che ti fa ciò che quivi si pispiglia?

Vien dietro a me, e lascia dir le genti:
sta come torre ferma, che non crolla
già mai la cima per soffiar de' venti;

ché sempre l'uomo in cui pensier rampolla
sovra pensier, da sé dilunga il segno,
perché la foga l'un dell'altro insolla."

Che potea io ridir, se non "Io vegno"?
Dissilo, alquanto del color consperso
che fa l'uom di perdon tal volta degno.

E 'ntanto per la costa di traverso
venivan genti innanzi a noi un poco,
cantando "Miserere" a verso a verso.

Quando s'accorser ch'i' non dava loco
per lo mio corpo al trapassar de' raggi,
mutar lor canto in un "Oh" lungo e roco;

CANTO V

Já das sombras me havia distanciado
e acompanhava os rastros do meu guia
quando perto de mim, o dedo alçado,

alguém gritou: "A luz não alumia
– vede – a esquerda do vulto que caminha
como se vivo fosse à revelia".

Volvo os olhos ao som da voz vizinha
e noto que me observam fixamente
vendo o sol intercepto à imagem minha.

"Por que razão tua alma se ressente
– pergunta o mestre – e segues devagar?
Que importa o comentário dessa gente?

Vem, não ouças, comigo é teu lugar.
Sê como torre firme: a nenhum vento
de leve oscila e deixa-se abalar.

Pois o homem que distrai seu pensamento
com outro pensamento repartido
desgasta o impulso do primeiro intento."

Que replicar podia? Enrubescido
disse: Já vou. E do rubor se infere
perdão para o faltoso arrependido.

Entanto pouco adiante um grupo em série
vem a encosta de lado atravessando
a cantar verso a verso o "Miserere".

Quando enxergam porém meu corpo, quando
verificam que é opaco à luz, reagem
com exclamações, o salmo silenciando.

e due di loro, in forma di messaggi,
corsero incontr'a noi e dimandarne:
"Di vostra condizion fatene saggi".

E 'l mio maestro: "Voi potete andarne
e ritrarre a color che vi mandaro
che 'l corpo di costui è vera carne.

Se per veder la sua ombra restaro,
com'io avviso, assai è lor risposto:
faccianli onore, ed esser può lor caro."

Vapori accesi non vid'io sì tosto
di prima notte mai fender sereno,
né, sol calando, nuvole d'agosto,

che color non tornasser suso in meno;
e, giunti là, con li altri a noi dier volta
come schiera che scorre sanza freno.

"Questa gente che preme a noi è molta,
e vegnonti a pregar" disse il poeta:
"però pur va, ed in andando ascolta."

"O anima che vai per esser lieta
con quelle membra con le quai nascesti"
venìan gridando, "un poco il passo queta.

Guarda s'alcun di noi unqua vedesti,
sì che di lui di là novella porti:
deh, perché vai? Deh, perché non t'arresti?

Noi fummo tutti già per forza morti,
e peccatori infino all'ultima ora:
quivi lume del ciel ne fece accorti,

Dois entre eles à guisa de mensagem
se aproximam de nós na tentativa
de conhecer-nos – coração e imagem.

"Tranquilizai-vos – diz o mestre – é viva
a carne deste ser que tenho ao lado.
Ide e aos outros levai a afirmativa.

Se por ver sua sombra estais parados
basta o que disse: dai-lhe reverência
que ele vos prestará os seus cuidados."

Relâmpagos não vi com tal premência
surpreendendo o céu crepuscular
nem ao sol-pôr de agosto a evanescência

com a rapidez dos que se vão juntar
aos parceiros. E todos sem demora
nos buscam, como tropa a disparar.

"Grande é a turba que vem pedir agora
– diz o poeta – teus préstimos. Convém
que caminhes e escutes, muito embora."

"Alma que te preparas para o além
na condição carnal – ressoava a voz
da grei subindo – os passos teus detém.

Olha! Se reconheces um de nós
dá notícia na terra desta sorte.
Mas não ouves os que te vão empós?

Tivemos todos criminosa morte
e pecadores fomos renitentes.
No fim a luz do céu tocou-nos forte.

sì che, pentendo e perdonando, fora
di vita uscimmo a Dio pacificati,
che del disio di sé veder n'accora."

E io: "Perché ne' vostri visi guati,
non riconosco alcun; ma s'a voi piace
cosa ch'io possa, spiriti ben nati,

voi dite, e io farò per quella pace
che dietro a'piedi di sì fatta guida
di mondo in mondo cercar mi si face".

E uno incominciò: "Ciascun si fida
del beneficio tuo sanza giurarlo,
pur che 'l voler nonpossa non ricida.

Ond'io, che solo innanzi alli altri parlo,
ti priego, se mai vedi quel paese
che siede tra Romagna e quel di Carlo,

che tu mi sia de'tuoi prieghi cortese
in Fano, sì che ben per me s'adori
pur ch'i' possa purgar le gravi offese.

Quindi fu' io; ma li profondi fori
ond'uscì 'l sangue in sul quale io sedea,
fatti mi fuoro in grembo alli Antenori,

là dov'io più sicuro esser credea:
quel da Esti il fe' far, che m'avea in ira
assai più là che dritto non volea.

Ma s'io fosse fuggito inver la Mira,
quando fu' sovragiunto ad Orïaco,
ancor sarei di là ove si spira.

Perdoando ao próximo eis que penitentes
a vida abandonamos no remanso
de Deus, a ansiar por vê-lo ardentemente."

"Nenhum de vós reconhecer alcanço
– respondo – mas, espíritos eleitos,
estou pronto a servir-vos sem descanso.

Instruí-me e o que disserdes será feito,
pela paz que procuro junto ao guia
de mundo em mundo por maior proveito."

"Todos em ti confiamos – principia
um deles – sem mister de juramento,
que nem sempre a intenção resolveria.

Eu que primeiro falo no momento,
rogo-te, se viajares ao lugar
que entre Romagna e Carlo tem assento,

sê compassivo e bom: põe-te a rezar
em Fano, por minha alma. E que eu consiga
de graves culpas me purificar.

Lá nasci mas depois de certa intriga
tendo sido ferido amargamente
procurei Antenori que me abriga

não como supusera minha mente:
matou-me o duque d'Este pleno de ira
o direito a violar abruptamente.

Ah! se eu me encaminhasse para Mira
depois de Oríaco onde fui achado
ainda gozara do ar que se respira.

Corsi al palude, e le cannucce e 'l braco
m'impigliar sì, ch'i' caddi; e lì vid'io
delle mie vene farsi in terra laco."

Poi disse un altro: "Deh, se quel disio
si compia che ti tragge all'alto monte,
con buona pïetate aiuta il mio!

Io fui da Montefeltro, io son Bonconte:
Giovanna o altri non ha di me cura;
per ch'io vo tra costor com bassa fronte".

E io a lui: "Qual forza o qual ventura
ti travïò sì fuor di Campaldino,
che non si seppe mai tua sepoltura?"

"Oh!" rispuos'elli, "a piè del Casentino
traversa un'acqua c'ha nome l'Archiano,
che sovra l'Ermo nasce in Apennino

Là 've 'l vocabol suo diventa vano,
arriva' io forato nella gola,
fuggendo a piede e 'nsanguinando il piano.

Quivi perdei la vista e la parola;
nel nome di Maria fini', e quivi
caddi e rimase la mia carne sola.

Io dirò vero e tu 'l ridì tra' vivi:
l'angel di Dio mi prese, e quel d'inferno
gridava: 'O tu del ciel, perché mi privi?

Tu te ne porti di costui l'eterno
per una lacrimetta che 'l mi toglie;
ma io farò dell'altro altro governo!'

Corro para o palude do outro lado.
Entre caniços tombo. O solo vejo
de meu sangue a jorrar todo alagado."

Um outro disse: "Cumpra-se o desejo
que te leva à escalada do alto monte.
E ajuda-me piedoso a quanto almejo.

Venho de Montefeltro, sou Bonconte.
Como os demais, Giovana se descura
de mim: entristeço e baixo a fronte."

Pergunto-lhe: "Que força ou que aventura
se travou ao redor de Campaldino,
que não se encontra a tua sepultura?"

"Ah! – respondeu – ao pé do Casentino
por onde as águas correm do Arquiano
que nasce acima do Ermo no Apenino

e cujo primo nome traz engano,
arribei com a garganta transpassada
fugindo a pé e ensanguentando o plano.

Cego, ao sentir a vida destroçada
mal pronuncio o nome de Maria
e minha carne tomba sem mais nada.

Repetirás esta verdade um dia
aos viventes: gritava o anjo do inferno
ao anjo celestial que me acolhia:

'Pois tu me privas do quinhão eterno
por somente uma lágrima vertida?
A ínfima parte, ao menos, eu governo.'

Ben sai come nell'aere si raccoglie
quell'umido vapor che in acqua riede,
tosto che sale dove 'l freddo il coglie.

Giunse quel mal voler che pur mal chiede
con lo 'ntelletto, e mosse il fummo e 'l vento
per la virtù che sua natura diede.

Indi la valle, come 'l dì fu spento,
da Pratomagno al gran giogo coperse
di nebbia; e 'l ciel di sopra fece intento,

sì che 'l pregno aere in acqua si converse:
la pioggia cadde ed a' fossati venne
di lei ciò che la terra non sofferse;

e come ai rivi grandi si convenne,
ver lo fiume real tanto veloce
si ruinò, che nulla la ritenne.

Lo corpo mio gelato in su la foce
trovò l'Archian rubesto; e quel sospinse
nell'Arno, e sciolse al mio petto la croce

ch'i' fe' di me quando 'l dolor mi vinse:
voltommi per le ripe e per lo fondo;
poi di sua preda mi coperse e mi cinse."

"Deh, quando tu sarai tornato al mondo,
e riposato della lunga via"
seguitò il terzo spirito al secondo,

"ricorditi di me che son la Pia;
Siena mi fe'; disfecemi Maremma:
salsi colui che 'nnanellata pria

disposando m'avea con la sua gemma."

Bem sabes como no ar é recolhida
a umidade que em nuvem se condensa
ao frio e torna em chuva na descida.

O espírito malévolo que pensa
tão só no mal reúne bruma e vento
pelo poder da natureza tensa.

O vale, à hora em que o dia perde alento
de Pratomagno ao longo se encobriu
estando ameaçador o firmamento.

Despenca do alto a chuva em desafio
e transbordam regatos do que o chão
não se embebeu. E como ao grande rio

as águas vão juntar-se em turbilhão
cada vez mais violento e mais veloz,
tudo foi arrastado de roldão.

O meu corpo gelado atinge a foz
do Arquiano e tomba no Arno. A cruz que ao peito
eu tracejara na agonia atroz

desaparece. As águas de tal jeito
me revolvem da margem para o fundo
que me sepultam no profundo leito."

Seguiu terceiro espírito ao segundo:
"Quando após teu regresso, todavia
repousado estiveres lá no mundo,

recorda-te de mim que sou a Pia.
Sienense, acho em Marema a hora final.
Sabe-o quem me esposara, quem me havia

como esposo ofertado o anel nupcial."

CANTO VIII

Era già l'ora che volge il disio
ai naviganti e intenerisce il core
lo dì ch'han detto ai dolci amici addio;

e che lo novo peregrin d'amore
punge, se ode squilla di lontano
che paia il giorno pianger che si more;

quand'io incominciai a render vano
l'udire, e a mirare una dell'alme
surta, che l'ascoltar chiedea con mano.

Ella giunse e levò ambo le palme,
ficcando gli occhi verso l'oriente,
come dicesse a Dio: "D'altro non calme".

"Te lucis ante" sì devotamente
le uscío di bocca e con sì dolci note,
che fece me a me uscir di mente;

e l'altre poi dolcemente e devote
seguitar lei per tutto l'inno intero,
avendo gli occhi alle superne rote.

Aguzza qui, lettor, ben gli occhi al vero,
chè il velo è ora ben tanto sottile,
certo che'l trapassar dentro è leggero.

Io vidi quello esercito gentile
tacito poscia riguardare in sue,
quasi aspettando, pallido e umile;

e vidi uscir dell'alto e scender giue
due angeli con due spade affocate,
tronche e private delle punte sue.

CANTO VIII

Era chegada a hora em que a saudade
com a ternura do dia da partida
o coração do navegante invade;

e dói ao peregrino esta ferida
de amor se ouve do sino a voz distante
como a chorar a tarde em despedida;

quando envolto em silêncio vejo adiante
uma alma que se erguera e às outras almas
com acenos invita àquele instante.

Juntou das mãos ao longo as duas palmas
e de olhos dirigidos para o oriente
talvez dissesse a Deus: Tu nos acalmas.

"Te lucis ante" – tão piedosamente
proferiram seus lábios com tais notas
que me esqueceu no enlevo a própria mente.

As outras almas por igual devotas
em uníssono cantam o hino inteiro
de olhos voltados às celestes rotas.

Vê, leitor, o sentido verdadeiro
que se oculta através de véu sutil
que podes trespassar por ser ligeiro.

Eis que o pálido exército gentil
ora guarda silêncio e algo procura
fitando humildemente o céu de anil.

Aparecem dois anjos lá na altura
portando cada qual brilhante espada
sem o acume porém com que se apura.

Verdi come fogliette pur mo nate
erano in veste, che da verdi penne
percosse traean dietro e ventilate.

L'un poco sovra noi a star si venne,
e l'altro scese in l'opposita sponda,
sì che la gente in mezzo si contenne.

Ben discernea in lor la testa bionda;
ma nella faccia l'occhio si smarria,
come virtù che a troppo si confonda.

"Ambo vegnon del grembo di Maria"
disse Sordello "a guardia della valle,
per lo serpente che verrà via via".

Ond'io, che non sapeva per qual calle,
mi volsi intorno, e stretto m'accostai,
tutto gelato, alle fidate spalle.

E Sordello anco: "Or avvalliamo omai
tra le grandi ombre, e parleremo ad esse:
grazioso fia lor vedervi assai".

Solo tre passi credo ch'io scendesse,
e fui di sotto, e vidi un che mirava
pur me, como conoscer mi volesse.

Temp'era già che l'aere s'annerava,
ma non sì che tra gli occhi suoi e i miei
non dichiarisse ciò che pria serrava.

Ver me si fece, e io ver lui mi fei:
giudice Nin gentil, quanto mi piacque
quando ti vidi non esser tra' rei!

Vestes da cor de tenras folhas, cada
um deles abre as asas contra o vento
as verdes plumas leves em revoada.

Paira acima de nós por um momento
o primeiro; o outro busca o lado oposto
quedando a turba em meio ao movimento.

Louros cabelos tinham; mas os rostos
embora os contemplasse não os via,
que eram de um reino excelso por suposto.

"Vêm ambos do regaço de Maria
– disse Sordello – quando a serpe está
para atingir o vale na porfia."

Sem saber se daqui ou se de lá,
gelei olhando em torno e me acolhendo
aos ombros fiéis de quem me guardará.

Sordello continuou: "Vamos descendo
ao pé das grandes sombras que por certo
hão de sentir-se gratas em vos vendo".

Apenas três degraus baixara e, perto,
já no plano, notei que era observado
por alguém que me havia descoberto.

Estava o ar do crepúsculo nublado
porém não se mostrava assim tão denso
que toldasse a visão do que era ao lado.

Sentimo-nos mais próximos. E penso:
Ó Nino, caro juiz, fiquei contente
de não te achar aos báratros apenso!

Nullo bel salutar tra noi si tacque;
poi dimandò: "Quant'è che tu venisti
al piè del monte per le lontane acque?"

"Oh!" diss'io lui "per entro i luoghi tristi
venni stamane, e sono in prima vita,
ancor che l'altra, sì andando, acquisti".

E come fu la mia risposta udita,
Sordello ed egli indietro si raccolse
come gente di subito smarrita.

L'uno a Virgilio e l'altro a un si volse
che sedea lì, gridando: "Su, Currado!
Vieni a veder che Dio per grazia volse".

Poi, volto a me: "Per quel singular grado
che tu dei a colui che sì nasconde
lo suo primo perché, che non lì è guado,

quando sarai di là dalle larghe onde,
di' a Giovanna mia che per me chiami
là dove agli innocenti si risponde.

Non credo che la sua madre più m'ami,
poscia che trasmutò le bianche bende,
le quai convien che, misera, ancor brami.

Per lei assai di lieve si comprende
quanto in femmina foco d'amor dura,
se l'occhio o 'l tatto spesso non l'accende.

Non le farà sì bella sepoltura
la vipera che 'l Melanese accampa,
com'avria fatto il gallo di Gallura".

Saudamo-nos felizes, cordialmente.
E ele pergunta: "Há quanto tempo vieste
pelo mar à montanha pertinente?"

Tornei: "Por via de tristeza agreste
cheguei esta manhã. Ainda estou vivo
intentando alcançar a aura celeste".

Tomado de surpresa fez-se esquivo
a tal resposta, assim como Sordello,
ambos mostrando aspecto interjetivo.

Um se volve a Virgílio. O outro, com zelo
se dirige ao vizinho: "Olha, Conrado,
o prodígio de Deus no seu desvelo".

E a mim: "Pelo favor que de bom grado
deves reconhecer a quem esconde
seu profundo desígnio, a nós vedado,

quando te fores pelos mares onde
minha Giovana, dize-lhe que reze
por mim, que aos inocentes se responde.

Não creio que sua mãe ainda me preze,
pois que do véu de viúva se desfez
e cuja falta um dia em vão lhe pese.

Para a mulher – é claro como vês –
a flâmula amorosa pouco dura
se não tem do contato a calidez.

Não lhe dará mais bela sepultura
a víbora, que é escudo de Milão,
que o galo, nobre insígnia de Gallura."

Così dicea, segnato della stampa,
nel suo aspetto, di quel dritto zelo
che misuratamente in core avvampa.

Gli occhi miei ghiotti andavan pur al cielo,
pur là dove le stelle son più tarde,
sì come rota più presso allo stelo.

E il duca mio: "Figliuol, che lassú guarde?"
E io a lui: "A quelle tre facelle
di che il polo di qua tutto quanto arde".

Ond'egli a me: "Le quattro chiare stelle
che vedevi staman son di là basse,
e queste son salite ov'eran quelle".

Com'ei parlava, e Sordello a sé il trasse
dicendo: "Vedi là il nostro avversaro";
e drizzò il dito perché in là guardasse.

Da quella parte onde non ha riparo
la picciola vallea, era una biscia,
forse qual diede ad Eva il cibo amaro.

Tra l'erba e i fior venia la mala striscia,
volgendo ad ora ad or la testa, e 'l dosso
leccando come bestia che si liscia.

Io non vidi, e però dicer non posso,
come mosser gli astor celestiali;
ma vidi bene l'uno e l'altro mosso.

Sentendo fender l'aere alle verdi ali,
fuggì 'l serpente; e gli angeli dier volta,
suso alle poste rivolando iguali.

Assim falava com circunspecção
estampada no rosto, refletindo
a mágoa natural do coração.

Para o céu meus olhares dirigindo
observei que as estrelas vinham lentas
qual roda junto ao eixo em diminuindo.

"Filho – o mestre pergunta-me – o que tentas
ver no alto?" Eu digo: "Aqueles três sinais
de que o polo recebe a luz que ostenta".

"As outras quatro estrelas matinais
baixaram para que estas – diz o guia –
subissem aos seus âmbitos astrais."

Entrementes Sordello o chamaria:
"Vede o nosso adversário no terreno!"
E indicador em riste o denuncia.

Num recanto de vale bem pequeno
desliza uma serpente – e é de pensar
na que a Eva trouxera seu veneno.

Entre as flores e a relva a se espojar
o réptil ergue a testa e lambe o dorso
de um lado e de outro a fim de se lavar.

Não sei como, reagiram sem esforço
os açores, pois vi logo em seguida
as asas em remoinho de desforço.

Sentindo pelos ares a investida,
foge a serpente e os Anjos vão girando
para o posto em que estavam de guarida.

L'ombra che s'era al Giudice raccolta
quando chiamò, per tutto quello assalto
punto non fu da me guardare sciolta.

"Se la lucerna che ti mena in alto
truovi nel tuo arbitrio tanta cera,
quant'è mestiere infino al sommo smalto"

cominciò ella, "se novella vera
di Val di Magra o di parte vicina
sai, dillo a me, che già grande là era.

Fui chiamato Currado Malaspina;
non son l'antico, ma di lui discesi:
a' miei portai l'amor che qui raffina."

"Oh," diss'io lui "per li vostri paesi
già mai non fui; ma dove si dimora
per tutta Europa ch'ei non sien palesi?

La fama che la vostra casa onora,
grida i signori e grida la contrada,
sì che ne sa chi non vi fu ancora;

e io vi giuro, s'io di sopra vada,
che vostra gente onrata non si sfregia
del pregio della borsa e della spada.

Uso e natura sì la privilegia,
che, perché il capo reo il mondo torca,
sola va dritta e il mal cammin dispregia."

Ed egli: "Or va; che il sol non si ricorca
sette volte nel letto che il Montone
con tutti e quattro i piè cuopre ed inforca,

A sombra que do juiz se abeira, quando
ele chama a atenção durante o assalto,
de mim agora vem se aproximando.

"Que tua lâmpada vá sem sobressalto
a urdir por teu arbítrio óleo bastante
capaz de conduzir-te até o mais alto.

Se tiveres notícia circunstante
de Valdemagra – prosseguiu – declina-a,
que lá tive lugar dignificante.

Fui chamado Conrado Malaspina;
não o antigo mas sim seu descendente.
Meu amor pela estirpe aqui se afina."

"Vossas terras não vi mas certamente
– respondo – sua fama bem conheço
como aliás pela Europa toda gente.

A honra de vossa casa é de tal preço,
homens e glebas tanto nobilita
que ninguém lhe negara seu apreço.

Pelo afã de atingir a área bendita
juro-vos, vossa herdade continua
próspera sempre e às armas sempre invicta.

A natureza de tal modo atua
ali, tão grande é o hábito do bem,
que o mau exemplo dado não influa."

"Vai – disse – e antes que o sol girando além
sete vezes repouse no seu leito
onde Áries monta guarda e se mantém,

che cotesta cortese opinione
ti fia chiavata in mezzo della testa
con maggior chiovi che d'altrui sermone,

se corso di giudicio non s'arresta".

há de ser teu boníssimo conceito
a ultrapassar todo e qualquer discurso
gravado em ti do modo mais perfeito

se a Providência prosseguir seu curso."

CANTO IX

La concubina di Titone antico
già s'imbiancava al balzo d'oriente,
fuor de le braccia del suo dolce amico.

Di gemme la sua fronte era lucente,
poste in figura del freddo animale
che con la coda percuote la gente;

e la notte, dei passi con che sale,
fatti avea due nel loco ov'eravamo,
e il terzo già chinava in giuso l'ale,

quand'io, che meco avea di quel d'Adamo,
vinto dal sonno, in su l'erba inchinai
là 've già tutti e cinque sedevamo.

Nell'ora che comincia i tristi lai
la rondinella presso alla mattina,
forse a memoria de' suoi primi guai,

e che la mente nostra, peregrina
più dalla carne e men dai pensier presa,
alle sue vision quasi è divina:

in sogno mi parea veder sospesa
un'aquila nel ciel con penne d'oro,
con l'ali aperte ed a calare intesa;

ed esser mi parea là dove foro
abbadonati i suoi da Ganimede,
quando fu ratto al sommo concistoro.

Fra me pensava: "Forse questa fiede
pur qui per uso, e forse d'altro loco
disdegna di portarne suso in piede"

CANTO IX

A companheira de Titão o Antigo
assomava à janela do oriente
deixando os braços de seu doce amigo.

Trazia sobre a fronte uma luzente
joia da mesma forma do animal
cuja cauda castiga friamente.

Caminha a noite e com seu passo igual
a uma asa vem descendo no sentido
do lugar em que estamos por sinal.

Quando eu filho de Adão e, pois, vencido
de sono sobre a relva me quebranto
onde nós cinco estávamos reunidos.

À hora em que inicia o triste canto
a andorinha no ambiente matutino
a recordar, talvez, de outrora o pranto

e que o espírito nosso, peregrino
além da carne ascende e já não pensa
mergulhado em visões, quase divino,

imaginei em sonho ver suspensa
nos céus uma águia de ouro; e parecia
que a diminuir o voo era propensa.

Tive a impressão de que isso acontecia
lá onde Ganimedes foi raptado
deixando os seus por máxima honraria.

Comigo cogitei: acostumado
a tal sítio esse pássaro, talvez,
já não procure presa de outro lado.

Poi mi parea che, rotata un poco,
terribil come folgor discendesse,
e me rapisse suso infino al foco.

Ivi pareva ch'ella ed io ardesse;
e sì l'incendio immaginato cosse,
che convennne che il sonno si rompesse.

Non altrimenti Achille si riscosse,
gli occhi svegliati rivolgendo in giro
e non sappiendo là dove si fosse,

quando la madre da Chirone a Sciro
trafugò lui dormendo in le sue braccia,
là onde poi li Greci il dipartiro,

che mi scoss'io sì come dalla faccia
mi fuggì il sonno, e diventai smorto,
come fa l'uom che spaventato agghiaccia.

Da lato m'era solo il mio conforto,
e il Sole er'alto già più che due ore,
e il viso m'era alla marina torto.

"Non aver tema" disse il mio signore;
"fatti secur che noi semo a buon punto:
non stringer, ma rallarga ogni vigore!

Tu sei omai al Purgatorio giunto:
vedi là il balzo che il chiude dintorno,
vedi l'entrata là 've par disgiunto.

Dianzi, nell'alba che precede al giorno,
quando l'anima tua dentro dormia,
sovra li fiori ond'è là giù adorno

Depois me pareceu que de uma vez
terrível raio sobre mim baixava
e na região de fogo que se fez

ambos ardíamos de chama flava
e tão forte era o incêndio que, rompido
de todo o sonho, em breve eu acordava.

Nem Aquiles se viu mais surpreendido
ao despertar olhando em largo giro
misterioso local desconhecido

quando do reino de Quiron a Scyro
fora a dormir nos braços maternais
lá onde os gregos o acham em retiro.

Assim meu ser que já não sonha mais
se assombra e pelo espanto feito morto
o meu semblante lívido se faz.

Virgílio estava ao lado, meu conforto.
Duas horas o sol assinalara
e ao ver-me em frente ao mar me torno absorto.

"Nada deves temer – disse ele – é clara
neste local a nossa segurança.
Recobra o ânimo, o vigor repara.

Aqui o Purgatório já se alcança.
Olha-o de altos rochedos protegido,
tendo a porta de brecha à semelhança.

Quedavas ainda há pouco adormecido
a alma em recesso ao vir da madrugada
lá embaixo no vale enflorescido,

venne una donna; e disse: – Io son Lucia.
Lasciatemi pigliar costui che dorme:
sì l'agevolerò per la sua via –.

Sordel rimase e l'altre gentil forme.
Ella ti tolse, e come il dì fu chiaro
sen venne suso, e io per le sue orme.

Qui ti posò, ma pria mi dimostraro
gli occhi suoi belli quell'entrata aperta;
poi ella e il sonno a una se n'andaro".

A guisa d'uom che in dubbio si raccerta,
e che muta in conforto sua paura
poi che la verità gli è discoperta,

mi cambiai io; e come sanza cura
vide me il duca mio, su per lo balzo
si mosse, ed io diretro inver l'altura.

Lettor, tu vedi ben com'io innalzo
la mia materia, e però con più arte
non ti maravigliar s'io la rincalzo.

Noi ci appressammo, ed eravamo in parte
che là dove pareami prima rotto
pur come un fesso che muro diparte,

vidi una porta, e tre gradi di sotto
per gire ad essa, di color diversi,
ed un portier che ancor non facea motto.

E come l'occhio più e più v'apersi,
vidil seder sopra il grado soprano,
tal nella faccia, ch'io non lo soffersi;

quando veio uma jovem destinada
a conduzir-te e disse: 'Sou Luzia.
Cumpre-me facultar-lhe a caminhada'.

Ficou Sordello em nobre companhia.
Ela te arrebatou e eu vim seguindo
no seu encalço à plena luz do dia.

Deixou-te aqui; e com o olhar mais lindo
indicou-me o lugar da porta aberta.
Afastou-se e teu sonho estava findo."

Como quem em si mesmo não acerta
e a dúvida transforma na confiança
quando a verdade enfim lhe é descoberta,

assim mudei. Então meu guia avança
ao ver-me preparado, para a altura;
e eu lhe acompanho os passos sem tardança.

Vês, leitor, que enalteço com voz pura
o assunto; não te admires se mais arte
trouxer a esta mensagem porventura.

A entrada que atingimos era em parte
assim como acidente natural
onde o muro em dois blocos se reparte.

Três degraus avistei sob o portal,
cada um de colorido diferente.
E um guarda imóvel sobre o pedestal.

Eu com o olhar porfiado intensamente
vi-o sentado no alto e de seu rosto
ofuscou-me o fulgor resplandecente.

e una spada nuda aveva in mano,
che rifletteva i raggi sì ver noi,
ch'io dirizzava spesso il viso invano.

"Dite costinci: che volete voi?"
cominciò egli a dire: "Ov'è la scorta?
Guardate che il venir su non vi noi!"

"Donna del ciel di queste cose accorta"
rispose il mio maestro a lui "pur dianzi
ne disse: – Andate là: quivi è la porta –".

"Ed ella i passi vostri in bene avanzi!"
ricominciò il cortese portinaio:
"Venite dunque ai nostri gradi innanzi".

Là ne venimmo; e lo scaglion primaio
bianco marmo era sì pulito e terso
ch'io mi specchiai in esso qual io paio.

Era il secondo tinto più che perso,
d'una petrina ruvida ed arsiccia,
crepata per lo lungo e per traverso.

Lo terzo, che di sopra s'ammassiccia,
porfido mi parea sì fiammeggiante
come sangue che fuor di vena spiccia.

Sovra questo teneva ambo le piante
l'angel di Dio, sedendo in su la soglia,
che mi sembrava pietra di diamante.

Per li tre gradi su di buona voglia
mi trasse il duca mio dicendo: "Chiedi
umilemente che il serrame sciolga".

Uma espada empunhava lá no posto
sobre nós derramando lumes tais
que eu não lograva contemplá-la a gosto.

E de seu trono: "Ó vós, que desejais?
– perguntou ele. – Quem vos acompanha?
Oxalá meu repúdio não tenhais!"

"Dama celeste a cousa alguma estranha
– o meu mestre à pergunta satisfez –
indicou-nos a entrada da montanha."

"Por ela sois bem-vindos e podeis
galgar estes degraus que tendes diante"
– o guarda retornou leal e cortês.

O primeiro abordamos num instante:
era de branco mármore polido
e refletiu-me a imagem espelhante.

O segundo, de pedra construído,
superfície de escuro recoberta
com gretas de través e de comprido.

O terceiro que acima nos alerta
parecia de pórfiro flamante
como sangue a jorrar de veia aberta.

Com ambos pés sobre ele, dominante,
estava o Anjo de Deus que nos conforta
num sólio feito pedra de diamante.

Com bondade o meu mestre então me exorta
auxiliando a subir: "Humildemente
suplica-lhe para que descerre a porta".

Devoto mi gittai ai santi piedi;
misericordia chiesi che m'aprisse,
ma pria nel petto tre fiate mi diedi.

Sette P nella fronte mi descrisse
col punton della spada, e: "Fa che lavi,
quando sei dentro, queste piaghe" disse.

Cenere o terra secca che si cavi
d'un color fora col suo vestimento:
e di sotto da quel trasse due chiavi.

L'una era d'oro e l'altra era d'argento;
pria con la bianca e poscia con la gialla
fece alla porta, sì ch'io fui contento.

"Quandunque l'una d'este chiavi falla,
che non si volga dritta per la toppa"
diss'egli a noi "non s'apre questa calla.

Più cara è l'una, ma l'altra vuol troppa
d'arte e d'ingegno avanti che disserri,
perch'ella è quella che il nodo disgroppa.

Da Pier le tegno; e dissemi ch'io erri
anzi ad aprir ch'a ternerla serrata,
pur che la gente ai piedi mi s'atterri".

Poi pinse l'uscio alla porta sacrata,
dicendo: "Entrate, ma facciovi accorti
che di fuor torna chi indietro si guata".

E quando fur sui cardini distorti
gli spigoli di quella regge sacra,
che di metallo son sonanti e forti,

De joelhos a seus pés me fiz presente,
pedi por compaixão aquela graça
batendo ao peito meu contritamente.

Com o gládio em minha fronte o Anjo retraça
sete vezes a letra P. "Atenta
– diz – por que dentro o estigma se desfaça."

Da túnica que o cinge, algo cinzenta
passando a cor de terra seca e intata,
logo retira duas chaves bentas.

Uma era de ouro, a outra era de prata.
Com a branca primeiro e a outra após,
de abrir a fechadura eis que ele trata.

"Se uma delas – voltou-se para nós –
acaso no manejo nos falhara,
fica trancada a porta nos seus nós.

Entre ambas, esta é mais preciosa e cara;
a outra porém requer maior engenho
pois ao próprio segredo se equipara.

Disse Pedro ao confiar-me o que retenho:
'Antes errar abrindo que fechando
se o pecador se humilha por empenho'."

E a sacrossanta porta descerrando
acrescentou: "Entrai. Não descuideis:
quem olha para trás, de volta o mando".

Quando nos gonzos por sagradas leis
se deslocou de sua posição
tal estrondo metálico ela fez

non rugghiò sì, né si mostrò sì acra
Tarpeia, come le fu tolto il buono
Metello, per che poi rimase macra.

Io mi rivolsi attento al primo tuono,
e Te Deum laudamus mi parea
udire in voce mista al dolce suono.

Tale imagine appunto mi rendea
ciò ch'io udiva, qual prender si suole
quando a cantar con organi si stea;

ch'or sì or no s'intendon le parole.

que nem mesmo Tarpeia na ocasião
em que o bravo Metelo a defendia
de ver roubado o seu tesouro, e em vão.

Em seguida percebo a melodia
de um coro misto, plácido, a ressoar
e que o "Te Deum Laudamus" parecia.

Minha impressão da música pelo ar
foi semelhante àquela que se sente
quando um órgão se escuta e, ao seu vibrar,

as palavras se ofuscam vagamente.

CANTO X

Poi fummo dentro al soglio della porta
che il malo amor dell'anime disusa
perché fa parer dritta la via torta,

sonando la sentii esser richiusa;
e s'io avessi gli occhi volti ad essa
qual fòra stata al fallo degna scusa?

Noi salivam per una pietra fessa,
che si moveva d'una e d'altra parte,
sì come l'onda che fugge e s'appressa.

"Qui si conviene usare un poco d'arte"
cominciò il duca mio "in accostarse
or quinci or quindi al lato che si parte".

E questo fece i nostri passi scarsi,
tanto che pria lo scemo della Luna
rigiunse al letto suo per ricorcarsi,

che noi fossimo fuor di quella cruna.
Ma quando fummo liberi ed aperti,
su dove il monte indietro si rauna,

io stancato ed ambedue incerti
di nostra via, ristemmo in su un piano
solingo più che strade per diserti.

Dalla sua sponda ove confina il vano,
al piè dell'alta ripa che pur sale,
misurrebbe in tre volte un corpo umano;

e quanto l'occhio mio potea trar d'ale,
or dal sinistro ed or dal destro fianco,
questa cornice mi parea cotale.

CANTO X

Penetramos o umbral daquela porta
de que as almas descuram, pois, ignaras
estimam por direita a linha torta.

E senti pelo som que se fechara.
Se para trás houvesse o olhar volvido,
que digna escusa do erro me salvara?

Subimos a um rochedo que fendido
se deslocava de uma e de outra parte
como vaga em balanço indefinido.

"Aqui convém usar um tanto de arte,
– aconselhou meu mestre cuidadoso –
de um lado e de outro lado hás de inclinar-te."

Isso tornou o acesso mais moroso;
pois a lua minguante já descia
procurando no leito seu repouso,

antes que nós deixássemos tal via.
Mas quando nos sentimos já libertos
sobre o monte que adentro se encolhia,

eu fatigado e ambos ainda incertos
nos quedamos num plano em direitura
a uma trilha mais só que a do deserto.

Da orla que beira a profundeza escura
à alta margem que segue para diante
mediria de um homem três alturas.

E quanto abrange meu olhar vagueante,
seja ao flanco da esquerda ou da direita,
a cornija se mostra semelhante.

Là su non eran mossi i piè nostri anco
quand'io conobbi quella ripa intorno
che dritto di salita aveva manco,

esser di marmo candido e adorno
d'intagli sì, che non pur Policreto,
ma la natura lì avrebbe scorno.

L'angel che venne in Terra col decreto
della molt'anni lacrimata pace,
che aperse il ciel del suo lungo divieto,

dinanzi a noi pareva sì verace
quivi intagliato in un atto soave,
che non sembiava imagine che tace.

Giurato si saria ch'ei dicesse: – Ave! –,
perché ivi era imaginata quella
che ad aprir l'alto amor volse la chiave;

e aveva in atto impressa esta favella:
– Ecce ancilla Dei –, propriamente
come figura in cera si suggella.

"Non tener pure ad un loco la mente"
disse il dolce maestro, che m'avea
da quella parte onde il core ha la gente.

Per ch'io mi mossi col viso, e vedea
di retro da Maria, da quella costa
onde m'era colui che mi movea,

un'altra storia ne la roccia imposta;
per ch'io varcai Virgilio, e fe' mi presso
a ciò che fosse agli occhi miei disposta.

Imóveis ainda estávamos à espreita
quando notei que aquele muro ao lado
inteiriço na sua barra estreita

era de níveo mármore adornado
por entalhes que além de Policleto
à natureza houvera envergonhado.

O anjo que baixa à terra com o decreto
da paz que o céu concede novamente,
depois de longo pranto ao mundo inquieto,

aparecia então à nossa frente
em lavor de escultura que de suave
era mais do que imagem: ser vivente.

Dava a impressão de estar dizendo: "Ave!"
porque ali junto se estampava aquela
que do alto amor divino teve a chave.

Na atitude da Virgem se desvela
o "Ecce Ancilla Dei" correspondente
ao próprio compromisso que se sela.

"Não te entregues a uma visão somente",
o doce mestre adverte, o qual me tinha
perto do coração precisamente.

Voltei o rosto assim como convinha
e bem defronte ao quadro de Maria
onde se acha o que os passos me encaminha,

novo painel no mármore entrevia;
e por isso me movo com presteza
para observá-lo pleno de estesia.

Era intagliato lì nel marmo stesso
lo carro e i buoi, traendo l'arca santa,
per che si teme officio non commesso.

Dinanzi parea gente, e, tutta quanta
partita in sette cori, a' due miei sensi
faceva dir l'un "No", l'altro "Sì, canta".

Similemente al fummo degl'incensi
che v'era imaginato, gli occhi e il naso
ed al sì ed al no discordi fensi.

Lì precedeva al benedetto vaso,
trescando alzato, l'umile salmista;
e più e men che re era in quel caso.

Di contra, effigiata ad una vista
d'un gran palazzo, Micòl ammirava,
sì come donna dispettosa e trista.

Io mossi i piè dal loco dov'io stava,
per avvisar da presso un'altra storia
che di retro a Micòl mi biancheggiava.

Quivi era storiata l'alta gloria
del roman principato il cui valore
mosse Gregorio alla sua gran vittoria:

io dico di Traiano imperatore;
ed una vedovella gli era al freno,
di lacrime atteggiata e di dolore.

Intorno a lui, parea calcato e pieno
di cavalieri, e l'aquile nell'oro
sovr'essi in vista al vento si movieno.

Do mármore entalhado na pureza
era o carro de bois onde a arca santa
vinha impondo temor por ser defesa.

Dessa turba que férvida se adianta
em sete coros repartida, a vista
me diz que canta; o ouvido que não canta.

A respeito do incenso é também mista
a sensação: vejo-o sim; mas discordante
o olfato impede que a ilusão persista.

Precede a urna sagrada, levitante
a dançar, o Salmista, na humildade
mais e menos que rei àquele instante.

Contempla-o com desdém e com piedade,
Micol de seu palácio à alta janela:
é dama triste a quem despeito invade.

Logo após me afastei de junto dela
para render-me à luz de nova história
que ali mesmo defronte se revela.

Neste relevo se reconta a glória
de um príncipe romano de valor
que a Gregório causou grande vitória.

Refiro-me a Trajano imperador
cujo corcel segura pelos freios,
uma viúva imersa em pranto e dor.

Aquele ambiente estava todo cheio
de cavaleiros e a águia negra no ouro
dos estandartes voava de permeio.

La miserella intra tutti costoro
parea dicer: “Signor, fammi vendetta
del mio figliuol ch’è morto, ond’io m’accoro!”

Ed egli a lei risponde: “Ora aspetta
tanto ch’io torni”. E quella: “Signor mio”
come persona in cui dolor s’affretta,

“se tu non torni?” Ed ei: “Chi fia dov’io,
la ti farà”. Ed ella: “L’altrui bene
a te che fia, se il tuo metti in oblio?”

Ond’egli: “Or ti conforta, ch’ei conviene
ch’io solva il mio dovere anzi ch’io mova:
giustizia vuole e pietà mi ritiene”.

Colui che mai non vide cosa nova
produsse esto visibile parlare,
novello a noi perché qui non si trova.

Mentr’io mi dilettava di guardare
le imagini di tante umilitadi,
e per lo fabbro loro a veder care,

“Ecco di qua, ma fanno i passi radi”
mormorava il poeta “molte genti:
questi ne invieranno agli alti gradi”.

Gli occhi miei, che a mirare erano intenti,
per veder novitadi ond’ei son vaghi,
volgendosi ver lui non furon lenti.

Non vo’ però, lettor, che tu ti smaghi
di buon proponimento, per udire
come Dio vuol che il debito si paghi.

Parece que a infeliz dizia: "Imploro
vingues a morte de meu filho que era
o meu arrimo, tudo quanto choro".

Dir-se-ia que ele assim responde: "Espera
até meu regressar". Mas ela aflita
"Senhor, se não voltares?" se exaspera.

"Fá-lo-á meu sucessor" – ele o credita.
E ela: "Que importa o bem que outrem fizer,
a quem de sua prática se omita?"

Então ele: "Conforta-te! é mister
que eu cumpra este dever sem mais demora.
Piedade me retém, justiça o quer".

Aquele que nenhum segredo ignora
do visível colóquio é produtor,
o qual surpreende a quem na terra mora.

Enquanto eu me encantava com o penhor
da humildade exemplar daqueles traços
oriundos de um caríssimo lavor,

"Vem até cá porém com tardos passos
– o poeta murmurava – muita gente
que nos tire à subida do embaraço."

Eu na contemplação ainda contente,
para ver novidades, todavia,
voltei os olhos imediatamente.

Não quisera, leitor, que em tal porfia
te esmague o bom propósito ao saberes
como Deus pune a quem o desafia.

Non attender la forma del martire:
pensa la succession, pensa che al peggio
oltre la gran sentenza non può ire.

Io cominciai: “Maestro, quel ch’io veggio
movere a noi non mi sembian persone,
e non so che, sì nel veder vaneggio”.

Ed egli a me : “La grave condizione
di lor tormento a terra li rannicchia,
sì che i miei occhi pria n’ebber tenzone.

Ma guarda fiso là, e disviticchia
col viso quel che vien sotto a quei sassi:
già scorger puoi come ciascun si picchia”.

O superbi cristian, miseri lassi,
che, della vista della mente infermi,
fidanza avete nei ritrosi passi,

non v’accorgete voi che noi siam vermi
nati a formar l’angelica farfalla
che vola alla giustizia sanza schermi?

Di che l’animo vostro in alto galla,
poi siete quasi entomata in difetto,
sì come verme in cui formazion falla?

Come per sostentar solaio o tetto
per mensola talvolta una figura
si vede giugner le ginocchia al petto,

la qual fa del non ver vera rancura
nascere in chi la vede, così fatti
vid’io color, quando posi ben cura.

Não penses no martírio desses seres
mas no porvir: em caso extremo, ao juízo
final, terminarão seus afazeres.

"Mestre – falei – o grupo que diviso
à nossa frente não se me afigura
de humano conservar a forma e o viso."

Ele responde: "A circunstância dura
do tormento os inclina para o chão.
A imagem que se tem é mesmo obscura.

Mas olha para ali com atenção:
como o que, pedra às costas, vem arfando,
todos batem no peito em contrição."

Ó soberbos cristãos, ó miserandos
espíritos enfermos que confiais
nos próprios passos em retrogradando!

Não vos ocorre que não somos mais
que vermes, as libélulas contendo
que à justiça voarão, angelicais?

Por que o ânimo vosso estremecendo
de orgulho se levanta quando apenas
ainda sois larvas de um inseto horrendo?

Como a suster o teto surge à cena
vez por vez qual pilar uma figura
que o peito junta aos joelhos sob a pena.

Já que não pode ver causa amargura
a quem como eu a vê e o olhar lhe crava
curiosamente nesta conjuntura.

Vero è che più e meno eran contratti,
secondo che avean più o meno addosso;
e qual più pazienza avea negli atti

piangendo parea dicer: "Più non posso!"

Cada sombra do bando se curvava
de acordo com seus fardos desiguais.
E a que maior paciência demonstrava

parecia dizer: “Não posso mais”.

CANTO XI

"O padre nostro che nei cieli stai,
non circoscritto, ma per più amore
ch'ai primi effetti di lassú tu hai,

laudato sia il tuo nome e il tuo valore
da ogni creatura, com'è degno
di render grazie al tuo dolce vapore.

Venga ver noi la pace del tuo regno,
chè noi ad essa non potem da noi,
s'ella non vien, con tutto nostro ingegno.

Come del suo voler gli angeli tuoi
fan sacrificio a te, cantando Osanna,
così facciano gli uomini de' suoi.

Dà oggi a noi la cotidiana manna,
sanza la qual per quest'aspro diserto
a retro va chi più di gir s'affanna.

E come noi lo mal che avem sofferto
perdoniamo a ciascuno, e tu perdona
benigno, e non guardar lo nostro merto.

Nostra virtù, che di leggier s'adona,
non spermentar con l'antico avversaro,
ma libera da lui che sì la sprona.

Quest'ultima preghiera, Signor caro,
già non si fa per noi, chè non bisogna,
ma per color che dietro a noi restaro".

Così a sé e a noi buona ramogna
quell'ombre orando, andavan sotto il pondo,
simile a quel che talvolta si sogna,

CANTO XI

"Pai nosso que nos céus vos encontrais,
não por circunscrição, por mais amor
que tendes a essas obras primordiais.

Louvado seja sempre com fervor
vosso nome por todas as criaturas,
quanto em essência sois merecedor.

A paz de vosso reino em auras puras
venha a nós: pela nossa faculdade
jamais alcançaremos tais alturas.

Como os anjos, piedosos na humildade,
vos oferecem cânticos de hosana,
curvem-se os homens à vossa vontade.

Dai-nos do pão a miga cotidiana
sem a qual por este árido deserto
retrocede o que mais e mais se afana.

E como nós ao próximo por certo
as ofensas perdoamos, vós, benigno,
perdoai-nos de coração aberto.

Por ser nosso caráter pouco digno
de resistir à astúcia do pecado,
libertai-nos do espírito maligno.

A súplica final, Pai muito amado,
já não é feita para nós mas pelos
que se encontram ainda do outro lado."

Assim as sombras rezam com desvelo
por nós também, seu fardo carregando
como quem sofre um sonho ou pesadelo,

disparmente angosciate tutte a tondo
e lasse su per la prima cornice,
purgando la caligine del mondo.

Se di là sempre ben per noi si dice,
di qua che dire e far per lor si puote
da quei ch'hanno al voler buona radice?

Ben si dee loro atar lavar le note
che portar quinci, sì che mondi e lievi,
possano uscire alle stellate rote.

"Deh, se giustizia e pietà vi disgrevi
tosto, sì che possiate mover l'ala
che secondo il disio vostro vi levi,

mostrate da qual mano inver la scala
si va più corto, e se c'è più d'un varco,
quel ne insegnate che men erto cala;

ché questi che vien meco, per l'incarco
della carne d'Adamo onde si veste,
al montar su, contra sua voglia, è parco".

Le lor parole, che rendero a queste
che dette avea colui cui io seguia,
non fur da cui venisser manifeste;

ma fu detto: "A man destra, per la riva
con noi venite, e troverete il passo
possibile a salir persona viva.

E s'io non fossi impedito dal sasso
che la cervice mia superba doma,
onde portar convienmi il viso basso,

o circuito primeiro contornando
com desigual angústia a depurar
a caligem do mundo miserando.

Se em nossas intenções se põem a orar,
que podíamos nós fazer por elas
que da graça têm prova singular?

Cumpre-nos ajudá-las e movê-las
por que limpas de nódoas finalmente
possam subir ao reino das estrelas.

“Que a justiça não tarde e vos alente
a piedade a abrir asas sem demora
consoante o vosso anelo que é patente.

Dizei-me, qual a estrada, muito embora
possa haver outra, é suave na subida
e menos longa por aí afora.

Este que me acompanha de seguida
guarda de Adão a carne que é pesada
e portanto lhe custa andar à lida.”

Depois de tal pergunta formulada
pelo meu mestre, alguém que não se via
falou, sombra entre as sombras da jornada:

“Vinde junto conosco pela via
da direita e saída encontrareis
para o vivente em vossa companhia.

Se não fosse este fardo que se fez
sobre a minha cerviz peso tão forte
que me põe de olhos baixos, eu talvez

cotesti, che ancor vive e non si noma,
guardare' io per veder se il conosco,
e per farlo pietoso a questa soma.

Io fui latino, e nato d'un gran tosco:
Guglielmo Aldobrandesco fu mio padre;
non so se il nome suo giammai fu vosco.

L'antico sangue e l'opere leggiadre
de 'miei maggiori mi fer sì arrogante
che, non pensando alla comune madre,

ogni uomo ebbi in dispetto tanto avante
ch'io ne morii, come i Sanesi sanno,
e sallo in Campagnatico ogni fante.

Io sono Omberto: e non pure a me danno
superbia fe', ché tutti i miei consorti
ha ella tratti seco nel malanno.

E qui convien ch'io questo peso porti
per lei, tanto che a Dio si satisfaccia,
poi ch'io nol fei tra' vivi, qui tra i morti".

Ascoltando, chinai in giù la faccia;
e un di lor, non questi che parlava,
si torse sotto il peso che li impaccia,

e videmi e conobbemi e chiamava,
tenendo gli occhi con fatica fisi
a me, che tutto chin con loro andava.

"Oh," diss'io lui, "non sei tu Oderisi,
l'onor d'Agobbio e l'onor di quell'arte
che alluminare è chiamata in Parisi?"

pudesse vê-lo, ao que não traz a morte,
saber-lhe o nome, se é meu conhecido,
levá-lo à compaixão por minha sorte.

Eu de um grande toscano fui nascido.
Guilherme Aldobrandesco foi meu pai.
Talvez o nome lhe tereis ouvido.

De minha estirpe o sangue, que nos trai,
e os feitos me tornaram arrogante
a ponto de esquecer que o humano sai

de uma origem comum, por mais distante.
Matou-me o orgulho. Sabe-o o sanesiano;
e em Campagnático até mesmo o infante.

Sou Humberto. Respondo pelo dano
de soberbia; aliás os meus parentes
trazem na veia o mesmo mal insano.

É pois mister sofrer por esses entes.
Devo satisfazer a Deus por fim
quanto o ofendi em vida impenitente."

Inclino a fronte a ouvir falar assim.
E um deles, não porém o que falava,
voltou-se sob o jugo para mim.

Reconheceu-me então e me chamava
num esforço tenaz fixando a vista
em mim que em meio ao grupo me arrastava.

"Não és tu Oderisi – exclamo – o artista
do que Páris chamou iluminura,
honra de Gubbio, tu, miniaturista?"

"Frate," diss'egli, "più ridon le carte
che pennelleggia Franco Bolognese:
l'onore è tutto or suo, e mio in parte.

Ben non sare' io stato sì cortese
mentre ch'io vissi, per lo gran disio
dell'eccellenza, ove mio core intese.

Di tal superbia qui si paga il fio:
ed ancor non sarei qui, se non fosse
che, possendo peccar, mi volsi a Dio.

O vana gloria dell'umane posse!
com' poco verde in su la cima dura,
se non è giunta dall'etati grosse!

Credette Cimabue nella pittura
tener lo campo, e ora ha Giotto il grido,
sì che la fama di colui oscura.

Così ha tolto l'uno all'altro Guido
la gloria della lingua, e forse è nato
chi l'uno e l'altro caccerà di nido.

Non è il mondan romore altro che un fiato
di vento, ch'or vien quinci ed or vien quindi,
e muta nome perché muta lato.

Che voce avrai tu più se vecchia scindi
da te la carne, che se fossi morto
anzi che tu lasciassi il pappo e il quindi,

pria che passin mill'anni? ch'è più corto
spazio all'eterno che un mover di ciglia
al cerchio che più tardi in cielo è torto.

Responde: “Irmão, mais bela miniatura
é a que trabalha Franco Bolonhês;
mais glória se lhe deve nessa altura.

Eu não seria em vida assim cortês
pelo ardente desejo que possuía:
tornar minha arte invicta de uma vez.

Pena de tanto orgulho aqui se fia;
e nem isto lograra merecer
se a Deus não fosse em tempo de valia.

Oh! como é vão dos homens o poder!
como demoram pouco os louros no alto
se a decadência não prevalecer!

Cimabue, cuja fama não exalto,
do campo da pintura foi o dono
até que viesse Giotto assim de assalto.

Um Guido ao outro superou no entono
e no império da língua. E talvez seja
nascido o que a ambos vai tirar do trono.

Láurea mundana é brisa: rumoreja
aqui e ali trocando em breve o nome
conforme o lado de que o vento esteja.

Que nimbo guardarás – já que consome
a morte toda carne, quer de ancião
ou criança em balbucio à vez da fome –

em mil anos que simplesmente são
mover de cílios para o eterno espaço
durante uma só volta na amplidão?

Colui che del cammin sì poco piglia
dinanzi a me, Toscana sonò tutta,
ed ora a pena in Siena sen pispiglia,

ond'era sire quando fu distrutta
la rabbia fiorentina, che superba
fu a quel tempo sì com'ora è putta.

La vostra nominanza è color d'erba
che viene e va, e quei la discolora
per cui ell'esce della terra acerba".

E io a lui: "Tuo vero dir m'incora
buona umiltà, e gran tumor m'appiani;
ma chi è quei di cui tu parlavi ora?"

"Quegli è" rispose "Provenzan Salvani;
ed è qui perché fu presuntuoso
a recar Siena tutta alle sue mani.

Ito è così e va sanza riposo
poi che morì; cotal moneta rende
a satisfar chi è di là tropp'oso".

Ed io: "Se quello spirito che attende
pria che si penta l'orlo della vita
là giù dimora e qua su non ascende,

se buona orazion lui non aita,
prima che passi tempo quanto visse,
come fu la venuta a lui largita?"

"Quando vivea più glorioso" disse,
"liberamente nel Campo di Siena,
ogni vergogna deposta, s'affisse;

Deste que vês adiante, tardo o passo,
ressoou em Toscana a fama erguida;
mas Siena já lhe esquece o nome e o traço.

Lá ele era senhor quando destruída
foi toda a valentia florentina
então soberba, agora prostituída.

A nomeada humana tem por sina
ser como a cor da relva que se apaga
ao mesmo sol criador de que germina."

"Tua voz no meu íntimo propaga
– disse-lhe eu – humildade que me cura.
Mas quem é este sobre o qual divagas?"

"É Provenzan Salvani que a loucura
levou a ponto de querer a Siena
– respondeu – submeter à ditadura.

Dessa maneira desde que a terrena
vida o deixou, aqui sem ter repouso
da audácia paga a moeda e sofre a pena."

Tornei: – "Se o espírito pecaminoso
não ascende mas fica no degredo,
sendo o arrependimento preguiçoso,

tempo proporcional ao velho enredo
caso alguma oração valiosa o ajude,
como pôde ele vir aqui tão cedo?"

"No auge da glória – diz – teve a virtude
de, na praça de Siena abertamente
sem o constrangimento da atitude,

e lì, per trar l'amico suo di pena
che sostenea nella prigion di Carlo,
si condusse a tremar per ogni vena.

Più non dirò, e scuro so che parlo;
ma poco tempo andrà, che i tuoi vicini
faranno sì che tu potrai chiosarlo.

Quest'opera gli tolse quei confini".

esmolar a quantia conveniente
ao resgate do amigo, prisioneiro
de Carlos; e seu sangue ardeu fremente.

Mais não digo e o que disse é bem ligeiro.
Dentro em breve porém será notório
mediante o que ouvirás dos companheiros.

Esse ato o trouxe para o Purgatório."

CANTO XVII

Ricorditi, lettor, se mai nell'alpe
ti colse nebbia per la qual vedessi
non altrimenti che per pelle talpe,

come, quando i vapori umidi e spessi
a diradar cominciansi, la spera
del sol debilemente entra per essi;

e fia la tua imagine leggera
in giugnere a veder com'io rividi
lo sole in pria, che già nel corcar era.

Sì, pareggiando i miei co' passi fidi
del mio maestro, usci' fuor di tal nube
ai raggi morti già ne' bassi lidi.

O imaginativa che ne rube
tal volta sì di fuor, ch'om non s'accorge
perché dintorno suonin mille tube,

chi move te, se il senso non ti porge?
Moveti lume che nel ciel s'informa,
per sé o per voler che giù lo scorge.

Dell'empiezza di lei che mutò forma
nell'uccel che a cantar più si diletta,
nell'imagine mia apparve l'orma:

e qui fu la mia mente sí ristretta
dentro da sé, che di fuor non venia
cosa che fosse allor da lei ricetta.

Poi piovve dentro all'alta fantasia
un, crocifisso, dispettoso e fero
nella sua vista; e cotal si morìa:

CANTO XVII

Se alguma vez, entre alpes, a neblina
te perturbou, leitor, como à toupeira
cuja membrana a vista lhe confina,

quando mal se dissipa a costumeira
úmida névoa e em meio, debilmente,
o sol, de aspecto pálido, se esgueira:

tal imagem reaviva em tua mente
e terás a visão, em leves traços,
do sol que vi girando para o poente.

Assim me emparelhei aos firmes passos
de meu mestre, deixando para trás
as nuvens, entre lumes bem escassos.

Ó Imaginação, quando te apraz
nos transportar em rapto, ao nosso ouvido
o som de mil trombetas se desfaz.

Quem te move, na ausência dos sentidos?
Move-te luz do céu, luz que aparece
por si ou por desígnios inferidos.

Daquela cuja fúria se conhece,
depois mudada em pássaro cantor,
é o vulto que à lembrança transparece.

Meu ser reconcentrado no interior
se restringiu a ponto que não via
cousa nenhuma do âmbito exterior.

Logo irrompeu dentre a alta fantasia
pendido de uma cruz o aventureiro
que, homem feroz e impávido, morria.

intorno ad esso era il grande Assuero,
Ester sua sposa e il giusto Mardocheo,
che fu al dire ed al far così intero.

E come questa imagine rompeo
sé per se stessa, a guisa d'una bulla
cui manca l'acqua sotto qual si feo,

surse in mia visione una fanciulla
piangendo forte, e dicea: "O regina,
perché per ira hai voluto esser nulla?

Ancisa t'hai per non perder Lavina;
or m'hai perduta! Io son essa che lutto,
madre, alla tua pria ch'all'altrui ruina."

Come si frange il sonno ove di butto
nova luce percuote il viso chiuso,
che fratto guizza pria che muoia tutto;

così l'imaginar mio cadde giuso
tosto che lume il volto mi percosse,
maggior assai che quel ch'è in nostro uso.

Io mi volgea per veder ov'io fosse,
quando una voce disse "Qui si monta"
che da ogni altro intento mi rimosse;

e fece la mia voglia tanto pronta
di riguardar chi era che parlava,
che mai non posa, se non si raffronta.

Ma come il sol che nostra vista grava
e per sorvechio sua figura vela,
così la mia virtù quivi mancava.

Ali em torno estava o grande Assuero,
a esposa Ester e o justo Mardoqueu
que em dizer e fazer foi sempre inteiro.

E como a imagem desapareceu
por si mesma tal bolha pequenina
absorvida pela água em que nasceu,

surge à minha visão uma menina
que chorava e dizia: "Mãe, por que
te transmudaste em nada por Lavina?

Sou tua própria filha, agora é que
me perdeste deveras e o meu luto
por ti é o mais penoso que se vê."

Como palpita um sonho diminuto
as pálpebras descidas ofuscando
com a derradeira flâmula um minuto,

assim minha visão se finda, quando
um fulgor que na terra não existe
de súbito me envolve deslumbrando.

Voltei-me a examinar o que me assiste
quando ouvi uma voz: "Eis a subida".
E, sem outro desejo, em mim persiste

a vontade disposta e resolvida
de saber quem tal frase pronunciava
até quietar minha alma comovida.

Mas, como em frente ao sol que a vista agrava
e sua mesma forma não revela,
a minha faculdade fraquejava.

"Questo è divino spirito, che ne la
via da ir su ne drizza sanza prego,
e col suo lume sé medesmo cela.

Sì fa con noi, come l'uom si fa sego;
ché quale aspetta prego e l'uopo vede,
malignamente già si mette al nego.

Or accordiamo a tanto invito il piede:
procacciam di salir pria che s'abbui,
chè poi non si porìa, se il dì non riede."

Così disse il mio duca, e io con lui
volgemmo i nostri passi ad una scala;
e tosto ch'io al primo grado fui,

senti'mi presso quasi un mover d'ala
e ventarmi nel viso e dir: "Beati
pacifici, che son sanz'ira mala!"

Già eran sovra noi tanto levati
gli ultimi raggi che la notte segue,
che le stelle apparivan da più lati.

"O virtù mia, perché sì ti dilegue?"
fra me stesso dicea, ché mi sentiva
la possa delle gambe posta in triegue.

Noi eravam dove più non saliva
la scala su, ed eravamo affissi,
pur come nave ch'alla piaggia arriva.

E io attesi un poco, s'io udissi
alcuna cosa nel novo girone;
poi mi volsi al maestro mio, e dissi:

"Este é o divino espírito que zela
por indicar o rumo para a altura
e cujo ser na própria luz se vela.

Faz-nos o que faz o homem pela cura
de si mesmo. Pois quem aguarda prece
para a outrem socorrer, já se descura.

Do privilégio que nos oferece
façamos uso logo antes que o dia
ceda lugar à noite que entorpece."

Deste modo falou meu sábio guia;
e então nos dirigimos a uma escada.
Quando o degrau primeiro eu já subia

senti no rosto uma aura delicada
que sussurrava com doçura: "Beati
pacifici, por toda ira aplacada".

Sobre nós o crepúsculo se esbate
entre os últimos raios do sol-pôr
e as sombras em que a estrela se desate.

E eu de joelhos em arco: "Onde o penhor,
num lance em que meu corpo desanima,
– disse comigo a sós – do meu valor?"

A escalada vencida, sobre a cima
paramos ambos sossegadamente
tal nave que da praia se aproxima.

Toda a minha acuidade foi presente
para qualquer ruído em torno; e após
me voltei para o mestre atentamente.

"Dolce mio padre, di', quale offensione
si purga qui nel giro dove semo?
Se i pié si stanno, non stea tuo sermone."

Ed elli a me: "L'amor del bene scemo
del suo dover quiritta si ristora;
qui si ribatte il mal tardato remo.

Ma perché più aperto intendi ancora,
volgi la mente a me, e prenderai
alcun buon frutto di nostra dimora.

Né creator né creatura mai"
cominciò ei, "figliuol, fu sanza amore,
o naturale o d'animo; e tu 'l sai.

Lo naturale è sempre sanza errore;
ma l'altro puote errar per malo obietto
o per troppo o per poco di vigore.

Mentre ch'egli è nel primo ben diretto,
e ne' secondi se stesso misura,
esser non può cagion di mal diletto;

ma quando al mal si torce, o con più cura
o con men che non dee corre nel bene,
contra 'l Fattore adopra sua fattura.

Quinci comprender puoi ch'esser conviene
amor sementa in voi d'ogni virtute
e d'ogni operazion che merta pene.

Or, perché mai non può dalla salute
amor del suo subietto volger viso,
dall'odio proprio son le cose tute;

“Dize, pai, neste círculo em que nós
nos achamos, que falta se compensa?
Mesmo parado, siga a tua voz.”

E ele: “Do amor ao bem não se dispensa
dedicação total. Tardios remos
se corrigem aqui sanando a ofensa.

Para que entendas, cuida em teus extremos
de ouvir minha advertência e colherás
algum fruto da pausa que nos demos.

Nem criador nem criatura foi jamais
livre de amor, seja o da natureza
ou seja o da alma; sabes disso, aliás.

O natural acerta com justeza.
Mas o outro pode errar: se é mau o objeto,
se há excesso de ardor ou se há tibieza.

Se ao bem primeiro o amor se vai direto
e ao segundo procura comedido,
não dá ensejo à pecha de incorreto.

Mas se apetece o mal, se anda esquecido
da prática do bem no ponto exato,
ofende o Autor, pelo homem preterido.

Daqui se infere, pois, que o amor, de fato
para vós é a semente da virtude
e também de todo hábito insensato.

Como não pode o amor ter atitude
contrária a seu sujeito – o mesmo bem –,
ao ódio de nós próprios não se alude.

e perché intender non si può diviso,
e per sé stante, alcuno esser dal primo,
da quello odiare ogni affetto è deciso.

Resta, se dividendo bene stimo,
che il mal che s'ama è del prossimo; ed esso
amor nasce in tre modi in vostro limo.

E' chi per esser suo vicin soppresso
spera eccellenza, e sol per questo brama
ch'ei sia di sua grandezza in basso messo:

è chi podere, grazia, onore e fama
teme di perder perch'altri sormonti,
onde s'attrista sì che il contrario ama;

ed è chi per ingiuria par ch'adonti,
sì che si fa della vendetta ghiotto,
e tal convien che il male altrui impronti.

Questo triforme amor quaggiù di sotto
si piange: or vo che tu dell'altro intende,
che corre al ben con ordine corrotto.

Ciascun confusamente un ben apprende
nel qual si queti l'animo, e disira;
per che di giugner lui ciascun contende.

Se lento amore in lui veder vi tira,
o a lui acquistar, questa cornice,
dopo giusto penter, ve ne martira.

Altro ben è che non fa l'uom felice;
non è felicità, non è la buona
essenza, d'ogni ben frutto e radice.

E como o ser, da origem de que vem
não se concebe separado, o amor
isento de ódio à essência se mantém.

Resta concluir, se estimo o divisor,
que o mal que se ama é tão somente o alheio;
e de três modos age sem pudor.

Há quem quando o vizinho perde o esteio,
se rejubile e faça de tal drama
por se tornar excelso, o baixo meio.

Há quem, graça poder honras e fama,
teme perder por que outro se enalteça,
sofrido com o que o próximo reclama.

E há quem, por uma injúria que aconteça,
busque tirar vingança do inimigo
premeditando dar-lhe sorte avessa.

Aqui abaixo os três erros têm castigo.
Ora direi do amor que se procura
desordenadamente no perigo.

Uma ideia do bem cada criatura
faz no seu foro íntimo e no anseio
confuso de alcançá-lo se aventura.

Se ao bem supremo não aspira em cheio
ou com os atos o anelo não condiz,
haverá penitência neste meio.

Outro bem já não faz o homem feliz
por sua imperfeição, pois não encerra
toda a essência do amor, fruto e raiz.

L'amor ch'ad esso troppo s'abbandona,
di sopra a noi si piange per tre cerchi;
ma come tripartito si ragiona,

tacciolo, acciò che tu per te ne cerchi".

O demasiado apego aos bens da terra
se purga nos três círculos adjuntos.
Mas como tripartido se descerra,

medita por ti mesmo sobre o assunto."

CANTO XXI

La sete natural che mai non sazia
se non con l'acqua onde la femminetta
samaritana dimandò la grazia,

mi travagliava, e pungeami la fretta
per la 'mpacciata via dietro al mio duca,
e condoleami alla giusta vendetta.

Ed ecco, sì come ne scrive Luca
che Cristo apparve a' due ch'erano in via,
già surto fuor della sepulcral buca,

ci apparve un'ombra, e dietro a noi venìa,
dal piè guardando la turba che giace;
né ci addemmo di lei, sì parlò pria,

dicendo: "O frati miei, Dio vi dea pace".
Noi ci volgemmo subiti, e Virgilio
rendé lui 'l cenno ch'a ciò si conface.

Poi cominciò: "Nel beato concilio
ti ponga in pace la verace corte
che me rilega nell'eterno essilio".

"Come!" diss'elli, e parte andavam forte:
"se voi siete ombre che Dio su non degni,
chi v'ha per la sua scala tanto scorte?"

E 'l dottor mio: "Se tu riguardi a' segni
che questi porta e che l'angel profila,
ben vedrai che coi buon convien ch'e' regni.

Ma perché lei che dì e notte fila
non li avea tratta ancora la conocchia
che Cloto impone a ciascuno e compila,

CANTO XXI

A sede natural que nunca passa
senão com aquelas águas da nascente
em que a Samaritana achou a graça

me trabalhava o espírito impaciente
e eu caminhava às pressas junto ao guia
ao ver a justa punição ingente.

Então, tal como Lucas descrevia
o Cristo a aparecer ressuscitado
aos discípulos que iam pela via,

surgiu um vulto já do nosso lado
e nós, que reparávamos no chão
a turba, não o havíamos notado.

Disse: "Deus vos dê paz, ó meus irmãos".
Rápidos nos voltamos. E Virgílio
corresponde polido à saudação:

"Que tu alcances a paz no alto concílio
formado pela corte verdadeira
que me relega ao eternal exílio."

"Como! – retorna – vindes de maneira
tão certa na escalada, sem favor,
sem serdes dignos de que Deus vos queira?"

E meu mestre: "Se observas o teor
dos sinais que o anjo fez em tua testa,
verás que o reino deste é promissor.

Como a que dia e noite a fiar se apresta
não atingira o término da estriga
que a todos Cloto impõe e manifesta,

l'anima sua, ch'è tua e mia serocchia,
venendo su, non potea venir sola,
però ch'al nostro modo non adocchia.

Ond'io fui tratto fuor dell'ampia gola
d'inferno per mostrarli, e mosterrolli
oltre, quanto 'l potrà menar mia scola.

Ma dimmi, se tu sai, perché tai crolli
diè dianzi il monte, e perché tutti ad una
parver gridare infino a' suoi piè molli."

Sì mi diè, dimandando, per la cruna
del mio disio, che pur com la speranza
si fece la mia sete men digiuna.

Quei cominciò: "Cosa non è che sanza
ordine senta la religïone
della montagna, o che sai fuor d'usanza.

Libero è qui da ogni alterazione:
di quel che 'l ciel da sé in sé riceve
esser ci puote, e non d'altro, cagione.

Per che non pioggia, non grando, non neve,
non rugiada, non brina più su cade
che la scaletta di tre gradi breve:

nuvole spesse non paion né rade,
né coruscar, né figlia di Taumante,
che di là cangia sovente contrade:

secco vapor non surge più avante
ch'al sommo de' tre gradi ch'io parlai,
dov'ha il vicario di Pietro le piante.

sua alma, irmã das nossas, por que siga
seu roteiro, há mister de quem o ajude
pois não tem a visão que nos instiga.

Por isso fui buscado dos taludes
do inferno a guiar-lhe os passos e o farei
até que a sós prossiga por virtude.

Dize: que estrondo foi o que escutei
como a abalar de cima a baixo o monte
entretanto gritava toda a grei?"

Coincidindo a pergunta no confronte
ao meu desejo pleno de esperança
já me suaviza a sede quase à fonte.

O interpelado diz: "Não há mudança
capaz de interferir na ordem sagrada
dessa montanha bem conforme à usança.

Livre de alterações e influências, nada
nesse lugar varia nem de leve,
só se no céu a lei for revogada.

Aqui não há granizo, chuva ou neve
nem orvalho ou geada, de seguida
àqueles três degraus da escada breve.

Não há nuvens, espessas ou diluídas
nem raios, nem a filha de Taumante
tão volúvel se faz aparecida.

Nenhum seco vapor existe adiante
dos três degraus que vós já conheceis
onde o anjo de Pedro é vigilante.

Trema forse più giù poco od assai;
ma per vento che 'n terra si nasconda,
non so come, qua su non tremò mai.

Tremaci quando alcuna anima monda
sentesi, sì che surga o che si mova
per salir su; e tal grido seconda.

Della mondizia sol voler fa prova,
che, tutto libero a mutar convento,
l'alma sorprende, e di voler le giova.

Prima vuol ben, ma non lascia il talento
che divina giustizia, contra voglia,
come fu al peccar, pone al tormento.

E io, che son giaciuto a questa doglia
cinquecent'anni e più, pur mo sentii
libera volontà di miglior soglia:

però sentisti il tremoto e li pii
spiriti per lo monte render lode
a quel Segnor che tosto su li 'nvii."

Così ne disse; e però ch'el si gode
tanto del ber quant'è grande la sete,
non saprei dir quant'el mi fece prode.

E 'l savio duca: "Omai veggio la rete
chi qui v'impiglia e come si scalappia,
perché ci trema, e perché congaudete.

Ora chi fosti, piacciati ch'io sappia,
e perché tanti secoli giaciuto
qui se', nelle parole tue mi cappia."

No estágio mais abaixo, sim, talvez
haja tremor porém ocultos ventos
aqui não o deixam vir nenhuma vez.

Mas quando uma alma irrompe, no momento
purificada para a salvação,
ecoam gritos e há estremecimento.

Para provar sua transformação
basta a força com que a alma se desprende
por si mesma a fugir da outra região.

Bem quisera vir antes mas compreende
que a justiça divina impõe castigo
pois o pecado é livre o quanto ofende.

Fui prisioneiro: à pena então me obrigo
mais de quinhentos anos na segura
vontade de aguardar melhor abrigo.

Ouvistes com o estrondo as vozes puras
de espíritos louvando a este Senhor
que logo vai levá-las para a altura."

Assim falou. Sendo o prazer maior
quanto mais sede houver que se alivia
não saberei dizer o meu penhor.

"Está na rede, pois – diz o meu guia –
que vos retinha e que se desenlaça
a razão do estridor e da alegria.

Mas quem foste? Quisera ter a graça
de sabê-lo; e por que sofreste tantos
séculos, antes da hora que se passa?"

“Nel tempo che ’l buon Tito, con l’aiuto
del sommo rege, vendicò le fora
ond’uscì ’l sangue per Giuda venduto,

col nome che più dura e più onora
era io di là” rispuose quello spirto
“famoso assai, ma non con fede ancora.

Tanto fu dolce mio vocale spirto,
che, tolosano, a sé mi trasse Roma,
dove mertai le tempie ornar di mirto.

Stazio la gente ancor di là mi noma:
cantai di Tebe, e poi del grande Achille;
ma caddi in via con la seconda soma.

Al mio ardor fuor seme le faville,
che mi scaldar, della divina fiamma
onde sono allumati più di mille;

dell’Eneida dico, la qual mamma
fummi e fummi nutrice poetando:
sanz’essa non fermai peso di dramma.

E per esser vivuto di là quando
visse Virgilio, assentirei un sole
più che non deggio al mio uscir di bando.”

Volser Virgilio a me queste parole
con viso che, tacendo, disse ‘Taci’;
ma non può tutto la virtù che vole;

ché riso e pianto son tanto seguaci
alla passion di che ciascun si spicca,
che men seguon voler ne’ più veraci.

“Quando Tito, sob o divino manto
vingou de Cristo o sangue que se adora
e que Judas ousou vender, no entanto,

com mais honrado nome daquela hora
– o espírito responde – era eu famoso
porém não tinha a fé que tenho agora.

Era meu canto, sim, tão melodioso
que tolosano sendo, fui coroado
em Roma que me fez da glória o gozo.

Estácio pelos homens sou chamado;
cantei Tebas e Aquiles principiei;
morto, deixo esse canto inacabado.

Nas áscuas da poesia me inspirei,
nas mesmas áscuas de sagrada flama
que inspiraram a mil e mais, eu sei.

À Eneida me refiro – ardor que inflama
outras tochas. E eu nada valeria
sem a força nutriz que se proclama.

Para viver ao tempo em que vivia
lá na terra Virgílio, um ano a mais
eu aguardara o reino que se amplia.”

Olhando-me, Virgílio um gesto faz
como quem diz – silêncio – de improviso.
Mas nem sempre a vontade rege assaz.

Pois são obedientes pranto e riso
às paixões de que nascem, que o semblante
de quem é mais sincero é mais preciso.

Io pur sorrisi come l'uom ch'ammicca;
per che l'ombra si tacque, e riguardommi
nelli occhi ove 'l sembiante più si ficca;

e "Se tanto labore in bene assommi"
disse, "perché la tua faccia testeso
un lampeggiar di riso dimostrommi?"

Or son io d'una parte e d'altra preso:
l'una mi fa tacer, l'altra scongiura
ch'io dica; ond'io sospiro, e sono inteso

dal mio maestro, e "Non aver paura"
mi dice "di parlar, ma parla e digli
quel ch'e' dimanda con cotanta cura."

Ond'io: "Forse che tu ti maravigli,
antico spirto, del rider ch'io fei;
ma più d'ammirazion vo'che ti pigli.

Questi che guida in alto li occhi miei,
è quel Virgilio dal qual tu togliesti
forza a cantar delli uomini e de' dei.

Se cagion altra al mio rider credesti,
lasciala per non vera, ed esser credi
quelle parole che di lui dicesti."

Già s'inchinava ad abbracciar li piedi
al mio dottor, ma el li disse: "Frate,
non far, ché tu se' ombra e ombra vedi".

Ed ei surgendo: "Or puoi la quantitate
comprender dell'amor ch'a te mi scalda,
quand'io dismento nostra vanitate,

trattando l'ombre come cosa salda".

Levemente sorri, àquele instante.
Nota-o a sombra; então meus olhos fitam
que os olhos mostram a alma, de espelhantes.

"Se há tanto afã no anelo que te habita,
tua expressão – comenta – me surpreende:
qual o motivo que a sorrir te incita?"

De uma a outra parte o coração me pende:
uma quer que me cale, a outra deseja
que fale. Então suspiro. E o mestre entende

a minha turbação. "Pois assim seja
– diz ele – satisfaze-o de bom grado
sem receio, explicando o quanto almeja."

E eu: Não fiques assim tão admirado
do meu sorriso, Espírito de outrora,
que admiração terás de sumo agrado.

Este que os passos meus orienta agora
é o mesmo Virgílio que contigo
andou, quando cantaste do que adoras,

heróis e deuses. Crê no que te digo:
sorri ao ver o preito que através
das palavras prestaste ao Poeta amigo.

Já se inclinava por beijar os pés
ao meu mestre mas ele impede: "Irmão,
sou simples sombra e sombra também és".

Ele se ergue: "Em virtude a tal unção
compreendes meu intenso amor votivo
pois olvidava a nossa condição

tendo-te a sombra como corpo vivo."

CANTO XXVII

Sì come quando i primi raggi vibra
là dove il suo Fattor lo sangue sparse,
cadendo Ibero sotto l'alta Libra,

e l'onde in Gange da nona riarse,
sì stava il Sole; onde il giorno sen giva,
quando l'angel di Dio lieto ci apparse.

Fuor della fiamma stava in su la riva,
e cantava "Beati mundo corde!"
con voce assai più che la nostra viva.

Poscia: "Più non si va se pria non morde,
anime sante, il foco: entrate in esso,
ed al cantar di là non siate sorde",

ci disse come noi gli fummo presso;
per ch'io divenni tal quando lo intesi,
qual è colui che ne la fossa è messo.

In su le man commesse mi protesi
guardando il foco e immaginando forte
umani corpi già veduti accesi.

Volsersi verso me le buone scorte;
e Virgilio mi disse: "Figliuol mio,
qui può esser tormento, ma non morte.

Ricorditi, ricorditi!... E se io
sovr'esso Gerion ti guidai salvo,
che farò ora, presso più Dio?

Credi per certo che se dentro all'alvo
di questa fiamma stessi ben mill'anni,
non ti potrebbe far d'un capel calvo.

CANTO XXVII

Do sol a irradiação primeira vibra
lá onde Cristo o sangue derramara;
o Ebro desliza sob a unção da Libra;

sobre o Ganges se expande a luz mais clara;
porém aqui aos poucos anoitece
quando o Anjo do Senhor se nos depara.

Fora, à margem das chamas aparece
e, voz mais viva do que a nossa, canta
"Beati mundo corde" – como em prece.

Depois: "Ninguém prossegue, ó almas santas,
sem o fogo o morder. No fogo entrai;
o canto ouvi que longe se levanta".

Próximo a nós assim falou. Mas ai!
que a essas palavras todo me amedronto
como quem soterrado já se esvai.

Unindo as mãos contemplo aquele ponto
a arder e tenho uma lembrança forte:
a de corpos queimados, em confronto.

Acompanham os poetas minha sorte.
E Virgílio me diz: "Meu filho, atenta:
há sofrimento aqui mas não há morte.

Recorda-te: se ao tempo da tormenta
em ombros de Gerião te trouxe a salvo,
que, mais junto de Deus, não se acrescenta?

Guarda a certeza de que se neste alvo
de chamas estivesses por mil anos
nem de um cabelo restarias calvo.

E se tu, forse, credi ch'io t'inganni,
fatti, ver lei, e fatti far credenza
con le tue mani al lembo de' tuoi panni.

Pon giù omai, pon giù ogni temenza:
volgiti in qua, vieni ed entra sicuro!"
Ed io pur fermo, e contra coscïenza.

Quando mi vide star pur fermo e duro,
turbato un poco disse: "Or vedi, figlio,
tra Beatrice e te è questo muro".

Come al nome di Tisbe aperse il ciglio
Piramo in su la morte, e riguardolla,
allor che il gelso diventò vermiglio,

così, la mia durezza fatta solla,
mi volsi al savio duca, udendo il nome
che nella mente sempre mi rampolla.

Ond'ei crollò la fronte e disse: "Come?
volemci star di qua?" Indi sorrise
come al fanciul si fa ch'è vinto al pome.

Poi dentro al foco innanzi mi si mise,
pregando Stazio che venisse retro,
che pria per lunga strada ci divise.

Sì com'fui dentro, in un bogliente vetro
gittato mi sarei per rinfrescarmi,
tant'era ivi l'incendio sanza metro.

Lo dolce padre mio, per confortarmi,
pur di Beatrice ragionando andava,
dicendo: "Gli occhi suoi già veder parmi".

E se acaso presumes que te engano,
expõe a orla das vestes dentro ao fogo,
verifica se causa qualquer dano.

Transforma a timidez em desafogo,
abandona o temor, entra seguro!"
E eu intratável, a consciência em jogo.

Quando ele percebeu que eu firme e duro
estava, emocionou-se. "Filho – disse –
entre ti e Beatriz se ergue este muro."

Qual Píramo que os olhos entreabrisse
a ouvir de Tisbe o nome à hora final
em que de sangue a amora se tingisse,

à persuasão me inclino, tal e qual,
escutando esse nome que presente
tenho no coração e é meu fanal.

Torna-se então Virgílio sorridente
como se fica diante de uma criança
que à vista de uma fruta já consente.

E logo após ao fogo ele se lança
pedindo a Estácio que depois de mim
viesse como na estrada, por confiança.

Já no meio do incêndio estando assim,
eu mergulhara em vidro fervescente
para aliviar esse queimor sem fim.

O pai me reconforta, previdente
tratando de Beatriz sempre em seguida:
"Seus olhos – diz – como que os vejo à frente".

Guidavaci una voce che cantava
di là; e noi, attenti pur a lei,
venimmo fuor là ove si montava.

"Venite, benedicti patris mei!"
sonò dentro ad un lume che lì era,
tal che mi vinse e guardar nol potei.

"Lo sol sen van" soggiunse "e vien la sera:
non v'arrestate, ma studiate il passo,
mentre che l'occidente non s'annera".

Dritta salia la via per entro il sasso,
verso tal parte, ch'io toglieva i raggi
dinanzi a me del Sol ch'era già basso.

E di pochi scaglion levammo i saggi,
che il sol corcar, per l'ombra che si spense,
sentimmo dietro e io e li miei saggi;

e pria che in tutte le sue parti immense
fosse orizzonte fatto d'un aspetto,
e notte avesse tutte sue dispense,

ciascun di noi d'un grado fece letto;
ché la natura del monte ci affranse
la possa del salire più e il diletto.

Quali si stanno ruminando manse
le capre, state rapide e proterve
sopra le cime avanti che sien pranse,

tacite all'ombra, mentre che il sol ferve,
guardate dal pastor, che in su la verga
poggiato s'è e lor poggiato serve;

Orientava-nos voz desconhecida
vinda de além; nela me concentrei;
e buscamos a escarpa a que convida.

"Venite, benedicti Patris mei",
ressoou dentro a uma luz de tal fulgor
que ofuscado de a ver quase ceguei.

"A tarde vem – prossegue – com o sol-pôr.
Os passos estugai, com toda pressa
enquanto a oeste não houver negror."

É pedregosa esta subida expressa
e de tal modo íngreme que diante
de mim a luz em bruxuleio cessa.

E dentro em pouco, tardos caminhantes,
vimos por minha sombra fugidia
que atrás o sol estava agonizante.

Antes que a treva impere, todavia,
de horizonte a horizonte, tudo afeito
à mesma face tenebrosa e fria,

cada um de nós fez de um degrau seu leito;
que a natureza deste monte cansa
tornando todo esforço sem efeito.

Tal como fazem ruminando mansas
as cabras que ágeis vieram pelo outeiro,
agora apascentadas na bonança

da sombra enquanto o sol arde em braseiro,
elas junto ao pastor com seu cajado
que é de todos amparo costumeiro;

e quale il mandrian che fuori alberga,
lungo il peculio suo queto pernotta,
guardando perché fiera non lo sperga;

tali eravam noi tutti e tre allotta,
io come capra ed ei come pastori,
fasciati quinci e quindi d'alta grotta.

Poco parer potea lì del di fuori,
ma per quel poco, vedea io le stelle
di lor solere e più chiare e maggiori.

Sì ruminando e sì mirando in quelle,
mi prese il sonno: il sonno che sovente,
anzi che il fatto sia, sa le novelle.

Nell'ora, credo, che dell'oriente
prima raggiò nel monte Citerea,
che di foco d'amor par sempre ardente,

giovane e bella in sonno mi parea
donna vedere andar per una landa
cogliendo fiori; e cantando dicea:

"Sappia qualunque il mio nome dimanda
ch'io mi son Lia e vo movendo intorno
le belle mani a farmi una ghirlanda.

Per piacermi allo specchio, qui m'adorno,
ma mia suora Rachel mai non si smaga
dal suo miraglio, e siede tutto il giorno.

Ell'è de' suoi begli occhi veder vaga
com'io dell'adornarmi con le mani:
lei lo vedere, e me l'oprare appaga".

tal como faz o guardador de gado
ao relento noturno protegendo
das feras o que tem a seu cuidado,

assim nós três ali permanecendo
estávamos na gruta: eles, pastores;
eu confiante, alimária parecendo.

Mal divisava as formas exteriores;
mas percebi que o céu desse lugar
tinha estrelas mais claras e maiores.

Entre a recordação e o contemplar
caí no sono o qual frequentemente
tem o dom de o porvir adivinhar.

À hora – imagino – em que raiou no oriente
acima da montanha Citereia,
a que de amor semelha estar ardente,

em sonhos vejo vir por uma aleia
uma formosa jovem que colhia
flores cantando suave melopeia.

"Se desejam saber, meu nome é Lia.
Preparo uma guirlanda como enfeite
com delicados dedos dia a dia

para espelhar-me alegre quando o ajeite.
Raquel, a minha irmã, não deixa, entanto,
jamais o próprio espelho por deleite.

Mirar-se bela faz o seu encanto;
a mim por minhas mãos, tornar-me bela;
a ela o ver, a mim o obrar, portanto."

E già per gli splendori antelucani,
che tanto ai pellegrin sorgon più grati
quanto, tornando, albergan men lontani,

le tenebre fuggian da tutti i lati,
e il sonno mio con esse; ond'io leva'mi,
vedendo i gran maestri già levati.

"Quel dolce pome che per tanti rami
cercando va la cura dei mortali,
oggi porrà in pace le tue fami".

Virgilio inverso me queste cotali
parole usò, e mai non furo strenne
che fosser di piacere a queste uguali.

Tanto voler sopra voler mi venne
dell'esser su, che ad ogni passo poi
al volo mi sentia crescer le penne.

Come la lunga scala sotto noi
fu corsa, e fummo in sul grado superno,
in me ficcò Virgilio gli occhi suoi,

e disse: "Il temporal foco e l'eterno
veduto hai, figlio, e sei venuto in parte
dov'io per me più oltre non discerno.

Tratto t'ho qui con ingegno e con arte;
lo tuo piacere omai prendi per duce:
fuor sei dell'erte vie, fuor sei dell'arte.

Vedi lo sol che in fronte ti riluce;
vedi l'erbetta, i fiori e gli arbuscelli
che qui la terra sol da sé produce.

Já de alvorada o lume se revela
que ao peregrino torna alvissareiro
de volta aos lares que saudoso anela.

A treva dissipou-se por inteiro.
O meu sono também se foi embora.
Ergo-me e acho de pé meus companheiros.

"Aquele doce pomo que hora a hora
pelos ramos procuram os mortais
matará tua fome sem demora."

Assim falou Virgílio em termos tais
ao meu peito trazendo uma alegria
que eu não lograra conhecer jamais.

Ao meu desejo de subir se alia
tanto desejo, que a alma alvoroçada
na ascensão era uma asa que subia.

Quando afinal vencemos a escalada
e estacionamos no degrau superno,
Virgílio me fitou, a voz pausada

dizendo: "O fogo temporal e o eterno
já te mostrei, ó filho. Aqui me atenho,
que o roteiro por diante não governo.

Guiei-te até então com arte e engenho.
Podes partir agora em liberdade
segundo teu prazer e teu empenho.

Vê como o sol à frente tudo invade:
a relva, o bosque, as pequeninas flores,
a terra que é por si fecundidade.

Mentre che vegnan lieti gli occhi belli
che lacrimando a te venir mi fenno,
seder ti puoi e puoi andar tra elli.

Non aspettar mio dir più né mio cenno:
libero, dritto e sano è tuo arbitrio,
e fallo fòra non fare a suo senno:

perch'io te sopra te corono e mitrio".

Enquanto os olhos plenos de esplendores
que pediram por ti chorando não
surgem, descansa ou busca-os onde fores.

Nada esperes de mim. Correto, são
e livre é teu arbítrio. Para o voo
deves seguir a própria inspiração.

Por isso eu te consagro e te coroo."

CANTO XXVIII

Vago già di cercar dentro e d'intorno
la divina foresta spessa e viva,
che agli occhi temperava il novo giorno,

sanza più aspettar lasciai la riva,
prendendo la campagna lento lento
su per lo suol che d'ogni parte auliva.

Un'aura dolce, sanza mutamento
avere in sé, mi feria per la fronte
non di più colpo che soave vento,

per cui le fronde, tremolando pronte,
tutte quante piegavano alla parte
u' la prim'ombra gitta il santo monte;

non però dal lor esser dritto sparte
tanto, che gli augelletti per le cime
lasciasser d'operare ogni lor arte;

ma con piena letizia l'ore prime,
cantando, riceveano intra le foglie,
che tenevan bordone alle sue rime,

tal qual di ramo in ramo si raccoglie
per la pineta in sul lito di Chiassi,
quand' Eolo scirocco fuor discioglie.

Già m'avean trasportato i lenti passi
dentro alla selva antica, tanto ch'io
non potea rivedere ond'io m'intrassi,

ed ecco più andar mi tolse un rio
che in ver sinistra con sue picciol'onde
piegava l'erba che in sua ripa uscio.

CANTO XXVIII

De conhecer, ansioso me sentia,
a divina floresta espessa e viva
que aos poucos revelava o albor do dia.

E sem mais o meu passo então deriva
a seguir pelo campo lento lento
sob uma onda aromal que o solo ativa.

A uma aura doce me entregava atento
que sossegada me envolvia a fronte
mais sutilmente que o mais tênue vento.

E que às árvores trêmulas defronte
ia inclinando os ramos para a parte
da penumbra a descer do santo monte.

Mas de tal modo a brisa se reparte
que os pássaros na faina alvissareira
cantam sempre nos cimos plenos de arte.

Cantam com alegria a hora primeira
entre a folhagem que a canção reflete
como o bordão à melodia inteira.

Assim de galho em galho se repete
no pinheiral à margem do Chiassi
o som de Éolo que ao Siroco inflete.

Por encanto que aos poucos me levasse
agora estou dentro da selva antiga
embora sem saber onde ela nasce.

Mas um rio me impede que eu prossiga
e ondulante do lado esquerdo inclina
a erva brotada junto dele, amiga.

Tutte l'acque che son di qua più monde,
parrieno avere in sé mistura alcuna
verso di quella, che nulla nasconde,

avvegna che si mova bruna bruna
sotto l'ombra perpetua, che mai
raggiar non lascia sole ivi né luna.

Coi piè ristetti, e con gli occhi passai
di là dal fiumicello, per mirare
la gran variazion dei freschi mai;

e là m'apparve, sì com'egli appare
subitamente cosa che disvia
per maraviglia tutt'altro pensare,

una donna soletta che si gia
cantando e scegliendo fior da fiore
ond'era pinta tutta la sua via.

"Deh, bella donna, che ai raggi d'amore
ti scaldi, s'io vo' credere ai sembianti,
che soglion esser testimon del core,

vegnati voglia di trarreti avanti"
diss'io a lei "verso questa rivera
tanto ch'io possa intender che tu canti.

Tu mi fai rimenbrar dove e qual era
Proserpina nel tempo che perdette
la madre lei ed ella primavera".

Come si volge con le piante strette,
a terra ed intra sé donna che balli,
e piede innanzi piede appena mette,

Sua corrente pura e cristalina
como jamais nenhuma eu contemplara
nada ocultava à transparência fina.

Límpida mas obscura se depara:
pois nunca sob a sombra que a cobria
raio de sol ou lua a iluminara.

Detido à sua beira eu percorria
com os olhos postos longe essa florente
variedade de sons em harmonia,

quando vejo surgir mas de repente
de tudo mais abstraído e alheio
algo que maravilha toda a mente:

solitária mulher que em terno enleio
canta e recolhe flores entre as flores
que o caminho recamam de onde veio.

"Ó linda jovem, amas, e onde fores
– o coração se estampa no semblante –
revelarás o ardor de teus amores.

Aproxima-te por fineza, adiante,
– disse-lhe – junto ao rio para que eu
possa entender o teu cantar radiante.

Prosérpina recordas que perdeu
a primavera num ambiente assim,
enquanto a mãe perdia o que era seu."

Tal como bailarina ágil que a fim
de bailar, sobre os pés levita e ondeia,
pé ante pé voltou-se para mim.

volsesi in su i vermigli ed in su i gialli
fioretti verso me, non altrimenti
che vergine che gli occhi onesti avvalli;

e fece i prieghi miei esser contenti
sì appressando sé, che il dolce suono
veniva a me co' suoi intendimenti.

Tosto che fu là dove l'erbe sono
bagnate già dall'onde del bel fiume,
di levar gli occhi suoi mi fece dono.

Non credo che splendesse tanto lume
sotto le ciglia a Venere, trafitta
dal figlio fuor di tutto suo costume.

Ella ridea dall'altra riva dritta,
trattando più color con le sue mani,
che l'alta terra sanza seme gitta.

Tre passi ci facea 'l fiume lontani;
ma Ellesponto, là 've passò Serse,
ancora freno a tutti orgogli umani,

più odio da Leandro non sofferse
per mareggiare intra Sesto ed Abido,
che quel da me perché allor non s'aperse.

"Voi siete novi, e forse perch'io rido"
cominciò ella "in questo loco eletto
all'umana natura per suo nido,

maravigliando tienvi alcun sospetto;
ma luce rende il salmo Delectasti,
che puote disnebbiar vostro intelletto.

Dir-se-ia, pois o olhar baixa e refreia
entre flores vermelhas e amarelas,
virgem cujo pudor se patenteia.

Graciosa, ao meu pedido atende: aquelas
doces palavras me ressoam perto
e eu contente já posso compreendê-las.

Da margem atingindo o ponto certo
em que a relva com as ondas se mistura,
fitou-me enfim de modo franco e aberto.

Nem mesmo Vênus – tal se me afigura –
teria sob os cílios esplendor
igual quando a feriu sua criatura.

Ria-se erguida em frente a recompor
com as mãos, matiz às flores que colhera
na campina sem germe e toda em flor.

Três passos de distância há na ribeira.
Entretanto o Helesponto onde passara
Xerxes – freio de orgulho à alma altaneira –

maior ódio de Leandro não lograra
entre Abidos e Sesto, que este rio
a mim odioso, pois que nos separa.

"Recém-chegados sois, e porque rio
– disse – feliz neste santuário eleito
berço do humano ser por amavio,

porventura se assombra o vosso peito.
Porém o claro salmo 'Delectasti'
o intelecto ilumina a esse respeito.

E tu che sei dinanzi e mi pregasti,
di', s'altro vuoli udir, ch'io venni presta
ad ogni tua question tanto che basti."

"L'acqua" diss'io "e il suon della foresta
impugnan dentro me novella fede
di cosa ch'io udii contraria a questa".

Ond'ella: "Io dicerò come procede
per sua cagion ciò che ammirar ti face,
e purgherò la nebbia che ti fiede.

Lo sommo Ben, che solo esso a sé piace,
fece l'uom buono e a bene, e questo loco
diede per arra a lui d'eterna pace.

Per sua diffalta qui dimorò poco;
per sua diffalta in pianto ed in affanno
cambiò onesto riso e dolce gioco.

Perché il turbar che sotto da sé fanno
l'esalazion dell'acqua e della terra
che quanto posson dietro al calor vanno,

a l'uomo non facesse alcuna guerra,
questo monte salio verso il ciel tanto,
e libero n'è d'indi ove si serra.

Or perché in circuito tutto quanto
l'aere si volge con la prima volta,
se non gli è rotto il cerchio d'alcun canto,

in quest'altezza, che tutta è disciolta
nell'aer vivo, tal moto percuote,
e fa sonar la selva perch'è folta.

E tu que vens à frente e me chamaste,
se acaso alguma dúvida te resta,
pronta responderei ao que te baste."

"O aspecto da água e a bulha da floresta
contrariam em mim – disse eu – a crença
de experiências havidas antes desta."

"Explicar-te-ei – tornou – sem mais detença
como procede a causa do que traz
à tua mente essa neblina densa.

O Sumo Bem que em si só se compraz
fez o homem predisposto para o bem,
deu-lhe neste lugar penhor de paz.

Pelo pecado original, porém,
ele trocou ameno e doce encanto
pelas agruras que do mundo advêm.

Para obstar que chegasse a este recanto
a exalação das águas e da terra
que dilata o calor e que, portanto,

ao homem poderia fazer guerra,
subiu ao céu tão alto esta montanha
que se acha livre na órbita que encerra.

Porque o ar circulando, o que arrebanha
no seu giro inicial, aos mais transporta
quando é sem falha a esfera em que se banha,

neste planalto solto no ar aporta
o som vivo do vento que a espessura
da mata com seus módulos recorta.

E la percossa pianta tanto puote
che della sua virtude l'aura impregna,
e quella poi, girando, intorno scuote;

e l'altra terra, secondo ch'è degna
per sé e per suo ciel, concepe e figlia
di diversi virtù diverse legna.

Non parrebbe di là poi maraviglia,
udito questo, quando alcuna pianta
sanza seme palese vi s'appiglia.

E saper dei che la campagna santa
dove tu sei, d'ogni semenza è piena,
e frutto ha in sé che di là non si schianta.

L'acqua che vedi non surge di vena
che ristori vapor che gel converta,
come fiume che acquista e perde lena;

ma esce di fontana salda e certa
che tanto dal voler di Dio riprende
quant'ella versa da due parti aperta.

Da questa parte con virtù discende
che toglie altrui memoria del peccato,
dall'altra d'ogni ben fatto la rende.

Quinci Letè; così da l'altro lato
Eunoè si chiama, e non adopra
se quinci e quindi pria non è gustato.

A tutt'altri sapori esto è di sopra.
Ed avvegna che assai possa esser sazia
la sete tua per ch'io più non ti scopra,

Assim tocada a planta se depura,
transmite em torno sua própria essência
e esta virtude peculiar perdura.

A outra terra, conforme certa influência
de si mesma ou do céu, concebe e cria
árvores de variada consistência.

Maravilha portanto não se alia
a essa questão quando uma qualquer planta
sem semente surgir à luz do dia.

Compreenderás que esta campina santa
de múltiplas sementes se repleta
e de pomar que nunca se transplanta.

A água não flui de fonte aqui secreta,
não se converte em gelo ou vaporiza
tal rio que ora avança, ora se aquieta.

Mas jorra de uma fonte alta e precisa,
da vontade de Deus plena reserva
nos cursos ambos em que ela desliza.

Uma corrente o préstimo conserva
de apagar a memória do pecado;
de se olvidar o bem, a outra preserva.

Este é o Letes. Existe do outo lado
o Eunoe cuja linfa se destina
a quem a água daqui houver provado.

Seu sabor de delícia peregrina
já o tens com que a sede satisfaça
e experiência bastante já se ensina.

darotti un corollario anco per grazia;
né credo che il mio dir ti sia men caro
se oltre promission teco si apazia.

Quelli che anticamente poetaro
l'età dell'oro e suo stato felice,
forse in Parnaso esto loco sognaro.

Qui fu innocente l'umana radice.
qui primavera sempre ed ogni frutto,
nettare è questo, di che ciascun dice"

Io mi rivolsi in dietro allora tutto
a' miei poeti, e vidi che con riso
udito aveano l'ultimo costrutto.

Poi alla bella donna tornai 'l viso.

Todavia ainda quero dar-te a graça
de uma revelação a mais, porquanto
mostras enlevo pelo que se passa.

Os Poetas que realçaram nos seus cantos
tempos felizes como a idade de ouro
sonharam no Parnaso este recanto.

Da estirpe humana aí tens o nascedouro.
Há primavera sempre e fruto, a par.
E mais o néctar celebrado em coro."

Para os meus poetas volto então o olhar:
vejo que sorridentes se comovem
com o derradeiro trecho singular.

E de novo contemplo a linda jovem.

CANTO XXIX

Cantando come donna innamorata,
continuò, col fin di sue parole:
"Beati quorum tecta sunt peccata".

E come ninfe che si givan sole
per le salvatiche ombre, disiando
qual di veder, qual di fuggir lo Sole,

allor si mosse contra il fiume, andando
su per la riva; ed io pari di lei,
picciol passo con picciol seguitando.

Non eran cento tra i suoi passi e i miei,
quando le ripe igualmente dier volta,
per modo che a levante mi rendei.

Né anco fu così nostra via molta,
quando la donna tutta a me si torse,
dicendo: "Frate mio, guarda ed ascolta".

Ed ecco un lustro subito trascorse
da tutte parti per la gran foresta,
tal che di balenar mi mise in forse.

Ma perché il balenar come vien resta,
e quel durando, più e più splendeva,
nel mio pensar dicea: "Che cosa è questa?"

E una melodia dolce correva
per l'aere luminoso; onde buon zelo
mi fe' riprender l'ardimento d'Eva,

che là dove ubbidia la Terra e il Cielo,
femmina sola e pur testè formata
non sofferse di star sotto alcun velo;

CANTO XXIX

Como quem ama, enternecida e grata,
ao final do discurso ei-la cantando:
"Beati quorum tecta sunt peccata".

E como ninfas que ao deixar o bando
em meio à selva seguem livremente
uma o sol, outra a sombra procurando,

ela se pôs a andar contra a corrente
pela margem do rio. Eu do outro lado
sigo seus miúdos passos complacente.

Cem passos ainda não tínhamos dado
quando o leito das águas se desvia
e assim, para o nascente fui levado.

Após breve transcurso pela via
toda se volta para mim a dama
dizendo: "Meu irmão, olha e aprecia".

Percebo então que súbito uma chama
atravessa a floresta de imprevisto.
E acho que de um relâmpago dimana.

Mas esse não perdura, pelo visto.
E a luz que fulge sempre mais me leva
a cismar dentro em mim: Que será isto?

Melodia serena que a alma enleva
percorre docemente o ar luminoso.
Com zelo recrimino a audácia de Eva:

Onde obedecem terra e céu em pouso,
mulher que há pouco tempo se formara
recusa um véu apenas sigiloso;

sotto il qual se devota fosse stata,
avrei quelle ineffabili delizie
gustate prima e più lunga fiata.

Mentr'io m'andava fra tante primizie
dell'eterno piacer tutto sospeso,
e disioso ancora a più letizie,

dinanzi a noi tal quale un foco acceso
ci si fe' l'aere sotto i verdi rami,
e il dolce suon per canto era già inteso.

O sacrosante Vergini, se fami,
freddi o vigilie mai per voi soffersi,
cagion mi sprona ch'io mercè vi chiami.

Or convien ch'Elicona per me versi,
e Urania m'aiuti col suo coro
forti cose a pensar mettere in versi.

Poco più oltre sette alberi d'oro
falsava nel parere il lungo tratto
del mezzo ch'era ancor tra noi e loro;

ma quando fui sì presso di lor fatto
che l'obietto comun, che il senso inganna,
non perdea per distanzia alcun suo atto,

la virtù che a ragion discorso ammanna
sì com'egli eran candelabri apprese,
e nelle voci del cantare Osanna.

Di sopra fiammeggiava il bell'arnese
più chiaro assai che luna per sereno
di mezza notte nel suo mezzo mese.

sob o qual se piedosa se abrigara,
da inefável delícia das delícias
de há muito e para sempre eu desfrutara.

Enquanto me iniciava nas primícias
do prazer sempiterno entre a surpresa
e o desejo de fruir novas letícias,

diante de nós o ar se tornou acesa
translucidez por entre as verdes franças,
e o timbre musical soou com clareza.

Ó sacrossantas virgens, se são fianças
vigílias que por vós passei e frio
e fome, acalentai-me as esperanças.

De Hipocrene sorver quero o amavio,
a graça receber de Urânia e o coro,
que por força maior meu verso amplio.

Pouco mais longe sete árvores de ouro
tive a ilusão de ver. Mas em verdade
estávamos distantes do álveo louro.

Porém agora com a proximidade
em que o sentido já não mais se engana
pois o objeto não foge à realidade,

por virtude que da razão promana,
forma de candelabros distinguia
e ouvia vozes entoando hosana.

No topo o belo arnês resplandecia
mais claro do que a lua quando o luar
em plenitude à meia-noite envia.

Io mi rivolsi d'ammirazion pieno
al buon Virgilio, ed esso mi rispose
con vista carca di stupor non meno.

Indi rendei l'aspetto all'alte cose,
che si movieno incontra noi sì tardi
che fòran vinte da novelle spose.

La donna mi sgridò: "Perché pur ardi
sì nell'aspetto delle vive luci,
e ciò che vien di retro a lor non guardi?"

Genti vid'io allor, come a lor duci,
venire appresso, vestite di bianco;
e tal candor di qua giammai non fuci.

L'acqua splendeami dal sinistro fianco
e rendea a me la mia sinistra costa,
s'io riguardava in lei, come specchio anco.

Quand'io dalla mia riva ebbi tal posta,
che solo il fiume mi facea distante,
per veder meglio ai passi diedi sosta;

e vidi le fiammelle andar davante,
lasciando dietro a sé l'aere dipinto;
e di tratti pennelli avean sembiante,

sì che lì sopra rimanea distinto
di sette liste, tutte in quei colori
onde fa l'arco il Sole e Delia il cinto.

Questi ostendali dietro eran maggiori
che la mia vista; e, quanto a mio avviso,
dieci passi distavan quei di fuori.

De admiração repleto volto o olhar
para Virgílio e noto seu espanto
não menor do que meu assombro, a par.

Estas altas visões que miro, entanto,
vêm ao nosso encontro a passos lentos
como os de novas desposadas, tanto.

Gritou-me a jovem: "Por que estás atento
e embevecido só nas luzes vivas
e além delas não buscas mais eventos?"

Vejo que fiéis à linha diretiva
chegam pessoas tendo brancas vestes
de um candor que na terra não se priva.

O rio à esquerda refletira prestes
meu lado esquerdo se eu me contemplasse
no espelho a arder de seus cristais celestes.

Ao ver que tinha a procissão em face
justo à margem do rio paro, urdindo
fixar ainda melhor o que avistasse.

Noto que os lampadários prosseguindo
a marcha deixam no ar umas revoadas
de cor em flâmulas tremeluzindo.

Sobrelevam com as cores conjugadas
de que o Sol faz seu arco e Délia o cinto
sete nítidas faixas delineadas.

Os estandartes cujas nuanças pinto
se perdiam de vista; e dos demais
distanciavam dez passos bem distintos.

Sotto così bel ciel com'io diviso,
ventiquattro seniori, a due a due,
coronati venien di fiordaliso.

Tutti cantavan: "Benedetta tue
nelle figlie d'Adamo, e benedette
sieno in eterno le bellezze tue!"

Poscia che i fiori e l'altre fresche erbette
a rimpetto di me da l'altra sponda
libere fur da quelle genti elette,

sì come luce luce in ciel seconda,
vennero appresso a lor quattro animali,
coronati ciascun di verde fronda.

Ognuno era pennuto di sei ali;
le penne piene d'occhi, e gli occhi d'Argo
se fosser vivi, sarebber cotali.

A descriver lor forme più non spargo
rime, lettor, ch'altra spesa mi strigne
tanto che a questa non posso esser largo;

ma leggi Ezechiel che li dipigne
come li vide dalla fredda parte
venir con vento e con nube e con igne;

e quali i troverai nelle sue carte
tali eran quivi, salvo che alle penne
Giovanni è meco e da lui si diparte.

Lo spazio dentro a lor quattro contenne
un carro, in su due rote, triunfale,
che al collo d'un grifon tirato venne.

Sob este belo céu vinham iguais
vinte e quatro varões de dois em dois
coroados de lírios imortais.

Cantavam juntos: "Vós, bendita sois
entre as filhas de Adão; bendita seja
a beleza que o Eterno em vós depôs".

Logo que a relva em flor que ali viceja
à oposta margem se tornou vazia
da nobre gente de eleição, andeja,

como no céu a luz à luz porfia,
chegam quatro animais e sobre a fronte
verdes ramagens um a um trazia.

Cada qual com seis asas bem confrontes
cravadas de olhos a que os olhos de Argos
invejariam de os notar defronte.

Não lhes descrevo as formas, sem embargo,
leitor, porque outro assunto no momento
me exige empenho tal que passo ao largo.

A Ezequiel que os descreve lê atento
como os viu ao chegarem da invernada
envolvidos de nuvem, fogo e vento.

Tais como os pinta a página indicada
eram estes daqui; mas quanto às penas
penso, com João, que vinham separadas.

Entre os quatro animais na mesma arena,
sobre as rodas se vê carro triunfal
que ao pescoço de um grifo desempena.

Esso tendea in su l'una e l'altr'ale
tra la mezzana e le tre e tre liste,
sì che a nulla, fendendo, facea male.

Tanto salivan che non eran viste;
le membra d'oro avea quanto era uccello,
e bianche l'altre, di vermiglio miste.

Non che Roma di carro così bello
rallegrasse Affricano ovvero Augusto,
ma quel del sol saria pover con ello:

quel del sol che, sviando, fu combusto
per l'orazion della Terra devota,
quando fu Giove arcanamente giusto.

Tre donne in giro dalla destra rota
venian danzando: l'una tanto rossa
che a pena fòra dentro al foco nota;

l'altra era come se le carni e l'ossa
fossero state di smeraldo fatte;
la terza parea neve testè mossa.

E or parevan dalla bianca tratte,
or dalla rossa: e dal canto di questa
l'altre toglìean l'andare o tarde o ratte.

Dalla sinistra quattro facean festa,
in porpora vestite, dietro al modo
d'una di lor che avea tre occhi in testa.

Appresso tutto il pertrattato nodo
vidi due vecchi in abito dispàri,
ma pari in atto, ed onesto e sodo.

Este, asas tensas em bilateral,
junto à do centro e em meio das três listas
a nenhuma podia fazer mal.

O voo já se vai longe da vista.
Eram os membros da ave da cor do ouro
e o resto branco e rubro de cor mista.

Não houve em Roma carro de decoro
assim para alegrar Cipião e Augusto
como este que ao do sol impõe desdouro;

o do sol que em largar se fez combusto
quando da terra à súplica devota
Jove nos seus arcanos foi tão justo.

Surgem três bailarinas pela rota
da direita. E tão rubra era a primeira
que dentro ao fogo não daria nota.

Parecia a segunda toda inteira
ser modelada de esmeralda, enquanto
da mais recente neve era a terceira.

Dir-se-ia que as orienta a nívea; entanto
ora as dirige a rubra; e ao canto desta,
o trio se harmoniza em dança e canto.

À esquerda vinha outra visão em festa:
quatro damas de púrpura vestidas
e uma delas com três olhos na testa.

Atrás dos vários grupos em seguida
vi dois anciões de trajes diferentes
com a mesma dignidade de vencida.

L'un si mostrava alcun dei familiari
di quel sommo Ippocràte, che natura
agli animali fe' ch'ella ha più cari.

Mostrava l'altro la contraria cura
con una spada lucida ed acuta,
tal che di qua dal rio mi fe' paura.

Poi vidi quattro in umile paruta;
e diretro da tutti un veglio solo
venir dormendo con la faccia arguta.

E questi sette col primaio stuolo
erano abituati, ma di gigli
dintorno al capo facevan brolo,

anzi di rose e d'altri fior vermigli:
giurato avria poco lontano aspetto
che tutti ardesser di sopra dai cigli.

E quando il carro a me fu a rimpetto,
un tuon s'udì, e quelle genti degne
parvero aver l'andar più interdetto,

fermandosi ivi con le prime insegne.

Um deles semelhava ser parente
de Hipócrates a quem a natureza
confiou o que é mais caro à sua gente.

O outro que deve ter contrária empresa
porta espada tão alva e perfurante
que estremeço à distância da devesa.

Vi quatro humildes seres nesse instante.
E atrás de todos, só, vem um ancião
que dormindo ainda vela, circunstante.

E os sete, iguais em trajes aos que vão
dos eleitos à frente, altos senhores,
não os coroam brancos lírios, não,

porém rosas e mais vermelhas flores
que sugeriam longe, porventura,
nas sobrancelhas ígneos esplendores.

E quando o carro chega à minha altura
eis que um trono ressoa: neste ensejo
interdito por órbita segura

para com os estandartes, o cortejo.

CANTO XXX

Quando il settentrïon del primo cielo,
che né occaso mai seppe né orto
né d'altra nebbia che di colpa velo,

e che faceva lì ciascuno accorto
di suo dover, come 'l più basso face
qual temon gira per venire a porto,

fermo s'affisse, la gente verace
venuta prima tra 'l grifone ed esso,
al carro volse sé come a sua pace;

e un di loro, quasi da ciel messo,
"Veni, sponsa, de Libano" cantando
gridò tre volte, e tutti li altri appresso.

Quali i beati al novissimo bando
surgeran presti ognun di sua caverna,
la revestita carne alleluiando;

cotali in su la divina basterna
si levar cento, *ad vocem tanti senis,*
ministri e messaggier di vita eterna.

Tutti dicean: *"Benedictus qui venis!"*,
e fior gittando di sopra e dintorno,
"Manibus, oh, date lilïa plenis!"

Io vidi già nel cominciar del giorno
la parte orïental tutta rosata,
e l'altro ciel di bel sereno adorno;

e la faccia del sol nascere ombrata,
sì che, per temperanza di vapori,
l'occhio la sostenea lunga fïata:

CANTO XXX

Quando o septentrião do céu primeiro
que nunca teve a aurora nem sol morto
e a que somente a culpa traz nevoeiro

assinalava a cada qual, absorto,
no íntimo, seu dever, tal como faz
o timão conduzindo a nave ao porto,

a turba humana que seguia atrás
do grifão se postou como convinha
e logo o carro se deteve em paz.

O mensageiro que três vezes vinha
"Veni, sponsa, de Libano" cantando
foi imitado pela grei vizinha.

Assim como os eleitos, a comando
hão de surgir de novo das cavernas
o ressurrecto corpo aleluiando,

em beatíficos cânticos se externa
uma centena "ad vocem tanti senis"
de arautos em prenúncio à vida eterna.

Dizem todos: "Benedictus qui venis"
e em volta atiram pétalas sem conta
"Manibus, oh, date lilia plenis!"

Já vi à hora em que a manhã desponta
a parte oriental toda rosada
com reflexos no céu de ponta a ponta;

vi a face do sol nascer nublada
a permitir de envolta com vapores
que o contemplasse a vista delicada:

così dentro una nuvola di fiori
che dalle mani angeliche saliva
e ricadeva in giù dentro e di fori,

sovra candido vel cinta d'uliva
donna m'apparve, sotto verde manto
vestita di color di fiamma viva.

E lo spirito mio, che già cotanto
tempo era stato che alla sua presenza
non era di stupor, tremando, affranto,

sanza delli occhi aver più conoscenza,
per occulta virtù che da lei mosse,
d'antico amor sentì la gran potenza.

Tosto che nella vista mi percosse
l'alta virtù che già m'avea trafitto
prima ch'io fuor di puerizia fosse,

volsimi alla sinistra col rispitto
col quale il fantolin corre alla mamma
quando ha paura o quando elli è afflitto,

per dicere a Virgilio: "Men che dramma
di sangue m'è rimaso che non tremi:
conosco i segni dell'antica fiamma";

ma Virgilio n'avea lasciati scemi
di sé, Virgilio dolcissimo patre,
Virgilio a cui per mia salute die'mi;

né quantunque perdeo l'antica matre,
valse alle guance nette di rugiada,
che, lacrimando, non tornasser atre.

assim em meio à profusão de flores
que espalham mãos angélicas e ativas
de cima a baixo pelos arredores,

por entre véus, o cinto cor de oliva,
surge uma dama sob verde manto
a túnica nos tons de chama viva.

Então minha alma, a que durante tanto
tempo fora negada tal presença,
trêmula de surpresa, assombro e espanto,

antes de contemplá-la, por pertença
sigilosa que dela se irradia,
do antigo amor sentiu a força imensa.

Logo que pude vê-la ressurgia
o alto fascínio que me subjugara
desde o tempo em que infância me assistia.

Voltei-me para a esquerda como para
refúgio maternal; assim o infante
quando alguma aflição se lhe depara.

Quis ao mestre dizer no mesmo instante:
"Gota a gota meu sangue está transido
a estremecer daquela flama de antes".

Virgílio havia desaparecido,
Virgílio, doce pai que me salvara,
Virgílio agora para mim perdido.

Nem a beleza que Eva dissipara
já com meu rosto limpo de rocio,
me tolhe o pranto pela face amara.

"Dante, perché Virgilio se ne vada,
non pianger anco, non piangere ancora;
ché pianger ti conven per altra spada."

Quasi ammiraglio che in poppa ed in prora
viene a veder la gente che ministra
per li altri legni, e a ben far l'incora;

in su la sponda del carro sinistra,
quando mi volsi al suon del nome mio,
che di necessità qui si registra,

vidi la donna che pria m'apparìo
velata sotto l'angelica festa,
drizzar li occhi ver me di qua dal rio.

Tutto che 'l vel che le scendea di testa,
cerchiato delle fronde di Minerva,
non la lasciasse parer manifesta,

regalmente nell'atto ancor proterva
continüò come colui che dice
e 'l più caldo parlar dietro reserva:

"Guardaci ben! Ben son, ben son Beatrice.
Come degnasti d'accedere al monte?
non sapei tu che qui è l'uom felice?"

Li occhi mi cader giù nel chiaro fonte;
ma veggendomi in esso, i trassi all'erba,
tanta vergogna mi gravò la fronte.

Così la madre al figlio par superba,
com'ella parve a me; perché d'amaro
sent'il sapor della pietade acerba.

"Dante, porque Virgílio te fugiu
não chores, deixa as lágrimas, porquanto
de uma outra espada sentirás o fio."

Como almirante vai de canto a canto
da nave a inspecionar todos os dados
e a ajudar algum ânimo em quebranto

sobre a carruagem, do sinistro lado,
ao voltar-me por ter meu nome ouvido,
– e aqui por força o tenho revelado –

vejo a dama que em festa havia sido
vista entre anjos e flores de permeio,
olhar, de lá do rio em meu sentido.

Apesar da mantilha com que veio
nos cabelos os ramos de Minerva,
não se deixando contemplar em cheio,

na atitude contida se lhe observa
o ar de quem diz aos poucos o que diz
maior calor guardando de reserva.

"Olha-me bem, eu sou, eu sou Beatriz!
Mas como te dignaste vir ao monte?
Sabes que este é o lugar do homem feliz?"

Abaixo os olhos para a clara fonte
mas vendo-me em espelho à relva os desço
tanta vergonha me pendia a fronte.

Tal como o filho julga de começo
algo soberba a mãe quando o censura
sinto o amargo sabor do desapreço.

Ella si tacque; e li angeli cantaro
di subito *"In te, Domine, speravi"*;
ma oltre *"pedes meos"* non passaro.

Sì come neve tra le vive travi
per lo dosso d'Italia si congela,
soffiata e stretta dalli venti schiavi,

poi, liquefatta, in sé stessa trapela,
pur che la terra che perde ombra spiri,
sì che par foco fonder la candela;

così fui sanza lacrime e sospiri
anzi 'l cantar di quei che notan sempre
dietro alle note delli eterni giri;

ma poi ch' intesi nelle dolci tempre
lor compatire a me, più che se detto
avesser: "Donna, perché sì lo stempre?",

lo gel che m'era intorno al cor ristretto,
spirito e acqua fessi, e con angoscia
della bocca e delli occhi uscì del petto.

Ella, pur ferma in su la detta coscia
del carro stando, alle sustanze pie
volse le sue parole così poscia:

"Voi vigilate nell'eterno dìe,
sì che notte né sonno a voi non fura
passo che faccia il secol per sue vie;

onde la mia risposta è con più cura
che m'intenda colui che di là piagne,
perché sia colpa e duol d'una misura.

Ela se cala. A voz dos anjos, pura,
"In te, Domine, speravi" – principia
e por expresso para a certa altura.

Tal de entre os galhos neve que escorria
pelo dorso da Itália se congela
à pressão e ao soprar da ventania,

mas depois se desfaz e se degela
ao calor que provém de outros respiros
lembrando a chama que consome a vela;

assim fique sem lágrima ou suspiro
diante do canto dos que estão na esfera
da harmonia seguindo o eterno giro;

e após me enterneci como se houvera
a compaixão dos anjos sugerido:
"Senhora, mas por que sois tão severa?"

O gelo em torno ao coração, diluído
se fez em água e sopro liquefeito
em soluços e pranto comovido.

Ela porém segura ao parapeito
da carruagem quedou, aos anjos pios
dirigindo a palavra com efeito.

"Vós que andais em vigília sem desvios
pervagando por noites indormidas
bem conheceis do mundo os extravios.

Assim, minha resposta é dirigida
em especial àquele que pranteia
para que sinta a culpa na medida.

Non pur per ovra delle rote magne
che drizzan ciascun seme ad alcun fine
secondo che le stelle son compagne,

ma per larghezza di grazie divine,
che sì alti vapori hanno a lor piova,
che nostre viste là non van vicine,

questi fu tal nella sua vita nova
virtüalmente, ch'ogni abito destro
fatto averebbe in lui mirabil prova.

Ma tanto più maligno e più silvestro
si fa 'l terren col mal seme e non colto,
quant'elli ha più di buon vigor terrestro.

Alcun tempo il sostenni col mio volto:
mostrando li occhi giovanetti a lui,
meco il menava in dritta parte volto.

Sì tosto come in su la soglia fui
di mia seconda etade e mutai vita,
questi si tolse a me, e diessi altrui.

Quando di carne a spirto era salita
e bellezza e virtù cresciuta m'era,
fu'io a lui men cara e men gradita;

e volse i passi suoi per via non vera,
imagini di ben seguendo false,
che nulla promission rendono intera.

Né l'impetrare ispirazion mi valse,
con le quali ed in sogno e altrimenti
Io rivocai; sì poco a lui ne calse!

Não só pelo que a esfera astral semeia
cada germe adequado a um alvo certo
segundo estrela que o destino enleia.

Mas por divina graça no concerto
de benefícios vindos de altitudes
aonde a nossa vista não vai perto,

este foi na primeira juventude
de tantas qualidades portador
que podia alcançar qualquer virtude.

Mais nocivo porém no destemor
se faz o campo inculto ou mal semeado
se tem na própria terra mais vigor.

Algum tempo, estando ele enamorado
de mim, de ante meus olhos de menina,
o caminho do bem toma a cuidado.

Quando porém no umbral da peregrina
mocidade ascendi a nova vida,
pelas outras me esquece e desatina.

Quando a carne arrefece e de seguida
sou mais alta de espírito e mais bela,
já não me preza tanto, já me olvida.

Segue as trilhas do mal sob a chancela
do bem que aspira, na ilusão falaz
de promessa que nunca se revela.

Nem as inspirações do céu que assaz
eu lhe trazia em sonho e pensamento,
o demovem daquilo que lhe apraz.

Tanto giù cadde, che tutti argomenti
alla salute sua eran già corti,
fuor che mostrarli le perdute genti.

Per questo visitai l'uscio de' morti,
e a colui che l'ha qua su condotto,
li preghi miei, piangendo, furon porti.

Alto fato di Dio sarebbe rotto,
se Letè si passasse e tal vivanda
fosse gustata sanza alcuno scotto

di pentimento che lacrime spanda."

Tanto caiu que o último argumento
para salvá-lo, os outros todos vãos,
foi revelar-lhe o inferno e seu tormento.

À morada dos mortos vou então
com súplicas a quem, a meu pedido,
aqui o conduziu por compaixão.

O decreto de Deus fora abolido
se ele ao passar o Letes, o sabor
lhe conhecesse antes de haver vertido

lágrimas de remorso por penhor."

LUIS DE GÓNGORA

AL NACIMIENTO DE CRISTO NUESTRO SEÑOR

¿Quién oyó?
¿Quién oyó?
¿Quién ha visto lo que yo?

Yacía la noche cuando
las doce a mis ojos dio
el reloj de las estrellas,
que es el más cierto reloj;
yacía, digo, la noche,
y en el silencio mayor.
Una voz dieron los cielos,
Amor divino,
que era luz aunque era voz,
divino Amor.

¿Quién oyó?
¿Quién oyó?
¿Quién ha visto lo que yo?

Ruiseñor no era de el Alba
dulce hijo el que se oyó;
viste alas, mas no viste
bulto humano el ruiseñor.
De varios, pues, instrumentos,
el confuso acorde son,
gloria dando a las alturas;
Amor divino,
paz a la tierra anunció,
divino Amor.

¿Quién oyó?
¿Quién oyó?
¿Quién ha visto lo que yo?

AO NASCIMENTO DE CRISTO NOSSO SENHOR

Quem ouviu?
Quem ouviu?
Quem terá visto o que eu vi?

A noite jazia quando
as doze a meus olhos deu
o relógio das estrelas
que é o mais seguro relógio;
jazia de fato a noite
e no silêncio maior.
Uma voz veio dos céus,
Amor divino,
que era luz além de voz,
divino Amor.

Quem ouviu?
Quem ouviu?
Quem terá visto o que eu vi?

Rouxinol não era da Alba
doce filho o que se ouviu;
veste asas porém não veste
vulto humano o rouxinol.
Assim, de instrumentos vários
o confuso acorde vem
glória cantando às alturas;
Amor divino,
paz à terra anunciou,
divino Amor.

Quem ouviu?
Quem ouviu?
Quem terá visto o que eu vi?

Levantéme a la armonía,
y cayendo al esplendor
o todo me negó a mí,
o todo me negué yo.
Tiranizó mis sentidos
el soberano cantor,
el que ni ave ni hombre,
Amor divino,
era mucho de los dos,
divino Amor.

¿Quién oyó?
¿Quién oyó?
¿Quién ha visto lo que yo?

Restituídas las cosas
que el éxtasis me escondió,
a blando céfiro hice
de mis ovejas pastor.
Dejélas, y en vez de nieve,
pisando una y otra flor,
llegué donde al heno vi,
Amor divino,
peinarle rayos al Sol,
divino Amor.

¿Quién oyó?
¿Quién oyó?
¿Quién ha visto lo que yo?

Humilde en llegando até
al pesebre la razón,
que me valió nueva luz,
topo ayer y lince hoy.
Oí balar al cordero,

Alcei-me para a harmonia
e cercado de esplendor
ou tudo me renegou
ou eu próprio me neguei.
Tiranizou-me os sentidos
o soberano cantor,
o que nem ave nem homem,
Amor divino,
era muito de cada um,
divino Amor.

Quem ouviu?
Quem ouviu?
Quem terá visto o que eu vi?

Restituídas as cousas
que o êxtase me escondeu,
a brando zéfiro fiz
pastor de minhas ovelhas.
Deixei-as e em vez de neve
pisando uma e outra flor,
cheguei onde ao feno vi,
Amor divino,
penteá-los raios de sol,
divino Amor.

Quem ouviu?
Quem ouviu?
Quem terá visto o que eu vi?

Humilde chegando até
ao presépio o raciocínio
que me valeu nova luz,
ontem talpa e hoje lince.
Ouvi balar o cordeiro

que bramó un tiempo león;
y vi llorar niño ahora,
Amor divino,
al que ha sido siempre Dios,
divino Amor.

¿Quién oyó?
¿Quién oyó?
¿Quién ha visto lo que yo?

que bramara como leão;
e vi chorar como criança,
Amor divino,
o que foi e é sempre Deus,
divino Amor.

Quem ouviu?
Quem ouviu?
Quem terá visto o que eu vi?

LOPE DE VEGA

LA NIÑA DE PLATA

Un soneto me manda hacer Violante,
que en mi vida me he visto en tanto aprieto;
catorce versos dicen que es soneto,
burla burlando van los tres delante.

Yo pensé que no hallara consonante
y estoy a la mitad de otro cuarteto,
mas si me veo en el primer terceto,
no hay cosa en los cuartetos que me espante.

Por el primer terceto voy entrando,
y parece que entré con pie derecho,
pues fin con este verso le voy dando.

Ya estoy en el segundo y aun sospecho
que voy los trece versos acabando;
contad si son catorce y está hecho.

SONETO

Um soneto encomenda-me Violante
e de apertado vejo tudo preto;
quatorze versos dizem que é soneto
brinca brincando vão os três adiante.

Julguei que me faltara consonante
e na metade estou de outro quarteto;
mas se redijo o próximo terceto
nada há mais nos quartetos que me espante.

No primeiro terceto agora entrando
parece-me que entrei com o pé direito
pois ao verso final estou chegando.

Já me acho no segundo e ainda suspeito
que treze versos venho completando.
Contai se são quatorze e se está feito.

FRIEDRICH SCHILLER

HOFFNUNG

Es reden und träumen die Menschen viel
Von bessern künftigen Tagen,
Nach einem glücklinchen goldenen Ziel
Sieht man sie rennen und jagen,
Die Welt wird alt und wird wieder jung,
Doch der Mensch hofft immer Verbesserung!

Die Hoffnung führt ihn ins Leben ein,
Sie umflattert den fröhlichen Knaben,
Den Jüngling begeistert ihr Zauberschein.
Sie wird mit dem Greis nicht begraben,
Denn beschliesst er im Grabe den müden Lauf,
Noch am Grabe pflanzt er – die Hoffnung auf.

Es ist kein leerer schmeichelnder Wahn,
Erzeugt im Gehirne des Toren.
Im Herzen kündet es laut sich an,
Zu was Besserm sind wir geboren!
Und was die innere Stimme spricht,
Das täuscht die hoffende Seele nicht.

POEMA

Sonha e fala constantemente
todo homem, desse sonho ardente
que o faz lutar por atingir
um marco de ouro em seu porvir.
Seca e ressurge o mundo ao derredor:
homem aguarda sempre um bem maior.

A esperança o desperta para a vida.
Envolve-o na adolescência florida,
ao moço atrai com brilho intenso.
O próprio ancião, nesse consenso,
ao baixar sobre seu caminho a treva,
à sepultura uma esperança leva.

Não é uma ilusão fugaz
com que se ofusca o néscio. Mas
o alto prenúncio, em nosso peito,
de que o destino humano é mais perfeito.
E essa voz interior, sincera,
não ilude – jamais – a alma que espera.

LUDWIG UHLAND

FRÜHLINGSLAUBE

Die linden Lüfte sind erwacht,
Sie säuseln und weben Tag und Nacht,
Sie schaffen an allen Enden.
O frischer Duft, o neuer Klang!
Nun, armes Herze, sei nicht bang!
Nun muss sich alles, alles wenden.

Die Welt wird schöner mit jedem Tag,
Man weiss nicht, was noch werden mag,
Das Blühen will nicht enden.
Es blüht das fernste, tiefste Tal;
Nun, armes Herz, vergiss der Qual!
Nun muss sich alles, alles wenden.

PRIMAVERA

Despertam docemente as brisas.
Sopram, serenas, noite e dia,
por toda a parte a sussurrar.
Aroma tenro, nova melodia.
Agora, pobre coração, reanima-te:
Agora tudo, tudo mudará.

Faz-se o mundo mais belo cada dia.
Se o momento presente é tão feliz
o amanhã que surpresas não trará!
Floresce ao longe o vale mais sombrio.
Agora, pobre coração, esquece a mágoa.
Agora tudo, tudo mudará.

GIACOMO LEOPARDI

L'INFINITO

Sempre caro mi fu quest'ermo colle,
e questa siepe, che da tanta parte
dell'ultimo orizzonte il guardo esclude.
Ma sedendo e mirando, interminati
spazi, di là da quella, e sovrumani
silenzi, e profondissima quiete
io nel pensier mi fingo; ove per poco
il cor non si spaura. E come il vento
odo stormir tra queste piante, io quello
infinito silenzio a questa voce
vo comparando: e mi sovvien l'eterno,
e le morte stagioni, e la presente
e viva, e il suon di lei. Così tra questa
immensità s'annega il pensier mio:
e il naufragar m'è dolce in questo mare.

O INFINITO

Sempre caro me foi este ermo outeiro
e esta sebe que ao último horizonte
circundando me impede ao longe a vista.
Sentado e contemplando mais além
os espaços, silêncios sobre-humanos
percebendo e uma calma profundíssima,
em pensamento me transfundo. Quase
meu coração se espanta. E a ouvir o vento
que sussurra entre as árvores, comparo
ao silêncio infinito sua voz.
Sobreleva-me então o eterno: evoco
as mortas estações e da presente
sinto a vida através de seus rumores.
Na imensidão mergulho o pensamento
e nestes mares naufragar me é doce.

HENRY W. LONGFELLOW

THE ARROW AND THE SONG

I shot an arrow into the air,
It fell to earth, I knew not where;
For, so swiftly it flew, the sight
Could not follow it in its flight.

I breathed a song into the air,
It fell to earth, I knew not where;
For who has sight so keen and strong,
That it can follow the flight of song?

Long, long afterward, in an oak
I found the arrow, still unbroke;
And the song, from beginning to end,
I found again in the heart of a friend.

A SETA E A CANÇÃO

Atirei uma seta aos ares.
Partiu. Não vi para onde foi.
Partiu tão rápida que o olhar
não pôde acompanhar-lhe o voo.

Soltei uma canção no azul.
Não pude acompanhar-lhe o voo.
Partiu tão ardente e tão pura:
só Deus soube para onde foi.

Mais tarde achei num carvalho
a antiga seta. E a canção
também a encontrei – gravada
num coração.

SÁNDOR PETÖFI

THE APOSTLE
(fragmento)

"Are you asleep
my tiny one?
What are you dreaming?
Tell me your dreams.
Are they not lovely,
happy visions?
For you don't sleep
yet in the earth.
Your mother rocks,
your mother holds you,
nestle and sleep,
sweet infant mine,
milk-white flower,
snow-white ray,
coal-black earth will
swallow you now.
The heaven glows
when twilight
has kissed it;
I will kiss now
Your little face,
oh, it does not glow!
If just once again
you would smile at me,
at your mother's smile,
heart of my heart,
my little child!
Blossoming grave...
unpainted cross...
beneath it, you...
above it, I...
What drops upon it?
No, not the rain,
your mother's tears.

ÚLTIMO ACALANTO

"Adormeceste,
meu menininho?
Sonhas talvez?
Conta-me os sonhos
– por certo lindas
visões felizes.
Pois que na terra
sequer dormiste.
Tua mãe te embala
tua mãe te abraça
vela-te o sono,
ó doce criança
branca de leite
floco de neve.
A terra negra
nos quer tragar.
O céu resplende
quando o crepúsculo
o beija. Entanto
se agora beijo
tua face tenra
ela não brilha.
Ah, se sorrisses
ainda uma vez
para o sorriso
de tua mãe
ó meu tesouro,
filhinho meu!
Túmulo em flor
cruz invisível,
abaixo quedas,
eu fico acima.
Cai um chuvisco?
Não, não é chuva,
são minhas lágrimas.

Be silent now,
acacia boughs
in the graveyard,
I am talking
with my little one;
we speak gently,
keep silent now.
Does your head hurt,
does your heart ache?
Is the soil heavy
that entombs you?
Which was the softer,
my cradling arms
or the coffin now?
Sweet dreams, sweet dreams,
dove of my heart,
a blessed good night;
but one thing I ask,
dream but of me,
let us be together."

Fica tranquilo
ramo de acácia
no campo-santo.
Estou falando
com o meu menino
serenamente.
Quero silêncio.
Dói-te a cabeça,
o coração?
Pesa-te a terra
que te sepulta?
Qual o mais leve:
meu colo em berço
ou o ataúde?
Guarda contigo
dúlcidos sonhos,
pássaro da alma,
boa noite em bênçãos.
Peço-te apenas:
sonha comigo
que estamos juntos."

ROSALÍA DE CASTRO

XXXV

Eu cantar, cantar, cantei,
a gracia non era moita,

Que nunca (delo me pesa)
fun eu meniña graciosa.
Cantei como mal sabía
dándolle reviravoltas,
cal fán aquês que non saben
direitamente unha cousa,
pero dempois paseniño,
y un pouco máis alto agora,
fun votando as miñas cántigas
como quen non quer á cousa.
Eu ben quixera, é verdade,
que máis boniteiras foran;
eu ben quixera que nelas
bailase ó sol c' as pombas,
as brandas auguas c' á luz
y os aires mainos c' as rosas.
Que nelas craras se visen
a espuma d' as verdes ondas,
do ceu as brancas estrelas
da terr' as prantas hermosas,
as niebras de cor sombriso
qu' aló nas montañas voan;
os berros do triste moucho,
as campaniñas que dobran,
a primadera que ríe
y os paxariños que voan.
Canta que te canta, mentras
os coraçóns tristes choran.
Esto e inda máis, eu quixera
desir con lengua graciosa;
mas donde á gracia me falta
o sentimiento me sobra,

CANTIGA

Eu cantar, cantar, cantei;
a graça não era muita,

pois nunca por meu pesar,
fui eu menina graciosa.
Cantei como foi possível,
dando voltas e mais voltas
assim como quem não sabe
perfeitamente uma cousa.
Porém depois de mansinho
e um pouco mais alto agora,
fui soltando essas cantigas
como quem não quer a cousa.
Eu bem quisera, é verdade,
que elas fossem mais bonitas;
eu bem quisera que nelas
bailasse o sol com as pombas,
as brancas águas com a luz,
e os ares mansos com as rosas.
Que nelas claras se vissem
a espuma das verdes ondas,
do céu as brancas estrelas
da terra as plantas formosas,
as névoas de cor sombria
que lá nas montanhas voam;
os pios do triste mocho,
as campainhas que dobram
a primavera que ri,
e os passarinhos que voam.
E canta que canta, enquanto
os corações tristes choram.
Isto e ainda mais quisera
dizer com língua graciosa;
mas onde a graça me falta,
o sentimento me sobra.

anqu'este tampouco abasta
para expricar certas cousas,
qu'á veces por fora un canta
mentras que por dentro un chora.
Non me expriquei cal quixera
pois son de expricansa pouca;
si gracia en cantar non teño
o amor da patria m'afoga,
Eu cantar, cantar, cantei,
a gracia non era moita,
¡máis qué faser, desdichada,
sin non nacín máis graciosa!

Entretanto isto não basta
para explicar certas cousas
que, às vezes, por fora um canta
enquanto por dentro chora.
Não me expliquei qual quisera:
sou de pouca explicação;
se graça em cantar não tenho,
o amor da terra me afoga.
Eu cantar, cantar, cantei,
a graça não era muita,
mas que fazer – desgraçada! –
se não nasci mais graciosa.

JOSÉ MARTÍ

MI CABALLERO

Por las mañanas
Mi pequeñuelo
Me despertaba
Con un gran beso.
Puesto a horcajadas
Sobre mi pecho,
Bridas forjaba
Con mis cabellos.
Ebrio él de gozo,
De gozo yo ebrio,
Me espoleaba
Mi caballero:
¡Qué suave espuela
Sus dos pies frescos!
¡Cómo reía
Mi jinetuelo!
Y yo besaba
Sus pies pequeños,
¡Dos pies que caben
En solo un beso!

MEU CAVALEIRO

De manhã cedo
meu pequerrucho
me despertava
com um grande beijo.
Logo montado
sobre meu peito
freios forjava
com meus cabelos.
Ébrios de gozo
tanto eu como ele
me esporeava
meu cavaleiro:
que suave espora
seus dois pés frescos!
E como ria
meu cavaleiro!
Como eu beijava
seus pés pequenos
dois pés que cabem
juntos num beijo!

(De *VERSOS SENCILLOS* – XLV)

Sueño con claustros de mármol
Donde en silencio divino
Los héroes, de pie, reposan:
¡De noche, a la luz del alma,
Hablo con ellos: de noche!
Están en fila: paseo
Entre las filas: las manos
De piedra les beso: abren
Los ojos de piedra: mueven
Los labios de piedra: tiemblan
Las barbas de piedra: empuñan
La espada de piedra: lloran.
¡Vibra la espada en la vaina!
Mudo, les beso la mano.

¡Hablo con ellos, de noche!
Están en fila: paseo
Entre las filas: lloroso
Me abrazo a un mármol: "¡Oh mármol,
Dicen que beben tus hijos
Su propia sangre en las copas
Venenosas de sus dueños!
¡Que hablan la lengua podrida
de sus rufianes! Que comen
Juntos el pan del oprobio,
En la mesa ensangrentada!
¡Que pierden en lengua inútil
El último fuego! ¡Dicen,
Oh mármol, mármol dormido,
Que ya se ha muerto tu raza!"

Échame en tierra de un bote
El héroe que abrazo: me ase
Del cuello: barre la tierra
Con mi cabeza: levanta

HOMENS DE MÁRMORE

Sonho com claustros de mármore
onde em silêncio divino
repousam heróis, de pé.
De noite, aos fulgores da alma,
falo com eles, de noite.
Estão em fila; passeio
por entre as filas; as mãos
de pedra lhes beijo; entreabrem
os olhos de pedra; movem
os lábios de pedra; tremem
as barbas de pedra; choram;
vibra a espada na bainha!
Calado lhes beijo as mãos.

Falo com eles, de noite.
Estão em fila; passeio
por entre as filas; choroso
me abraço a um mármore. – "Ó mármore,
dizem que bebem teus filhos
o próprio sangue nas taças
envenenadas dos déspotas!
Que falam a língua torpe
dos libertinos! Que comem
reunidos o pão do opróbrio
na mesa tinta de sangue!
Que gastam em parolagem
as últimas fibras! Dizem,
ó mármore adormecido,
que tua raça está morta!"

Atira-me à terra súbito,
esse herói que abraço; agarra-me
o pescoço; varre a terra
com meus cabelos; levanta

El brazo, ¡el brazo le luce
Lo mismo que un sol!: resuena
La piedra: buscan el cinto
Las manos blancas: ¡del soclo
Saltan los hombres de mármol!

o braço; fulge-lhe o braço
semelhante a um sol; ressoa
a pedra; buscam a cinta
as mãos diáfanas; da peanha
saltam os homens de mármore!

JOAN MARAGALL

CANTO ESPIRITUAL

Si el mundo ya es tan bello y se refleja,
¡oh, Señor! con tu paz en nuestros ojos,
¿qué más nos puedes dar en otra vida?

Así estoy tan celoso de estos ojos
y el cuerpo que me diste, y su latido
de siempre, y tengo tal miedo a la muerte!

Pues ¿con qué otros sentidos me harás ver
este azul que corona las montañas,
el ancho mar, y el sol que en todo luce?

Dame en estos sentidos paz eterna,
y no querré más cielo que éste, azul.
Aquel que solamente grite "Párate"
al instante que venga a darle muerte,
no le entiendo, Señor, yo, que quisiera
parar tantos instantes cada dia
para hacerlos eternos en mi alma!
¿O es que este "hacer eterno" es ya la muerte?
Pero, entonces, la vida ¿qué sería?
Sombra del tiempo huyente sólo fuera,
ilusión de lo cerca y de los lejos,
cuenta del mucho, el poco, el demasiado
¡engañoso, pues todo ya lo es todo!
¡Es igual! Este mundo, como sea,
tan extenso, diverso y temporal,
esta tierra, con todo lo que engendra,
es mi patria, Señor, ¿y no podría
ser también una patria celestial?
Hombre soy, y es humana mi medida
para todo lo que crea y espere:
si mi fe y mi esperanza aquí se quedan
¿me acusarás por eso más allá?
Más allá veo el cielo y las estrellas:

CANTO ESPIRITUAL

Se o mundo é já tão belo, contemplado
de vossa paz, Senhor, com os olhos plenos,
que mais podereis dar-me na outra vida?

Por isso tão zeloso de meus olhos
e de meu rosto estou e deste corpo
que me destes e deste coração
que o segue sempre... E temo tanto a morte!

Pois, com que outros sentidos poderei
ver esse azul do céu que se derrama
por sobre os montes e esse mar imenso
e esse sol que fulgura em toda parte?

Dai-me a estes sentidos paz eterna:
não buscarei mais céu que o céu azul...
Àquele que jamais disse a um instante
sem ser da morte o derradeiro: – Para! –
não compreendo, Senhor. A mim, quem dera
tantos momentos retomar ao dia
para em meu coração eternizá-los!
É esse eternizar, acaso, a morte?
Porém então, a vida que seria?
Apenas sombra do momento efêmero,
aparência do próximo ou longínquo,
resumo enganador de quanto é pouco
ou muito ou demasiado? Pois então,
tudo o que encerra o mundo não é tudo?
Mas não importa. Seja com for,
esta terra tão vasta e singular,
tão temporal como o que nela vive,
Senhor, é minha pátria. E não podia
ser também uma pátria celestial?
Homem sou. Com razão minha medida
de ser e de esperar é humana. Aqui

y aun allí quiero un hombre seguir siendo:
si me has hecho las cosas tan hermosas
y para ellas mis ojos, al cerrarlos
¿por qué buscar entonces otro "cómo"?
¡Si para mí jamás lo habrá como éste!
Ya sé que eres, mas dónde ¿quién lo sabe?
Cuanto miro se te parece en mí...
Déjame, pues, creer que eres aquí.
Y cuando venga la hora temerosa
en que estos ojos de hombre se me cierren,
ábreme tú, Señor, otros más grandes
para poder mirar tu rostro inmenso.
¡Nacimiento mayor sea mi muerte!

se detém minha fé, minha esperança.
Me culpareis por isso na outra vida?
Mais além vejo o céu, vejo as estrelas
e lá quisera ser humano ainda.
Se a meus olhos as cousas haveis feito
tão belas e para elas meus sentidos
haveis criado, por que desprezá-las
e o mistério inquirir? Se para mim
outro mundo não há como este mundo?
Eu sei que estais, Senhor, mas onde, onde?
Quem o soubera! Tudo quanto vejo
em minha alma reflete a vossa imagem.
Deixai-me pois pensar que estais aqui.
E ao chegar o momento tão temido
em que se fecharão estes meus olhos,
abri-me outros, Senhor, outros maiores
para ver vossa face resplendente.
Seja-me assim a morte maior vida.

DELMIRA AGUSTINI

LO INEFABLE

Yo muero extrañamente... No me mata la Vida,
no me mata la Muerte, no me mata el Amor;
muero de un pensamiento mudo como una herida...
¿No habéis sentido nunca el extraño dolor

de un pensamiento inmenso que se arraiga en la vida,
devorando alma y carne, y no alcanza a dar flor?
¿Nunca llevasteis dentro una estrella dormida
que os abrasaba enteros y no daba un fulgor?...

¡Cumbre de los Martirios!... ¡Llevar eternamente,
desgarradora y árida, la trágica simiente
clavada en las entrañas como un diente feroz!...

Pero arrancarla un día en una flor que abriera
milagrosa, inviolable... ¡Ah, más grande no fuera
tener entre las manos la cabeza de Dios!

O INEFÁVEL

Morro de estranho mal. Não, não me mata a vida
a morte não me mata e nem me mata o amor.
Morro de um pensamento mudo como ferida.
Não sentistes jamais aquela estranha dor

de um pensamento imenso enraizado à vida
devorando alma e carne e não alcança a dar flor?
Nunca levastes dentro uma estrela dormida
por inteiro a abrasar-vos sem nenhum fulgor?

Cúmulo dos martírios! Levar eternamente
desgarradora e seca a trágica semente
como um dente feroz que as entranhas corroeu.

Mas arrancá-la em flor que amanhecera um dia
milagrosa e ideal – ah! maior não seria
do que ter entre as mãos a cabeça de Deus.

GIUSEPPE UNGARETTI

STATUA

Gioventù impietrita,
O statua, o statua dell'abisso umano...

Il gran tumulto dopo tanto viaggio
Corrode uno scoglio
A fiore di labbra.

ESTÁTUA

Juventude empedernida
ó estátua, ó estátua do abismo humano...

O tumulto depois de tanta viagem
corrói um recife
à flor dos lábios.

GRIDO

Giunta la sera
Riposavo sopra l'erba monotona,
E presi gusto
A quella brama senza fine,
Grido torbido e alato
Che la luce quando muore trattiene.

GRITO

Ao entardecer
repousava sobre a relva monótona
e tomei gosto
àquele clamor sem fim
grito túrbido e alado
que a luz quando morre entretém.

SILENZIO STELLATO

E gli alberi e la notte
Non si muovono più
Se non da nidi.

SILÊNCIO ESTRELADO

E as árvores e a noite
já não se movem
senão pelos ninhos.

VEGLIA

Un'intera nottata
buttato vicino
a un compagno
massacrato
con la sua bocca
digrignata
volta al plenilunio
con la congestione
delle sue mani
penetrata
nel mio silenzio
ho scritto
lettere piene d'amore

Non sono mai stato
tanto
attaccato alla vita

Cima Quattro il 23 dicembre 1915

VIGÍLIA

Toda uma noite
estendido perto
de um companheiro
despedaçado
com sua boca
rangente
voltada para o plenilúnio
com a congestão
de suas mãos
penetrada
no meu silêncio
escrevi
cartas repletas de amor

Jamais estive
tão
aferrado à vida

CASA MIA

Sorpresa
dopo tanto
d'un amore

Credevo di averlo sparpagliato
per il mondo

MINHA CASA

Surpresa
depois de tanto
de um amor

Cria havê-lo desperdiçado
pelo mundo

TAPPETO

Ogni colore si espande e si adagia
negli altri colori

Per essere più solo se lo guardi

TAPETE

Cada cor se expande e se aquieta
nas outras cores

para estar mais só quando a olhares

STASERA

Balaustrata di brezza
per appoggiare stasera
la mia malinconia

Versa il 22 maggio 1916

ESTA NOITE

Balaustrada de brisa
para amparar esta noite
minha melancolia

FRATELLI

Di che reggimento siete
fratelli?

Parola tremante
nella notte

Foglia appena nata

Nell'aria spasimante
involontaria rivolta
dell'uomo presente alla sua
fragilità

Fratelli

Mariano il 15 luglio 1916

IRMÃOS

De que regimento sois,
irmãos?

Palavra trêmula
na noite

Folha apenas nascida

No ar desvairado
instintiva revolta
do homem presente à sua
fragilidade

Irmãos

ITALIA

Sono un poeta
un grido unanime
sono un grumo di sogni

Sono un frutto
d'innumerevoli contrasti d'innesti
maturato in una serra

Ma il tuo popolo è portato
dalla stessa terra
che mi porta
Italia

E in questa uniforme
di tuo soldato
mi riposo
come fosse la culla
di mio padre

Locvizza il 1º ottobre 1916

ITÁLIA

Sou um poeta
um grito unânime
sou um coágulo de sonhos

Sou um fruto
de inúmeros contrastes de enxerto
amadurecido em estufa

Mas teu povo é levado
pela mesma terra
que me leva
Itália

E neste uniforme
de teu soldado
repouso
como acaso no berço
de meu pai

GIROVAGO

In nessuna
parte
di terra
mi posso
accasare

A ogni
nuovo
clima
che incontro
mi trovo
languente
che
una volta
già gli ero stato
assuefatto

E me ne stacco sempre
straniero

Nascendo
tornato da epoche troppo
vissute

Godere un solo
minuto di vita
iniziale

Cerco un paese
innocente

Campo di Mailly maggio 1918

VAGAMUNDO

Em nenhuma
parte
da terra
posso
alojar-me

A cada
novo
clima
que se me depara
sinto-me
languescer
que
uma vez
a ele já me havia estado
afeito

E me afasto sempre
estrangeiro

Nascendo
de volta a épocas demasiado
vividas

Gozar um só
minuto de vida
inicial

Busco um país
inocente

SAN MARTINO DEL CARSO

Di queste case
non è rimasto
che qualche
brandello di muro

Di tanti
che mi corrispondevano
non è rimasto
neppure tanto

Ma nel cuore
nessuna croce manca

È il mio cuore
il paese più straziato

Valloncello dell'Albero Isolato il 27 agosto 1916

SAN MARTINO DEL CARSO

Dessas casas
restam apenas
alguns
farrapos de muro

De tantas
que me tocavam
nem mesmo isso
restou

No coração porém
não falta sequer uma cruz

É meu coração
o país mais devastado

VANITÀ

D'improvviso
è alto
sulle macerie
il limpido
stupore
dell'immensità

E l'uomo
curvato
sull'acqua
sorpresa
dal sole
si rinviene
un'ombra

Cullata e
piano
franta

Vallone il 19 agosto 1917

VAIDADE

De repente
se alteia
sobre os escombros
o límpido
estupor
da imensidade

E o homem
curvado
sobre a água
surpreendida
pelo sol
se descobre
uma sombra

Embalada e
aos poucos
rompida

LA PIETÀ

1

Sono un uomo ferito.

E me ne vorrei andare
E finalmente giungere,
Pietà, dove si ascolta
L'uomo che è solo com sé.

Non ho che superbia e bontà.

E mi sento esiliato in mezzo agli uomini.

Ma per essi sto in pena.
Non sarei degno di tornare in me?

Ho popolato di nomi il silenzio.

Ho fatto a pezzi cuore e mente
Per cadere in servitù di parole?

Regno sopra fantasmi.

O foglie secche,
Anima portata qua e là...

No, odio il vento e la sua voce
Di bestia immemorabile.

Dio, coloro che t'implorano
Non ti conoscono più che di nome?

M'hai discacciato dalla vita.

Mi discaccerai dalla morte?

A PIEDADE

1

Sou um homem ferido.

Quisera sair buscando
e finalmente alcançar
Piedade, onde se escuta
o homem que está só consigo.

Tenho apenas bondade e orgulho.

E me sinto exilado entre os homens.

Por isso mesmo sofro.
Não serei digno de tornar a mim?

Povoei de nomes o silêncio.

Despedacei coração e mente
para cair na servidão das palavras?

Reino sobre fantasmas.

Ó folhas secas,
alma levada aqui e ali...

Não, odeio o vento e sua voz
de besta imemorial.

Deus, aqueles que te imploram
não te conhecem mais que de nome?

Me expulsaste da vida.

Me expulsarás da morte?

Forse l'uomo è anche indegno di sperare.

Anche la fonte del rimorso è secca?

Il peccato che importa,
Se alla purezza non conduce più.

La carne si ricorda appena
Che una volta fu forte.

È folle e usata, l'anima.

Dio, guarda la nostra debolezza.

Vorremmo una certezza.

Di noi nemmeno più ridi?

E compiangici dunque, crudeltà.

Non ne posso più di stare murato
Nel desiderio senza amore.

Una traccia mostraci di giustizia.

La tua legge qual è?

Fulmina le mie povere emozioni,
Liberami dall'inquietudine.

Sono stanco di urlare senza voce.

Talvez o homem seja indigno de esperar.

Até a fonte do remorso está seca?

O pecado que importa
se já não conduz à pureza.

A carne se recorda apenas
que foi forte uma vez.

A alma se sente gasta e louca.

Deus, olha a nossa fraqueza.

Queremos uma segurança.

Já nem mesmo te ris de nós?

Sê compassiva, pois, crueldade.

Não mais suporto estar murado
no desejo sem amor.

Aponta-nos um traço de justiça.

A tua lei qual é?

Fulmina minhas pobres emoções,
liberta-me da inquietude.

Estou cansado de clamar sem voz.

2

Malinconiosa carne
Dove una volta pullulò la gioia,
Occhi socchiusi del risveglio stanco,
Tu vedi, anima troppo matura,
Quel che sarò, caduto nella terra?

È nei vivi la strada dei defunti,

Siamo noi la fiumana d'ombre,

Sono esse il grano che ci scoppia in sogno,

Loro è la lontananza che ci resta,

E loro è l'ombra che dà peso ai nomi.

La speranza d'un mucchio d'ombra
E null'altro è la nostra sorte?

E tu non saresti che un sogno, Dio?

Almeno un sogno, temerari,
Vogliamo ti somigli.

È parto della demenza più chiara.

Non trema in nuvole di rami
Come passeri di mattina
Al filo delle palpebre.

In noi sta e langue, piaga misteriosa.

2

Carne melancólica
onde uma vez palpitou a alegria,
nevoentos olhos do acordar exausto,
alma demasiado madura, tu vês
o que serei tombado na terra?

Está nos vivos a estrada dos defuntos.

Somos a torrente da sombra,

sou o grão que aí germina em sonho.

É de outrem a distância que nos resta,

de outrem, a sombra que dá peso aos nomes.

A esperança de um punhado de sombra
e nada mais é a nossa sorte?

E tu serias tão somente um sonho, Deus?

Temerários, queremos
que ao menos te assemelhes a um sonho.

E irrompo da mais clara demência.

Não trema em nuvens de ramos
como pássaros do amanhecer
na franja das pálpebras.

Em nós enlanguesce, misteriosa chaga.

3

La luce che ci punge
È un filo sempre più sottile.

Più non abbagli tu, se non uccidi?

Dammi questa gioia suprema.

4

L'uomo, monotono universo,
Crede allargarsi i beni
E dalle sue mani febbrili
Non escono senza fine che limiti.

Attaccato sul vuoto
Al suo filo di ragno,
Non teme e non seduce
Se non il proprio grido.

Ripara il logorio alzando tombe,
E per pensarti, Eterno,
Non ha che le bestemmie.

3

A luz que nos fere
é um fio sempre mais sutil.

Não mais deslumbras senão mortos?

Dá-me esta alegria suprema.

4

O homem, monótono universo,
acredita no acréscimo dos bens
e de suas mãos febris não saem
senão limites sem fim.

Enredado, por sobre o vácuo
em sua teia de aranha
não teme e não atrai
senão o próprio grito.

Repara a ruína alçando tumbas
e para imaginar-te, Eterno,
não tem mais que a blasfêmia.

GABRIELA MISTRAL

DEPOIMENTO DA TRADUTORA[1]

Admirava, desde menina, a poesia de Gabriela Mistral. Impressionavam-me, além dos belos e fortes poemas que haviam consagrado seu nome no cenário das letras hispano-americanas, as notícias em torno de sua nobre estatura moral e do drama que havia sofrido na adolescência.

Guardando-a na imaginação, assim aureolada de glória e sacrifício, longe estava de supor que havia de encontrá-la um dia, criatura real e humana.

Por volta de 1940 tive a ocasião de conhecê-la em pessoa. Foi no Rio, numa sessão da Academia Carioca de Letras em que ela pronunciava uma conferência e recebia braçadas de flores. Quando me permitiu o cerco em que a envolvera a assistência, dela me aproximei. Ao declinar meu nome, verifiquei, com grata surpresa, que este já lhe era familiar. Convidou-me a ir vê-la no Alto da Tijuca onde alugara uma casa. Vivenda espaçosa e agradável, propícia ao aconchego do espírito, circundada de grandes árvores que todavia interceptavam a visão do céu. Lá conversamos vagarosamente, uma tarde, de coisas um tanto vagas. Essa, a feição de Gabriela, esse, o seu clima: certo torpor físico assim como o de quem sai do sono – ou do sonho – e sente que do outro lado estava melhor. Nenhum entusiasmo a empolgava, nenhuma perspectiva lhe transmudava a fisionomia. Eram quase imperceptíveis os seus gestos. Só lhe restavam nos enevoados olhos verdes alguns lampejos de complacência.

Queria que eu lhe contasse coisas minhas; mas os bichos do mato são ariscos. Nem sequer logrei dizer-lhe desde quando e quanto a admirava. O certo é que nos compreendemos por intuição.

1 In: *Poesias escolhidas de Gabriela Mistral*. Tradução de Henriqueta Lisboa. Rio de Janeiro: Delta, 1969. Tradutora da poeta chilena, Henriqueta foi ainda sua grande amiga, com quem se correspondeu nos anos 1940.

De regresso a Belo Horizonte recebi sua primeira carta, datada (por exceção, datada!) de 22 de setembro de 1940. Dizia-me: "*Su poesía me ha creado el interés de su alma y para mi una visita no es nunca cosa de cortesía sino de lenta y dulce aproximación a los que me interesan de modo profundo*"[2].

Era o início de uma grande amizade. Nossa correspondência não foi assídua nem volumosa. Porém as vinte cartas que dela conservo são suficientes para testemunhar a ternura de seu coração.

Tornei a vê-la no Rio tempos depois. Desceu de Petrópolis onde então morava, especialmente para estar comigo. Dessa vez fiquei à vontade. Conversamos longamente, e de assuntos mais precisos. Ela, com preocupações de ordem vária, eu, com meus pequenos problemas de insulamento provinciano. Era vivo o seu interesse por Minas, pelo interior do Brasil.

Convidei-a para visitar Belo Horizonte. A essa altura, já havia obtido do então prefeito Juscelino Kubitschek e secretário de Educação Cristiano Machado o beneplácito para tal convite. Quando nos despedimos, a escritora me surpreendeu dizendo que aqui pronunciaria (e assim o fez em setembro de 1943) duas conferências: uma sobre o Chile, o que era natural, outra sobre *O menino poeta*, livro meu ainda no prelo. Como poderia eu atinar com o motivo dessa distinção? Percebi-o mais tarde, através de uma carta sua: "*el Continente Sur carece, así, nada menos, carece de literatura infantil. Nosotras dos tenemos en el género, ni abuelos, siquiera, ni padres*".

Estimulava e defendia, dessa forma, um ideal que prezava entre todos, derivado de sua dupla vocação: o magistério e a poesia.

Na capital mineira passou Gabriela Mistral onze dias que foram, para o nosso mundo intelectual, artístico e pedagógico, uma constante festa espiritual. Rodeada de poetas e professores solícitos em prestar-lhe homenagem, afetuosamente assistida pelos cônsules do Uruguai e da Argentina com suas senhoras, conheceu

2 As cartas escritas por Gabriela Mistral encontram-se nos arquivos de Henriqueta Lisboa, no Acervo de Escritores Mineiros da UFMG.

ela a vida simples dos mineiros, participou do nosso remanso familiar, acomodou-se à mesa de nossas casas, visitou as obras de arte da Pampulha novinhas em folha, emocionou-se com toda aquela estranha beleza, foi uma noite ao cassino e recusou-se a entrar na sala de jogos – sempre cordial, sempre um bocado lenta.

Exibia-se nessa ocasião, exatamente no cassino, um jerico adivinho (aventureiro sem culpa) que respondia à curiosidade de consulentes, com determinado número de patadas no assoalho. De bom humor, revelou Gabriela Mistral a seus acompanhantes a pergunta que intimamente fizera: "Daqui a quantos anos cairá Hitler?" (A história capitulou mais depressa do que supunha o orelhudo...)

Advertida angustiosamente pela secretária, certa noite, de que se esgotava a hora de comparecer à Rádio Inconfidência com a qual se comprometera, deu de ombros: "Tu te afliges, Connie, pelas mínimas coisas. Por que não te afliges – por exemplo – com a ideia de inferno, muito mais grave?"

Era assim: diferente de todas as pessoas, nave sem amarras, pássaro tonto, levitante objeto perdido no tempo, alheia a instrumentos fatais como a ampulheta, movendo-se por si mesma sem apoio no eixo da terra... Apoiava-se, e muito, nas criaturas, necessitada de especial dedicação.

Fazia do dinheiro um tabu. Não o tocava de forma alguma.

Entretanto alguém tinha de tocá-lo por ela. Seria tal atitude equitativa e justa? O caso é que ninguém lhe exigia virtudes encontradiças em áreas medianas. E uma excentricidade assim – talvez sinal de rebeldia contra a má distribuição de fortuna – tinha o seu prisma de nobreza. Provinha desse ar distante, e contudo modesto, uma irradiante simpatia que a todo o círculo mineiro encantara.

Desde o momento de sua chegada, à estação Central (não viajava de avião a pedido de sua irmã Emelina), Gabriela desceu do carro com vagar, abraçou-me e, antes que eu tivesse tempo de iniciar as apresentações de praxe, apontou para Heli Menegale: "*¿Quién es ese italiano?*"

Sua naturalidade era extrema. Junto de crianças, mergulhava em seu próprio reino. Iluminava-se de largo sorriso o seu rosto já fatigado, tez de campesina após muitas colheitas e intempéries. Expandia-se em saborosas metáforas: "*¡Niños de ojos que se comen la cara!*"

Recordava acontecimentos do tempo em que era professora primária, referia-se à fama que tinha de mimar os pequeninos, de animá-los à travessura, de deixá-los às guloseimas até adoecerem.

"Pero todo por amor."

Sim, por amor: sua pedagogia e seu estilo de vida. A infância seria perfeita se não fosse tão breve, comentava, sem se lembrar que a dos poetas perpetua-se na candura de certos poemas, como os que ela consagrara à idade da candura.

Convidada pelo escritor Aires da Mata Machado Filho para ir ao alto do Cruzeiro, de onde se descortina maravilhosa visão da cidade em toda plenitude, severamente relutou contra o desperdício de gasolina àquele tempo racionada. E foi preciso um coro de vozes teimosas para persuadi-la de que era demasiado o seu escrúpulo.

Conversamos também de literatura naqueles breves dias. Ela me recomendava Claudel, eu lhe falava de Valéry. Suas impressões sobre este: "*Me gusta mucho el ensaísta, pero menos el poeta*".

Verificamos que amávamos, ambas, a parolagem dos filósofos, ela com dileção especial por Plotino.

Mas o interesse maior que então demonstrava era pela vida dos animais, principalmente das aves. Talvez quisesse aprender com os pássaros o segredo do voo natural, como havia aprendido o uso das cores contrastantes, verde e negro, azul e escarlate.

Seus poemas haviam sido escassos nos últimos anos. Contou--nos, ela mesma, que a diligente secretária se impressionara com essa reserva. Quando a via sentada numa poltrona, olhos semicerrados, naquele repouso tão grato aos contemplativos, punha-lhe na mão papel e lápis, numa exigente admoestação: "Vamos, Gabriela, escreva algum poema! Será que a fonte já secou?"

Quem saberia dizer como e por que se afugentam os anjos da inspiração ou outros anjos de que não sabemos sequer o nome? Pensava comigo. E agora pergunto: por onde vagarão esses anjos depois de nossa morte? Serão com exclusividade nossos, fenecerão conosco, voltarão a buscar novos pousos, abrirão as asas – às vezes violentamente tatalantes – sobre a fonte de outras criaturas indefesas?...

A poetisa despediu-se de Belo Horizonte prometendo voltar, fazendo votos para ser removida para cá no seu ofício de cônsul, escrevendo, logo depois da partida, que havia sido plenamente feliz no decurso daqueles dias. Daí por diante, trocamos livros e listas bibliográficas durante algum tempo.

A literatura, contudo, não era a sua primordial preocupação. E, sim, a necessidade de paz e compreensão entre os homens, o anelo de servir, para justificar sua existência – o que tão bem soube fazer através das palavras. Ai dos poetas, legionários da beleza e da arte, se não encontrassem no próprio sangue o meio de auxiliar os homens de ação, na sua faina de salvar da terra o que ainda resta por salvar.

Ela sofria sinceramente por causa da guerra, de toda guerra, passada, presente ou futura. Mas tinha aspectos mais sombrios aquela de que falava em carta:

> *Lo que ocurre en el mundo es cosa tal que no es posible vivir en soledad sin caer en una mala muerte o en la huída budista de esta realidad, no solo espantosa sino vergonzosa, a que estamos asistiendo...*
>
> *Y en frente de semejante raza, hay unas democracias ganadas por el materialismo que trajo la ciencia, por la nonchalance que trajo a Inglaterra y a Francia la riqueza exprimida en las colonias y ganada por no sé qué espesura de la mente que debe darles el bienestar gozado 20 años. Pero Dios comienza a mostrar su mano, amiga mía, en ese pueblo gracias a Dios primitivo y lleno de decoro, del que nada sabíamos. Los griegos parecen un puro milagro y una no puede leer lo que hacen, sin llorar.*

Entre os nossos contemporâneos mais próximos, sua grandeza de alma só tem paralelo, a meu ver, com a de Mário de Andrade. Estimavam-se mutuamente, é óbvio. A página que sobre ela escreveu o poeta brasileiro e que hoje figura no livro *O empalhador de passarinho* é excepcional pelo toque lírico assim como pela exata interpretação de uma personalidade nada fácil de se apreender:

> *Desprovida já dos encantos mais visíveis de moça, que profundeza, que complexidade havia no seu encanto de então* [1937]. *Inteligência magnificamente cultivada, espírito clássico a quem foi possível construir versos assim, em que a sensibilidade veste a ideia de reflexos metálicos, ao mesmo*

tempo rijos e fluidos, jamais a mulher se ausentava de Gabriela Mistral, em qualquer dado agressivo de cultura aprendida. Ela me dava a impressão de uma força das antigas civilizações asiáticas ou americanas, que já tivesse abandonado os nossos terrenos áridos da cultura, pelos da sabedoria. Mas investida sempre de uma graça delicada, que sabia disfarçar o seu prazer nos ares cômodos da irmã. [...] Ampla e alimentar como o milho que ela cantou nos versos talvez mais clássicos da nossa atualidade americana.

Também ela soubera compreender, não somente o valor literário desse mestre de duas gerações, mas ainda o incomparável lastro de humanidade que lhe era peculiar, a influência que exercia, por isso mesmo, em nossos corações. Quando ele inesperadamente morreu, em fevereiro de [19]45, ela me endereçou essas palavras:

Cada vez que leo uno de los incontables artículos sobre nuestro Mário de Andrade, cada vez la recuerdo y le mando un pensamiento de simpatía y ayuda en pena tan grande. Yo sé que usted, escogedora cuidadosa de sus amigos, tenía en él el más preciado para acompañarse en la tremenda soledad del mundo. [...] Él está ahora en otra parte y ha sabido y aceptado y sus medios y sus benes son ahora mucho más anchos que los que tuvo.

Gabriela Mistral, nessa época, residia entre doces hortênsias, em Petrópolis. O duplo suicídio de Stefan Zweig e da sua esposa, com os quais mantinha laços de amizade, estremeceu e assombrou todo o ambiente. Tragédia mais desesperadora ia, em pouco, bater-lhe à porta. Ocorreu numa noite de natal – se não me engano em [19]44 – o dramático desaparecimento de seu sobrinho Juan Miguel, criado em seu lar desde tenros anos e apenas entrado na adolescência. Teria sido acidental essa morte? O acontecimento ficou envolto em mistério, embora os jornais se referissem a suicídio. Era um menino vivo e amável. Em carta que me escreveu, algum tempo depois, dizia Gabriela: "*Mi salud no es buena y sigo enflaqueciendo. No cada día, sino cada hora, pienso en Jin [Juan Miguel]. Ahora sé, a Dios gracias, la causa precisa de su muerte. ¿Pero cuándo hablaremos de eso, mi Henriqueta?*"

De outra vez: "*Tengo para usted, en mi apartamiento de Rio, la copia de una carta extensa sobre la tragedia de esta casa, sobre mi Jin*".

Em vão aguardei essas graves confidências. Lutando, também eu, com saúde precária, não tive ânimo para ir vê-la em transe tão doloroso.

Noutra missiva, conhecedora das dificuldades para se editarem as primeiras traduções que eu havia feito de seus poemas, comentava:

> *Me doliera solo que se perdiese su trabajo precioso, el de usted. En 6 años de Brasil – de dictadura – no vi nunca un libro mío en el comercio. Yo fui, para ciertos círculos, los oficiales, una comunista tremenda. Para otros fui una espía inglesa. Sufrí la intervención de mi correspondencia y varias serias cosas más. [...] Cuando se ha perdido lo más amado importan poco las cosas literario-comerciales, amiga mía querida. Yo nunca fui persona grata en Brasil. Minas fue para mí otro mundo y lo recuerdo bien.*

Não sei até que ponto o seu íntimo pessimismo lhe carregava de nuvens o ambiente. Porém, quando lhe coube o prêmio Nobel, nossa admirada e querida amiga comum, Cecília Meireles, expandiu-se comigo em carta de 6 de fevereiro de [19]46, nesses termos:

> *Ando desgostosa com certa malevolência com que a imprensa tem procurado nublar a alegria de Gabriela com o prêmio Nobel. Espanta-me que os homens insistam em cultivar seus poderes de ódio, quando os do amor são tão mais fecundos e deliciosos! Oxalá Gabriela não se demore aqui, – para não sofrer coisas mesquinhas. Por muito que eu a estime e deseje perto, oxalá parta logo para a América, onde talvez a compreendam melhor, onde a aceitem com o seu prêmio, sem restrições – porque já muitos americanos o receberam também.*[3]

O êxito universal, de fato, arrebatou-a do nosso meio. Da Suécia passou para os Estados Unidos, onde alguns anos mais tarde falecia.

3 As cartas escritas por Cecília Meireles encontram-se também nos arquivos de Henriqueta Lisboa, no Acervo de Escritores Mineiros da UFMG.

De um artigo[4] que sobre ela escrevi há tempos, desejo aqui transcrever as frases finais – que pelo menos no meu espírito ainda vivem:

Notou Mariano Latorre, num achado feliz, dois símbolos, representativos entre os mais, na poesia de Gabriela: a pedra e a fruta. Com efeito: poesia de peso e densidade, tem as mesmas características de resistência e duração da pedra. O que a abranda e amolda a um sabor mais atraente é o abandono com que se acolhe à sombra da árvore da vida, colhendo da árvore da vida, não a fruta mais doce mas a que lhe tocou – amarga.

De uma vaga intuição dos reinos da natureza – mineral e vegetal – provém, talvez, a profundidade de alicerce dessa poesia, a cálida essência que dela se escoa, assim feita de mistério abaixo do solo e abundância de vida natural.

A artista não pede ajuda às nuvens nem ao vento; marca sua arte dos próprios passos, modela-a como elemento plástico, aproxima-a da escultura e da pintura, imprime-lhe o ritmo de danças religiosas e primitivas, de melodia escassa.

Através de imagens concretas, por vezes impiedosamente cruas, com a mesma elevação de vistas com que o escultor transforma a argila na estátua de um santo, ela atinge as delicadezas do espírito.

Entre o poeta e seu Deus, nesse jogo de imagens, há uma intimidade de família, uma tertúlia de horta e pomar.

A poesia de Gabriela sustenta, pois, as duas qualidades exigidas por Schiller para a obra de arte: energia e ternura.

Em virtude de seu próprio caráter, tecido de estranha mistura de impenetrabilidade (a pedra) e generosidade (a fruta), ela se adapta a qualquer ambiente, guardando-se tal como sempre foi. Está à vontade em qualquer país, ouve e fala outras línguas, compreensiva sempre, sem cuidar se a compreendem.

Da mesma natureza chilena, indômita no abrupto da cordilheira e amorosa na fecundidade dos vales, lhe veio esse temperamento, com uma sedimentação de fatalidade histórica.

4 Trata-se do artigo "Gabriela Mistral", inserido em *Convívio poético* (Belo Horizonte: Imprensa Oficial, 1955).

Sua poesia representa o Chile na América ou, melhor, representa a América no mundo, a América Latina, resistente e acolhedora, como a pedra e a fruta.

OBSERVAÇÕES

Para rematar esse trabalho de tradução, baseei-me principalmente no livro *Poesías completas de Gabriela Mistral*, Editora Aguilar, Madrid, 1958, volume que contém as seguintes obras da poetisa chilena: *Desolación*, *Ternura*, *Tala*, *Lagar* e *Otras poesías*. Essa última coletânea seria inédita; as outras foram distribuídas em agrupamentos renovados.

Como já havia traduzido, há tempos, vários poemas da autora, cotejei os textos recentes com os anteriores de:

Desolación, Biblioteca "Las grandes obras", Buenos Aires, s/d;
Antología, Editora Zig-Zag, Santiago de Chile, 1941;
Ternura, Espasa-Calpe Argentina, Buenos Aires, 1945;
Tala, Editorial Losada, Buenos Aires, 1946.

São facilmente reconhecíveis alguns erros de impressão repetidos de uma para outra edição. Até que alguns foram emendados a tempo, enquanto outros surgiram imprevistamente. Por exemplo, no "Noturno da consumação", 4ª estrofe, 4° verso, "*pez sombrío que afrenta la sed*", a última palavra deveria ser, evidentemente, "*red*", hipótese confirmada pelo texto mais antigo.

Além de procurar esclarecer certas dúvidas (algumas foram esclarecidas pela própria Gabriela, outras persistirão), tentei ajustar à nossa língua, intuitivamente, expressões estranhas à sua natureza. Procurei conservar o ritmo peculiar a cada composição, transpondo apenas alguns versos de 9 para 8 sílabas, por ser o nosso octossílabo mais discretamente melódico, isto sem perda de força, elemento característico da autora.

Tendo selecionado suas mais expressivas páginas, dividi o volume em quatro partes, a fim de obter sentido harmonioso para o conjunto: "Canções", "Poemas de amor", "Poemas diversos" e "Poemas em prosa".

Acham-se, pois, reunidos ou separados acidentalmente, poemas e livros de épocas diversas, segundo a tonalidade lírica, dramática, ou místico-filosófica dessa poesia multiforme.

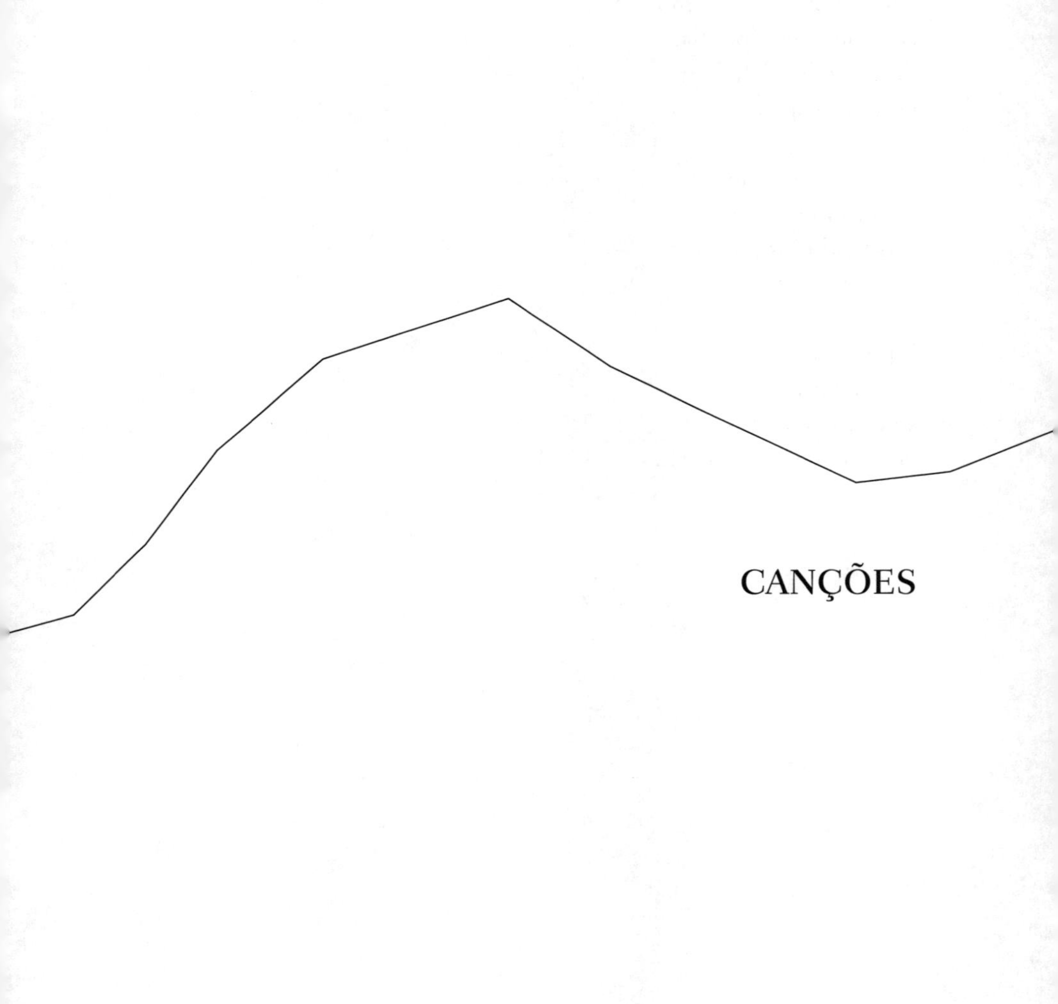

CANÇÕES

HALLAZGO

Me encontré este niño
cuando al campo iba:
dormido lo he hallado
en unas espigas...

O tal vez ha sido
cruzando la viña:
buscando los pámpanos
topé su mejilla...

Y por eso temo,
al quedar dormida,
se evapore como
la helada en las viñas...

ACHADO

Encontrei este anjo
num passeio ao campo:
dormia tranquilo
sobre umas espigas.

Talvez tenha sido
cruzando o vinhedo:
ao bulir nas ramas
toquei suas faces.

Por isso receio
ao estar dormida
se evapore como
a geada nas vinhas.

MECIENDO

El mar sus millares de olas
mece, divino.
Oyendo a los mares amantes,
mezo a mi niño.

El viento errabundo en la noche
mece los trigos.
Oyendo a los vientos amantes,
mezo a mi niño.

Dios padre sus miles de mundos
mece sin ruido.
Sintiendo su mano en la sombra
mezo a mi niño.

EMBALANDO

Balança o mar suas ondas
de praia em praia.
Ouvindo os mares amantes
meu filho embalo.

Balança o vento na noite
longe, os trigais.
Ouvindo os ventos amantes
meu filho embalo.

Balança Deus em silêncio
os seus mundos, aos milhares.
Sentindo-lhe a mão na sombra
meu filho embalo.

ROCÍO

Esta era una rosa
que abaja el rocío:
éste era mi pecho
con el hijo mío.

Junta sus hojitas
para sostenerlo
y esquiva los vientos
por no desprenderlo.

Porque él ha bajado
desde el cielo inmenso
será que ella tiene
su aliento suspenso.

De dicha se queda
callada, callada:
no hay rosa entre rosas
tan maravillada.

Esta era una rosa
que abaja el rocío:
éste era mi pecho
con el hijo mío.

ORVALHO

Esta era uma rosa
de orvalho repleta:
assim também sou
com meu filho ao peito.

Junta suas folhas
para sustentá-lo.
Esquiva-se à brisa
para resguardá-lo.

Pois que ele baixou
lá do céu imenso
ela conservou
o hálito suspenso.

De ventura queda
calada, calada.
Rosa não existe
tão maravilhada.

Esta era uma rosa
de orvalho repleta:
assim também sou
com meu filho ao peito.

APEGADO A MÍ

Velloncito de mi carne,
que en mi entraña yo tejí,
velloncito friolento,
¡duérmete apegado a mí!

La perdiz duerme en el trébol
escuchándole latir:
no te turben mis alientos,
¡duérmete apegado a mí!

Hierbecita temblorosa
asombrada de vivir,
no te sueltes de mi pecho:
¡duérmete apegado a mí!

Yo que todo lo he perdido
ahora tiemblo de dormir.
No resbales de mi brazo:
¡duérmete apegado a mí!

JUNTO DE MIM

Novelinho de carne
que na entranha teci,
novelinho friorento,
dorme junto de mim!

Dorme a perdiz no trevo
sentindo-lhe o respiro:
meu sopro não receies,
dorme junto de mim!

Folhinha de erva trêmula
assombrada da vida,
não te vás do meu peito,
dorme junto de mim!

Eu que tudo perdi,
tremo agora dormindo:
não caias do meu braço,
dorme junto de mim!

LA NOCHE

Por que duermas, hijo mío,
el ocaso no arde más:
no hay más brillo que el rocío,
más blancura que mi faz.

Por que duermas, hijo mío,
el camino enmudeció:
nadie gime sino el río;
nada existe sino yo.

Se anegó de niebla el llano.
Se encogió el suspiro azul.
Se ha posado como mano
sobre el mundo la quietud.

Yo no sólo fui meciendo
a mi niño en mi cantar:
a la Tierra iba durmiendo
al vaivén del acunar...

A NOITE

Para que durmas, meu filho,
não há mais luz: é sol posto.
Não há mais brilho que o orvalho,
mais brancura que meu rosto.

Para que durmas, meu filho,
o caminho emudeceu.
Soluça apenas o rio,
nada existe senão eu.

Desfez-se a planície em névoa,
tolheu-se o suspiro azul.
Pousou como dedos leves
por sobre o mundo, a quietude.

Não embalei tão somente
ao meu filho com o meu canto:
ia a terra adormecendo
ao vaivém desse acalanto.

CORDERITO

Corderito mío,
suavidad callada:
mi pecho es tu gruta
de musgo afelpada.

Carnecita blanca,
tajada de luna:
lo he olvidado todo
por hacerme cuna.

Me olvidé del mundo
y de mí no siento
más que el pecho vivo
con que te sustento.

Yo sé de mí sólo
que en mí te recuestas.
Tu fiesta, hijo mío,
apagó las fiestas.

CORDEIRINHO

Cordeirinho meu,
calada doçura.
Meu peito é uma gruta
de musgo e de felpo.

Carnezinha branca,
fatia de lua.
Tudo olvido para
ser morada tua.

O mundo, que vale?
De mim não percebo
mais que o colo farto
com que te sustento.

De mim sei apenas
que em mim te reclinas.
Tua festa, filho,
toda festa exprime.

YO NO TENGO SOLEDAD

Es la noche desamparo
de las sierras hasta el mar.
Pero yo, la que te mece,
¡yo no tengo soledad!

Es el cielo desamparo
si la luna cae al mar.
Pero yo, la que te estrecha,
¡yo no tengo soledad!

Es el mundo desamparo
y la carne triste va.
Pero yo, la que te oprime,
¡yo no tengo soledad!

EU NÃO SINTO A SOLIDÃO

É a noite desamparo
das montanhas ao oceano.
Porém eu, a que te embala,
eu não sinto a solidão.

É todo o céu desamparo,
mergulha a lua nas ondas.
Porém eu, a que te embala,
eu não sinto a solidão.

É o mundo desamparo,
triste a carne em abandono.
Porém eu, a que te embala,
eu não sinto a solidão.

CANCIÓN AMARGA

¡Ay! ¡Juguemos, hijo mío,
a la reina con el rey!

Este verde campo es tuyo.
¿De quién más podría ser?
Las oleadas de alfafas
para ti se han de mecer.

Este valle es todo tuyo.
¿De quién más podría ser?
Para que los disfrutemos
los pomares se hacen miel.

(¡Ay! ¡No es cierto que tiritas
como el Niño de Belén
y que el seno de tu madre
se secó de padecer!)

El cordero está espesando
el vellón que he de tejer,
y son tuyas las majadas.
¿De quién más podrían ser?

Y la leche del establo
que en la ubre ha de correr,
y el manojo de las mieses,
¿de quién más podrían ser?

(¡Ay! ¡No es cierto que tiritas
como el Niño de Belén
y que el seno de tu madre
se secó de padecer!)

¡Sí! ¡Juguemos, hijo mío,
a la reina con el rey!

CANÇÃO AMARGA

Ai! Brinquemos, filho meu:
sou a rainha, és o rei.

É teu esse verde campo.
De quem mais podia ser?
Por ti as ondas da alfafa
ao vento hão de estremecer.

É todo teu esse vale.
De quem mais podia ser?
Para que nos deliciemos
o pomar será de mel.

(Não é certo que tiritas
como o infante de Belém,
que o seio de tua mãe
secou de tanto sofrer.)

O cordeiro torna espessa
a lã que eu hei de tecer.
São teus também os apriscos.
De quem mais podiam ser?

E todo o leite do estábulo
que das fontes vai correr,
e o regalo das colheitas,
de quem mais podiam ser?

(Não é certo que tiritas
como o infante de Belém
que o seio de tua mãe
secou de tanto sofrer.)

Sim! Brinquemos, filho meu:
sou a rainha, és o rei.

CON TAL QUE DUERMAS

La rosa colorada
cogida ayer;
el fuego y la canela
que llaman clavel;

el pan horneado
de anís con miel,
y el pez de la redoma
que la hace arder:

todito tuyo
hijito de mujer,
con tal que quieras
dormirte una vez.

La rosa, digo:
digo el clavel.
La fruta, digo,
y digo que la miel;

y el pez de luces
y más y más también,
¡con tal que duermas
hasta el amanecer!

CONTANTO QUE DURMAS

A rosa vermelha
colhida à tarde;
o fogo e a canela
a que chamam cravo;

o pão de forno
de anis com mel;
o peixe dentro
do aquário a arder;

ai! terás tudo,
filhinho meu,
contanto que durmas
de uma vez.

A rosa, digo,
o cravo também;
a fruta, digo
e digo o mel;

o peixe de luzes,
tudo quanto sonhes,
contanto que durmas
até de manhã.

NIÑO CHIQUITO

A Fernanda de Castro

Absurdo de la noche,
burlador mío,
si-es no-es de este mundo,
niño dormido.

Aliento angosto y ancho
que oigo y no miro,
almeja de la noche
que llamo hijo.

Filo de lindo vuelo,
filo de silbo,
filo de larga estrella,
niño dormido.

A cada hora que duermes,
más ligerito.
Pasada medianoche,
ya apenas niño.

Espesa losa, vigas
pesadas, lino
áspero, canto duro,
sobre mi hijo.

Aire insensato, estrellas
hirvientes, río
terco, porfiado búho,
sobre mi hijo.

En la noche tan grande,
tan poco niño,
tan poca prueba y seña,
tan poco signo.

MENINOZINHO

Absurdo da noite
burlador meu,
és e não és deste mundo,
menino dormido.

Amplo alento fino
que ouço e não vejo,
molusco da noite
a que chamo filho.

Fio de lindo voo,
fio de assovio,
fio de longínqua estrela,
menino dormido.

A cada hora que dormes
mais levezinho.
Passada meia-noite,
desvanecido.

Espessa lousa, vigas
pesadas, linho
áspero, canto duro
sobre meu filho.

Ar insensato, estrelas
férvidas, rio
tenaz, porfiada coruja
sobre meu filho.

Na noite tão grande,
tão pouco menino,
tão pouca prova e senha,
tão pouco signo.

Vergüenza tánta noche
y tánto río,
y "tánta madre tuya",
niño dormido...

Achicarse la Tierra
con sus caminos,
aguzarse la esfera
tocando un niño

¡Mudársete la noche
en lo divino,
yo en urna de tu sueño,
hijo dormido!

Vergonha tanta noite
e tanto rio
e mãe tamanha,
menino dormido.

Diminuir-se a terra
com seus caminhos,
aguçar-se a esfera
palpando menino.

Mudar-se esta noite
no divino;
e eu, em urna de teu sono,
filho dormido!

DORMIDA

Meciendo, mi carne,
meciendo a mi hijo,
voy moliendo el mundo
con mis pulsos vivos.

El mundo, de brazos
de mujer molido,
se me va volviendo
vaho blanquecino.

El bulto del mundo,
por vigas y vidrios,
entra hasta mi cuarto,
cubre madre y niño.

Son todos los cerros
y todos los ríos,
todo lo creado,
todo lo nacido...

Yo mezo, yo mezo
y veo perdido
cuerpo que me dieron,
lleno de sentidos.

Ahora no veo
ni cuna ni niño,
y el mundo me tengo
por desvanecido...

¡Grito a Quien me ha dado
el mundo y el hijo,
y despierto entonces
de mi propio grito!

ADORMECIDA

Embalando minhas
entranhas, meu filho,
vou moendo o mundo
com meus pulsos vivos.

O mundo moído
por meus pobres braços
vai-se me tornando
branca névoa fina.

O vulto do mundo
por vigas e vidros
entra até meu quarto,
cobre mãe e filho.

São todos os cerros
e todos os rios,
tudo o que foi criado,
tudo o que há nascido.

Eu embalo, embalo,
e vejo perdido
corpo que me deram
cheio de sentidos.

Agora não vejo
nem berço nem filho
e o mundo já tenho
por desvanecido.

Grito a quem me deu
este mundo e o filho
e desperto então
do meu próprio grito.

QUE NO CREZCA

Que el niño mío
así se me queda.
No mamó mi leche
para que creciera.
Un niño no es el roble,
y no es la ceiba.
Los álamos, los pastos,
los otros, crezcan:
en malvavisco
mi niño se queda.

Ya no le falta nada:
risa, maña, cejas,
aire y donaire.
Sobra que crezca.

Si crece, lo ven todos
y le hacen señas.
O me lo envalentonan
mujeres necias
o tantos mocetones
que a casa llegan;
¡que mi niño no mire
monstruos de leguas!

Los cinco veranos
que tiene tenga.
Así como está
baila y galanea.
En talla de una vara
caben sus fiestas,
todas sus Pascuas
y Noches-Buenas.

QUE NÃO CRESÇA

Assim fique
meu filho.
Não o amamentei
para vê-lo crescer.
Um menino não é roble
nem paineira.
Os álamos, os pastos,
os outros, cresçam.
Qual malvaísco
meu filho fique.

Nada mais lhe falta:
riso, manha, teima,
graça, donaire.
O crescimento
virá de sobra.

Se crescer será visto,
acenos perceberá.
Dar-lhe-ão valentia
mulheres néscias
ou os mocetões
de visita.
Não contemple meu filho
monstros de léguas.

Os cinco verões
que tem, tenha.
Assim como está
baila e galanteia.
No tamanho de uma vara
suas festas cabem:
Ano-Bom e Páscoa.

Mujeres locas
no griten y sepan:
nacen y no crecen
el Sol y las piedras,
nunca maduran
y quedan eternas.
En la majada
cabritos y ovejas,
maduran y se mueren:
¡malhayan ellas!

¡Dios mío, páralo!
¡Que ya no crezca!
Páralo y sálvalo:
¡mi hijo no se me muera!

Mulheres loucas,
não gritem e saibam:
nascem e não crescem
o sol e as pedras,
nunca maduram,
e eternos quedam.
Nas manadas,
cabritos e ovelhas
maduram e morrem
– os malfadados!

Deus meu, não deixes
que meu filho cresça!
Para-o, salva-o,
para não morrer!

MIEDO

Yo no quiero que a mi niña
golondrina me la vuelvan;
se hunde volando en el cielo
y no baja hasta mi estera;
en el alero hace nido
y mis manos no la peinan.
Yo no quiero que a mi niña
golondrina me la vuelvan.

Yo no quiero que a mi niña
la vayan a hacer princesa.
Con zapatitos de oro
¿cómo juega en las praderas?
Y cuando llegue la noche
a mi lado no se acuesta...
Yo no quiero que a mi niña
la vayan a hacer princesa.

Y menos quiero que un día
me la vayan a hacer reina.
La pondrían en un trono
a donde mis pies no llegan.
Cuando viniese la noche
yo no podría mecerla...
¡Yo no quiero que a mi niña
me la vayan a hacer reina!

MEDO

Não quero que minha filha
se transforme em andorinha.
Para o céu iria voando
sem baixar à minha esteira.
Nos beirais faria ninho
sem a pentearem meus dedos.
Não quero que minha filha
se transforme em andorinha.

Não quero que minha filha
se mude numa princesa.
Calçando sandálias de ouro
não brincaria no prado.
E quando a noite descesse
não dormiria a meu lado.
Não quero que minha filha
se mude numa princesa.

E menos quero que um dia
ela venha a ser rainha.
Sentá-la-iam num trono
a que meus pés não alcançam.
E quando a noite chegasse,
niná-la eu não poderia.
Não quero que minha filha
venha um dia a ser rainha.

PIECECITOS

A doña Isaura Dinator

Piececitos de niño,
azulosos de frío,
¡cómo os ven y no os cubren,
Dios mío!

¡Piececitos heridos
por los guijarros todos,
ultrajados de nieves
y lodos!

El hombre ciego ignora
que por donde pasáis,
una flor de luz viva
dejáis;

que allí donde ponéis
la plantita sangrante,
el nardo nace más
fragante.

Sed, puesto que marcháis
por los caminos rectos,
heroicos como sois
perfectos.

Piececitos de niño,
dos joyitas sufrientes,
¡cómo pasan sin veros
las gentes!

PEZINHOS

Pezinhos de criança
de frio azulados.
Deixar-vos descalços,
Deus meu!

Pezinhos feridos
pelos seixos todos,
ultrajados de neves
e lodos!

O homem cego ignora
que por onde passais,
uma flor de luz viva
deixais.

Que ali onde pondes
a plantinha em sangue,
o nardo nasce mais
fragrante.

Sede, pois que marchais
pelos caminhos retos,
heroicos como sois
perfeitos.

Pezinhos de criança,
pobres joias puras.
Como passam sem ver-vos,
as criaturas!

LA MARGARITA

A Marta Samatán

El cielo de diciembre es puro
y la fuente mana, divina,
y la hierba llamó temblando
a hacer la ronda en la colina.

Las madres miran desde el valle,
y sobre la alta hierba fina
ven una inmensa margarita,
que es nuestra ronda en la colina.

Ven una loca margarita
que se levanta y que se inclina,
que se desata y que se anuda,
y que es la ronda en la colina.

En este día abrió una rosa
y perfumó la clavelina,
nació en el valle un corderillo
e hicimos ronda en la colina...

A MARGARIDA

O céu de dezembro é puro,
há um manancial divino;
e a relva trêmula chama
a fazer roda na colina.

As mães contemplam do vale
e sobre a alta relva fina
veem uma imensa margarida
que é nossa roda na colina.

Veem uma louca margarida
que se levanta e se inclina,
que se desata e se enovela,
e é nossa roda na colina.

Hoje despontou uma rosa
e deu perfume a cravina;
nasceu no vale um cordeiro,
fizemos roda na colina.

NIÑO MEXICANO

Estoy en donde no estoy,
en el Anáhuac plateado,
y en su luz como no hay otra
peino un niño de mis manos.

En mis rodillas parece
flecha caída del arco,
y como flecha lo afilo
meciéndolo y canturreando.

En luz tan vieja y tan niña
siempre me parece hallazgo,
y lo mudo y lo volteo
con el refrán que le canto.

Me miran con vida eterna
sus ojos negri-azulados,
y como en costumbre eterna,
yo lo peino de mis manos.

Resinas de pino-ocote
van de su nuca a sus brazos,
y es pesado y es ligero
de ser la flecha sin arco...

Lo alimento con un ritmo,
y él me nutre de algún bálsamo
que es el bálsamo del maya
del que a mí me despojaron.

Yo juego con sus cabellos
y los abro y los repaso,
y en sus cabellos recobro
a los mayas dispersados.

MENINO MEXICANO

Estou onde não estou
no Anáhuac peregrino;
e em sua luz cor de prata
eis-me penteando um menino.

Sobre os meus joelhos parece
flecha caída de um arco;
e como flecha o adelgaço
ninando e cantarolando.

Em luz tão velha e tão nova
surpreendo-me de encontrá-lo:
eu o modelo e transformo
com o estribilho do embalo.

Miram-me com vida eterna
seus olhos negro-azulados;
e como em eterno hábito
com minhas mãos o penteio.

Resinas de pinheiral
descem-lhe da nuca aos braços;
de pesado faz-se leve
por ser a flecha sem arco.

Alimento-o com meu ritmo,
ele me nutre de um bálsamo
que é o bálsamo do Maia
de que a mim me despojaram.

Eu brinco com seus cabelos,
abro-os e recomponho-os;
e em seus cabelos reencontro
nossos Maias dispersados.

Hace dos años dejé
a mi niño mexicano;
pero despierta o dormida
yo lo peino de mis manos...

¡Es una maternidad
que no me cansa el regazo,
y es un éxtasis que tengo
de la gran muerte librado!

Há dois anos que deixei
meu menino mexicano;
porém dormida ou desperta
penteio-o com minhas mãos.

Maternidade perene
que não me cansa o regaço:
é um êxtase que tenho
da grande morte livrado.

EL ESTABLO

Al llegar la medianoche
y al romper en llanto el Niño,
las cien bestias despertaron
y el establo se hizo vivo.

Y se fueron acercando,
y alargaron hasta el Niño
los cien cuellos anhelantes
como un bosque sacudido.

Bajó un buey su aliento al rostro
y se lo exhaló sin ruido,
y sus ojos fueron tiernos
como llenos de rocío.

Una oveja lo frotaba,
contra su vellón suavísimo,
y las manos le lamían,
en cuclillas, dos cabritos...

Las paredes del establo
se cubrieron sin sentirlo
de faisanes, y de ocas,
y de gallos, y de mirlos.

Los faisanes descendieron
y pasaban sobre el Niño
la gran cola de colores;
y las ocas de anchos picos,

arreglábanle las pajas;
y el enjambre de los mirlos
era un velo palpitante
sobre del recién nacido...

O ESTÁBULO

Ao chegar a meia-noite
rompendo em pranto o Menino,
cem animais despertaram
e o estábulo se fez vivo.

Acercaram-se estendendo
para o lado do Menino,
cem pescoços anelantes
como um bosque sacudido.

Um boi exalou-lhe ao rosto
seu bafejo – mas sem ruído.
E tinha nos olhos ternos
a umidade do rocio.

Uma ovelha o acariciava
contra sua lã suavíssima.
E as mãozinhas lhe lambiam
de cócoras, dois cabritos.

Pelas paredes do estábulo
docemente espaireciam
bandos de melros e galos,
de faisões e de palmípedes.

Os faisões com reverência
passavam sobre o Menino
a grande cauda de cores;
as aves de largos bicos

vinham ajeitar-lhe as palhas;
e dos melros o remoinho
era um palpitante véu
por sobre o recém-nascido.

Y la Virgen, entre cuernos
y resuellos blanquecinos,
trastocada iba y venía
sin poder coger al Niño.

Y José llegaba riendo
a acudir a la sin tino.
Y era como bosque al viento
el establo conmovido...

E a Virgem entre chavelhos
e respiros brancacentos,
ia e vinha tonta, sem
poder tomar o Menino.

E José chegava rindo
para acudir a mofina.
E era como bosque ao vento
o estábulo comovido.

CARRO DEL CIELO

Echa atrás la cara, hijo,
y recibe las estrellas.
A la primera mirada,
todas te punzan y hielan,
y después el cielo mece
como cuna que balancean,
y tú te das perdidamente
como cosa que llevan y llevan...

Dios baja para tomarnos
en su viva polvareda;
cae en el cielo estrellado
como una cascada suelta.
Baja, baja en el Carro del Cielo;
va a llegar y nunca llega...

Él viene incesantemente
y a media marcha se refrena,
por amor y miedo de amor
de que nos rompe o que nos ciega.
Mientras viene somos felices
y lloramos cuando se aleja.

Y un día el carro no para,
ya desciende, ya se acerca,
y sientes que toca tu pecho
la rueda viva, la rueda fresca.
Entonces, sube sin miedo
de un solo salto a la rueda,
¡cantando y llorando del gozo
con que te toma y que te lleva!

CARRO DO CÉU

Deita para trás a fronte,
filho, e recebe as estrelas.
Súbito, ao primeiro olhar,
elas te apunhalam e gelam.
E depois o céu tonteia
como berço que se embalança.
E tu te dás perdidamente
como cousa que levam e levam...

Deus baixa para tomar-nos
em sua vívida poeira.
No céu estrelado tomba
como uma solta cachoeira.
Baixa no Carro do Céu,
vai chegar e nunca chega.

Ele vem incessantemente
e a meio andar se refreia.
Por amor e medo de amor
de que nos fere ou que nos cega.
Enquanto vem somos felizes
e choramos quando regressa.

Um dia o carro não para,
já desce, já se aproxima,
e sentes que toca teu peito
a roda viva, a roda fresca.
Então, filho, sobes sem medo,
à roda, de um único salto,
cantando e chorando de gozo
com que te toma e te arrebata.

RONDA DE LA PAZ

A don Enrique Molina

Las madres, contando batallas,
sentadas están al umbral.
Los niños se fueron al campo
la piña de pino a cortar.

Se han puesto a jugar a los ecos
al pie de su cerro alemán.
Los niños de Francia responden
sin rostro en el viento del mar.

Refrán y palabra no entienden,
mas luego se van a encontrar
y cuando a los ojos se miren
el verse será adivinar.

Ahora en el mundo el suspiro
y el soplo se alcanza a escuchar
y a cada refrán las dos rondas
ya van acercándose más.

Las madres, subiendo la ruta
de olores que lleva al pinar,
llegando a la rueda se vieron
cogidas del viento volar...

Los hombres salieron por ellas
y viendo la tierra girar
y oyendo cantar a los montes,
al ruedo del mundo se dan.

RONDA DA PAZ

As mães, recordando batalhas,
sentadas se acham na varanda.
Os meninos foram ao campo
colher as frutas do ananás.

Ao pé de seu cerro alemão
com o eco se põem a brincar.
Meninos de França respondem
sem rosto no vento do mar.

Palavra e refrão não entendem
mas logo buscam se avistar.
E não haverá mais segredo
quando nos olhos se mirarem.

No mundo agora o suspiro,
o sopro se pode escutar.
E a cada estribilho as cirandas
se aproximam um pouco mais.

As mães, subindo a vereda
de odores que leva ao pomar,
chegando à ciranda começam
colhidas pelo vento a voar.

Os homens procuram por elas
e, sentindo a terra girar
e o canto dos montes ouvindo,
a volta do mundo vão dar.

RONDA DE LOS COLORES

Azul loco y verde loco
del lino en rama y en flor.
Mareando de oleadas
baila el lindo azuleador.

Cuando el azul se deshoja,
sigue el verde danzador,
verde-trébol, verde-oliva
y el gayo verde-limón.

¡Vaya hermosura!
¡Vaya el Color!

Rojo manso y rojo bravo
– rosa y clavel reventón –.
Cuando los verdes se rinden,
él salta como un campeón.

Bailan uno tras el otro,
no se sabe cuál mejor,
y los rojos bailan tanto
que se queman en su ardor.

¡Vaya locura!
¡Vaya el Color!

El amarillo se viene
grande y lleno de fervor
y le abren paso todos
como viendo a Agamenón.

A lo humano y lo divino
baila el santo resplandor:
aromas gajos dorados
y el azafrán volador.

RONDA DAS CORES

Azul louco e verde louco
de linho em rama com flor.
Em ondas vertiginosas
baila o azul em furta-cor.

Ao azul que se desfolha
segue o verde dançador:
verde trevo, verde oliva
e o verde-gaio limão.

Siga a beleza
e siga a cor!

Vermelho manso ou bravio
– rosa e cravo em eclosão –
quando os verdes se despedem,
salta assim como um campeão.

Baila um e depois outro,
não se sabe qual melhor;
e assim bailando, os vermelhos
queimam-se no próprio ardor.

Siga a loucura
e siga a cor!

O amarelo se aproxima
grande e cheio de fervor;
e todos lhe dão passagem
como ao próprio Agamenon.

A um tempo humano e divino
baila o santo resplendor!
Acácia galhos dourados
e o açafrão que é voador.

¡Vaya delirio!
¡Vaya el Color!

Y por fin se van siguiendo
al pavo-real del sol,
que los recoge y los lleva
como un padre o un ladrón.

Mano a mano con nosotros
todos eran, ya no son:
¡El cuento del mundo muere
al morir el Contador!

Siga o delírio
e siga a cor!

Por fim acompanham todos
o pavão real do sol
que os recolhe e se retira
como um pai, como um ladrão.

De mãos unidas às nossas,
todos eram, já não são:
o conto do mundo morre
quando morre o narrador.

TODAS ÍBAMOS A SER REINAS

Todas íbamos a ser reinas,
de cuatro reinos sobre el mar:
Rosalía con Efigenia
y Lucila con Soledad.

En el valle de Elqui, ceñido
de cien montañas o de más,
que como ofrendas o tributos
arden en rojo y azafrán.

Lo decíamos embriagadas,
y lo tuvimos por verdad,
que seríamos todas reinas
y llegaríamos al mar.

Con las trenzas de los siete años,
y batas claras de percal,
persiguiendo tordos huidos
en la sombra del higueral.

De los cuatro reinos, decíamos,
indudables como el Korán,
que por grandes y por cabales
alcanzarían hasta el mar.

Cuatro esposos desposarían,
por el tiempo de desposar,
y eran reyes y cantadores
como David, rey de Judá.

Y de ser grandes nuestros reinos,
ellos tendrían, sin faltar,
mares verdes, mares de algas,
y el ave loca del faisán.

TODAS ÍAMOS SER RAINHAS

Todas íamos ser rainhas
de quatro reinos sobre o mar:
Rosália com Efigênia
e Lucila com Soledade.

Lá no vale de Elqui, cingido
por cem montanhas, talvez mais,
que com dádivas ou tributos
ardem em rubro ou açafrão,

nós dizíamos embriagadas
com a convicção de uma verdade,
que havíamos de ser rainhas
e chegaríamos ao mar.

Com aquelas tranças de sete anos
e camisolas de percal,
perseguindo tordos fugidos
sob a sombra do figueiral,

dizíamos que os nossos reinos,
dignos de fé como o Corão,
seriam tão perfeitos e amplos
que se estenderiam ao mar.

Quatro esposos desposaríamos
quando o tempo fosse chegado,
os quais seriam reis e poetas
como David, rei de Judá.

E por serem grandes os reinos
eles teriam, por sinal,
mares verdes, repletos de algas
e a ave selvagem do faisão.

Y de tener todos los frutos,
árbol de leche, árbol del pan,
el guayacán no cortaríamos
ni morderíamos metal.

Todas íbamos a ser reinas,
y de verídico reinar;
pero ninguna ha sido reina
ni en Arauco ni en Copán...

Rosalía besó marino
ya desposado con el mar,
y al besador, en las Guaitecas,
se lo comió la tempestad.

Soledad crió siete hermanos
y su sangre dejó en su pan,
y sus ojos quedaron negros
de no haber visto nunca el mar.

En las viñas de Montegrande,
con su puro seno candeal,
mece los hijos de otras reinas
y los suyos nunca-jamás.

Efigenia cruzó extranjero
en las rutas, y sin hablar,
le siguió, sin saberle nombre,
porque el hombre parece el mar.

Y Lucila, que hablaba a río,
a montaña y cañaveral,
en las lunas de la locura
recibió reino de verdad.

Por possuírem todos os frutos,
a árvore do leite e do pão,
o guaiaco não cortaríamos
nem morderíamos metal.

Todas íamos ser rainhas
e de verídico reinar;
porém nenhuma foi rainha
nem no Arauco nem em Copán...

Rosália beijou marinheiro
que já tinha esposado o mar,
e ao namorador nas Guaitecas
devorou-o a tempestade.

Sete irmãos criou Soledade
e seu sangue deixou no pão.
E seus olhos quedaram negros
de nunca terem visto o mar.

Nos vinhedos de Montegrande
ao puro seio de trigal,
nina os filhos de outras rainhas
porém os seus nunca, jamais.

Efigênia achou estrangeiro
no seu caminho e sem falar
seguiu-o sem saber-lhe o nome
pois o homem se assemelha ao mar.

Lucila que falava ao rio,
às montanhas e aos canaviais,
esta, nas luas da loucura
recebeu reino de verdade.

En las nubes contó diez hijos
y en los salares su reinar,
en los ríos ha visto esposos
y su manto en la tempestad.

Pero en el valle de Elqui, donde
son cien montañas o son más,
cantan las otras que vinieron
y las que vienen cantarán:

"En la tierra seremos reinas,
y de verídico reinar,
y siendo grandes nuestros reinos,
llegaremos todas al mar."

Entre as nuvens contou dez filhos,
fez nas salinas seu reinado,
viu nos rios os seus esposos
e seu manto na tempestade.

Porém lá no vale de Elqui,
onde há cem montanhas ou mais,
cantam as outras que já vieram,
como as que vierem cantarão:

Na terra seremos rainhas
e de verídico reinar,
e sendo grandes os nossos reinos,
chegaremos todas ao mar.

CANCIÓN DE LAS MUCHACHAS MUERTAS

¿Y las pobres muchachas muertas,
escamoteadas en abril,
las que asomáronse y hundiéronse
como en las olas el delfín?

¿Adónde fueron y se hallan,
encuclilladas por reír
o agazapadas esperando
voz de un amante que seguir?

¿Borrándose como dibujos
que Dios no quiso reteñir
o anegadas poquito a poco
como en sus fuentes un jardín?

A veces quieren en las aguas
ir componiendo su perfil,
y en las carnudas rosas-rosas
casi consiguen sonreír.

En los pastales acomodan
su talle y bulto de ceñir
y casi logran que una nube
les preste cuerpo por ardid;

casi se juntan las deshechas;
casi llegan al sol feliz;
casi reniegan su camino
recordando que eran de aquí;

casi deshacen su traición
y van llegando a su redil.
¡Y casi vemos en la tarde
el divino millón venir!

CANÇÃO DAS MENINAS MORTAS

E essas pobres meninas mortas,
escamoteadas em abril,
as que surgiram e afundaram-se
como nas ondas o delfim?

Onde é que foram e se encontram,
a custo contendo o riso,
ou escondidas esperando
voz de um amante que seguir?

Diluindo-se como desenhos
que Deus deixou de colorir,
pouco a pouco afogadas como
em suas fontes um jardim?

Às vezes procuram nas águas
ir recompondo seu perfil
e nas carnudas rosas róseas
quase começam a sorrir.

Nos campos elas acomodam
o talhe, o vulto quebradiço.
E quase logram que uma nuvem
lhes dê seu corpo num ardil.

Juntam-se quase as desmembradas,
quase chegam ao sol feliz.
Quase desfazem seu trajeto
recordando que eram daqui.

Quase anulam sua traição
e caminham para o redil.
E quase vemos ao crepúsculo
o divino milhão surgir!

CANCIÓN DE LA MUERTE

La vieja Empadronadora,
la mañosa Muerte,
cuando vaya de camino,
mi niño no encuentre.

La que huele a los nacidos
y husmea su leche,
encuentre sales y harinas,
mi leche no encuentre.

La Contra-Madre del Mundo,
la Convida-gentes,
por las playas y las rutas
no halle al inocente.

El nombre de su bautismo
– la flor con que crece –,
lo olvide la memoriosa,
lo pierda la Muerte.

De vientos, de sal y arenas
se vuelva demente,
y trueque, la desvariada,
el Oeste y el Este.

Niño y madre los confunda
lo mismo que peces,
y en el día y en la hora
a mí sola encuentre.

CANÇÃO DA MORTE

A velha niveladora,
a manhosa Morte,
quando estiver a caminho,
meu filho não ache.

A que fareja os nascidos
e cheira o seu leite,
encontre sais e farinhas,
meu colo não ache.

A Contra-Mãe do mundo
a Convidadeira,
pelas praias e rotas,
não ache o inocente.

O seu nome de batismo
– a flor com que cresce –,
esqueça-o a lembradiça,
perca-o a Morte.

De vento, de sais e areias,
torne-se demente.
E desvairada troque
o oeste e o este.

Filho e mãe confunda-os
como se peixes fossem
e no dia e na hora
a mim só encontre.

MI CANCIÓN

Mi propia canción amante
que sin brazos acunaba
una noche entera esclava
¡cántenme!

La que bajaba cargando
por el Ródano o el Miño,
sueño de mujer o niño
¡cántenme!

La canción que yo prestaba
al despierto y al dormido
ahora que me han herido
¡cántenme!

La canción que yo cantaba
como una suelta vertiente
y que sin bulto salvaba
¡cántenme!

Para que ella me levante
con brazo de Arcángel fuerte
y me alce de mi muerte
¡cántenme!

La canción que repetía
rindiendo a noche y a muerte
ahora por que me liberte
¡cántenme!

MINHA CANÇÃO

A minha canção amante
que eu sem braços embalava
por toda uma noite escrava,
cantem-me!

A que baixava levando
pelo Minho, pelo Ródano,
sonho de mulher ou criança,
cantem-me!

A canção que eu arrulhava
para o desperto e o dormido,
agora que estou ferida,
cantem-me!

Essa canção que eu cantava
como uma solta cachoeira
e obscuramente salvava,
cantem-me!

Para que ela me levante
com braço de arcanjo forte
e me alce de minha morte,
cantem-me!

A canção que eu repetia
vencendo as noites e a morte,
para que hoje me liberte
cantem-me!

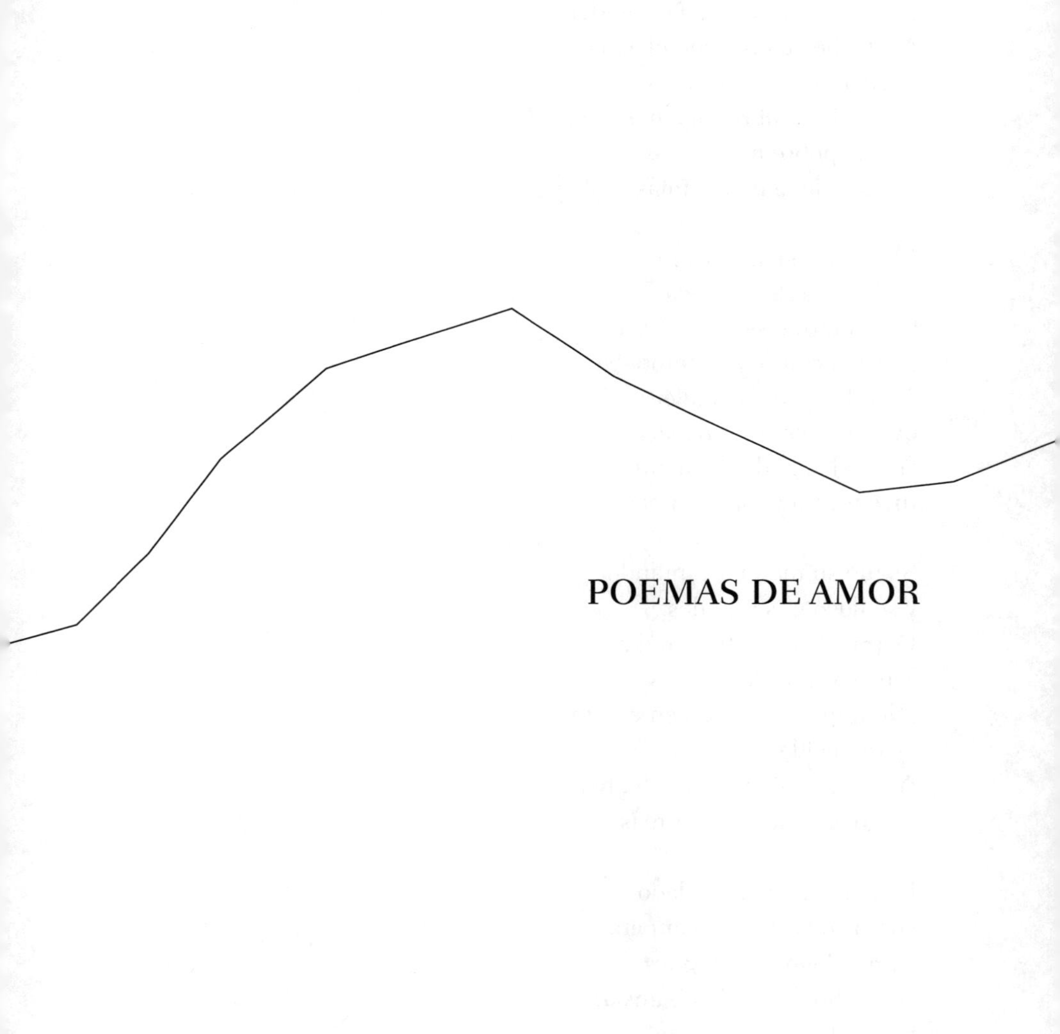

POEMAS DE AMOR

EL ENCUENTRO

Le he encontrado en el sendero.
No turbó su ensueño el agua
ni se abrieron más las rosas;
abrió el asombro mi alma.
¡Y una pobre mujer tiene
su cara llena de lágrimas!

Llevaba un canto ligero
en la boca descuidada,
y al mirarme se le ha vuelto
grave el canto que entonaba.
Miré la senda, la hallé
extraña y como soñada.
¡Y en el alba de diamante
tuve mi cara con lágrimas!

Siguió su marcha cantando
y se llevó mis miradas...
Detrás de él no fueron más
azules y altas las salvias.
¡No importa! Quedó en el aire
estremecida mi alma.
¡Y aunque ninguno me ha herido
tengo la cara con lágrimas!

Esta noche no ha velado
como yo junto a la lámpara;
como él ignora, no punza
su pecho de nardo mi ansia;
pero tal vez por su sueño
pase un olor de retamas,
¡porque una pobre mujer
tiene su cara con lágrimas!

O ENCONTRO

Encontrei-o no caminho.
A água não turvou seu sonho,
nem se abriram mais as rosas.
Mas o assombro entrou-me na alma.
E uma pobre mulher tem
o rosto banhado em lágrimas.

Levava um canto ligeiro
sua boca descuidada;
ao olhar-me se tornou
profundo o canto que entoava.
Contemplei a senda, achei-a
estranha, transfigurada.
Tive na alba de diamante
o rosto banhado em lágrimas.

Continuou a andar cantando
e levou os meus olhares.
Então já não foram mais
azuis e esbeltas as salvas.
Que importa! Ficou nos ares
estremecida minha alma.
Ninguém me feriu mas tenho
o rosto banhado em lágrimas.

Essa noite não velou
assim como eu junto à lâmpada.
Longe seu peito de nardo
minha aflição não atinge.
Porém talvez por seu sonho
passe um perfume de acácia,
que uma pobre mulher tem
o rosto banhado em lágrimas.

Iba sola y no temía;
con hambre y sed no lloraba;
desde que lo vi cruzar,
mi Dios me vistió de llagas.
Mi madre en su lecho reza
por mí su oración confiada.
Pero ¡yo tal vez por siempre
tendré mi cara con lágrimas!

Ia só e não temia.
Tinha sede e não chorava.
Mas desde que o vi passar,
Deus revestiu-me de chagas.
Minha mãe reza por mim
a sua oração confiada.
Mas eu terei para sempre
o rosto banhado em lágrimas.

AMO AMOR

Anda libre en el surco, bate el ala en el viento
late vivo en el sol y se prende al pinar.
No te vale olvidarlo como al mal pensamiento:
¡le tendrás que escuchar!

Habla lengua de bronce y habla lengua de ave,
ruegos tímidos, imperativos de mar.
No te vale ponerle gesto audaz, ceño grave:
¡lo tendrás que hospedar!

Gasta trazas de dueño; no le ablandan excusas.
Rasga vasos de flor, hiende el hondo glaciar.
No te vale el decirle que albergarlo rehúsas:
¡lo tendrás que hospedar!

Tiene argucias sutiles en la réplica fina,
argumentos de sabio, pero en voz de mujer.
Ciencia humana te salva, menos ciencia divina:
¡le tendrás que creer!

Te echa venda de lino; tú la venda toleras,
Te ofrece el brazo cálido, no le sabes huir.
Echa a andar, tú le sigues hechizada aunque vieras
¡que eso para en morir!

AMOR MESTRE

Anda livre no sulco, a asa bate no vento,
reverbera no sol e enlaça-se ao pinhal.
Não há fugir-lhe assim como ao mau pensamento:
é mister escutá-lo.

Fala língua de bronze e fala língua de ave,
tem rogos tímidos e imperativos de mar.
É inútil se lhe opor cenho severo e audácia:
é mister abrigá-lo.

Tem seguros ardis; não o abrandam escusas.
Rompe os vasos da flor, fende a profunda neve.
Nada vale dizer que a vê-lo te recusas:
é mister hospedá-lo.

Tem argúcias sutis; usa a réplica fina,
argumentos de sábio e mimos de mulher.
Ciência humana te salva e não ciência divina:
é mister ter-lhe fé.

Teus olhos, ele os venda; e esta venda toleras.
Oferece-te o braço – que aceitas.
Quando acaso se for, seus rastros seguirás,
mesmo para morrer.

BALADA

Él pasó con otra;
yo le vi pasar.
Siempre dulce el viento
y el camino en paz.
¡Y estos ojos míseros
le vieron pasar!

Él va amando a otra
por la tierra en flor.
Ha abierto el espino;
pasa una canción.
¡Y él va amando a otra
por la tierra en flor!

Él besó a la otra
a orillas del mar;
resbaló en las olas
la luna de azahar.
¡Y no untó mi sangre
la extensión del mar!

Él irá con otra
por la eternidad.
Habrá cielos dulces.
(Dios quiere callar.)
¡Y él irá con otra
por la eternidad!

BALADA

Ai! Passou com outra;
eu o vi passar.
Sempre doce o vento
e o caminho em paz.
E esses olhos míseros
viram-no passar!

Vai amando a outra
pela terra em flor.
O espinho se abriu,
passa uma canção.
E ele amando a outra
pela terra em flor!

Ai! Beijou a outra
à beira das praias;
resvalou nas ondas
a lua nupcial.
E não vi meu sangue
na extensão do mar!

Seguirá com outra
pela eternidade.
Os céus serão doces.
(Deus está calado.)
E ele irá com outra
pela eternidade.

BALADA DE LA ESTRELLA

– Estrella, estoy triste.
Tú dime si otra
como mi alma viste.
– Hay otra más triste.

– Estoy sola, estrella.
Di a mi alma si existe
otra como ella.
– Sí, dice la estrella.

– Contempla mi llanto.
Dime si otra lleva
de lágrimas manto.
– En otra hay más llanto.

– Di quién es la triste,
di quién es la sola,
si la conociste.

– Soy yo, la que encanto,
soy yo la que tengo
mi luz hecha llanto.

BALADA DA ESTRELA

– Estrela, estou triste.
Dize-me se outra alma
qual a minha existe.
– Há outra mais triste.

– Estou só, Estrela.
À minha alma dize
se há outra como eu.
– Sim, responde a Estrela.

– Contempla meu pranto.
Dize-me se uma outra
tem manto de lágrimas.
– Em outra há mais pranto.

– Dize-me quem é
a mais triste e só,
se acaso a conheces.

– Sou eu, a que encanta,
sou eu, a que tem
luz feita de pranto.

CIMA

La hora de la tarde, la que pone
su sangre en las montañas.

Alguien en esta hora está sufriendo;
una pierde, angustiada,
en este atardecer el solo pecho
contra el cual estrechaba.

Hay algún corazón en donde moja
la tarde aquella cima ensangrentada.

El valle ya está en sombra
y se llena de calma.
Pero mira de lo hondo que se enciende
de rojez la montaña.

Yo me pongo a cantar siempre a esta hora
mi invariable canción atribulada.

¿Seré yo la que baño
la cumbre de escarlata?

Llevo a mi corazón la mano, y siento
que mi costado mana.

CIMO

A hora da tarde, a que põe
seu sangue nas montanhas.

Alguém nesta hora está sofrendo;
com angústia alguém perde
ao pôr do sol o único peito
contra o qual se estreitava.

Um coração existe em que molha
a tarde aquele cimo ensanguentado.

O vale já está na sombra
e se cobre de calma.
Olha, porém, da profundeza, o incêndio
que enrubesce a montanha.

Eu me ponho a cantar sempre nesta hora
minha invariável canção atribulada.

Serei eu a que banha
o cume de escarlate?

Levo a meu coração a mão e sinto
que uma ferida sangra.

ADIÓS

En costa lejana
y en mar de Pasión
dijimos adioses
sin decir *adiós*.
Y no fue verdad
la alucinación.
Ni tú la creíste
ni la creo yo,
"y es cierto y no es cierto"
como en la canción.

Que yendo hacia el Sur
diciendo iba yo:
– Vamos hacia el mar
que devora al Sol.

Y yendo hacia el Norte
decía tu voz:
– Vamos a ver juntos
dónde se hace el Sol.

Ni por juego digas
o exageración
que nos separaron
tierra y mar, que son:
ella, sueño, y él,
alucinación.

No te digas solo
ni pida tu voz
albergue para uno
al albergador.

ADEUS

Em costa longínqua
e em mar de paixão,
dissemos adeuses
sem dizer adeus.
E não foi verdade
a alucinação.
Não acreditaste
nem acreditei;
e é certo e não é,
como na canção.

Que indo para o sul
soltei minha voz:
– Vamos para o mar
que devora o sol.

E indo para o norte
eis como falavas:
– Juntos vamos ver
onde o sol se faz.

Nem brincando digas,
ou por exagero,
que nos separaram
terra e mar que são
ela, sonho e ele,
alucinação.

Não te digas só
nem tampouco peças
abrigo para um
ao dono do albergue.

Echarás la sombra
que siempre se echó,
morderás la duna
con paso de dos...

¡Para que ninguno,
ni hombre ni dios,
nos llame partidos
como luna y sol;
para que ni roca
ni viento errador,
ni río con vado
ni árbol sombreador,
aprendan y digan
mentira o error
del Sur y del Norte,
del uno y del dos!

Lançarás a sombra
que sempre se lança.
Morderás a duna
com os passos de ambos.

Para que ninguém,
nem homem nem deus,
nos cuide partidos
como lua e sol;
para que nem roca
nem ventos errantes
nem rios com vau
nem espessas frondes
aprendam e ensinem
mentira ou desdouro
do sul e do norte,
de um só ou dos dois.

VOLVERLO A VER

¿Y nunca, nunca más, ni en noches llenas
de temblor de astros, ni en las alboradas
vírgenes, ni en las tardes inmoladas?

¿Al margen de ningún sendero pálido,
que ciñe el campo, al margen de ninguna
fontana trémula, blanca de luna?

¿Bajo las trenzaduras de la selva,
dónde llamándolo me ha anochecido,
ni en la gruta que vuelve mi alarido?

¡Oh, no! ¡Volverlo a ver, no importa dónde,
en remansos de cielo o en vórtice hervidor,
bajo una luna plácida o en un cárdeno horror!

¡Y ser con él todas las primaveras
y los inviernos, en un angustiado
nudo, en torno a su cuello ensangrentado!

TORNAR A VÊ-LO

E nunca, nunca mais, nem nas noites repletas
de tremor de astros, nem nas alvoradas
virgens e nem nas tardes imoladas?

À margem de nenhuma senda pálida
que cinge o campo, à margem de nenhuma
trêmula fonte, lívida de lua?

Nem nos emaranhados da selva
onde enquanto o chamava anoitecia,
nem na gruta que me devolve o grito?

Oh! Não! Tornar a vê-lo em qualquer parte,
em remansos de céu ou vórtice fremente,
sob um plácido luar ou em violáceo horror!

E com ele passar todas as primaveras
e invernos, num angustiado
nó em torno ao seu colo ensanguentado!

CERAS ETERNAS

¡Ah! ¡Nunca más conocerá tu boca
la vergüenza del beso que chorreaba
concupiscencia como espesa lava!

Vuelven a ser dos pétalos nacientes,
esponjados de miel nueva, los labios
que yo quise inocentes.

¡Ah! Nunca más conocerán tus brazos
el mundo horrible que en mis días puso
oscuro horror: ¡el nudo de otro abrazo!...

Por el sosiego puros,
quedaron en la tierra distendidos,
¡ya, ¡Dios mío!, seguros!

¡Ah! Nunca más tus dos iris cegados
tendrán un rostro descompuesto, rojo
de lascivia, en sus vidrios dibujado.

¡Benditas ceras fuertes,
ceras heladas, ceras eternales
y duras, de la muerte!

¡Bendito toque sabio,
con que apretaron ojos, con que apegaron brazos,
con que juntaron labios!

¡Duras ceras benditas,
ya no hay brasa de besos lujuriosos
que os quiebren, que os desgasten, que os derritan!

CERAS ETERNAS

Ah! nunca mais conhecerá tua boca
a vergonha do beijo que espumava
concupiscência como espessa lava!

Voltam a ser duas pétalas nascentes
impregnadas de novo mel, os lábios
que sonhei inocentes.

Ah! nunca mais conhecerão teus braços
o mundo horrível que em meus dias pôs
escuro horror: o nó de um outro abraço.

Pelo sossego puros
sob a terra quedaram estendidos
já, Deus meu! seguros.

Agora cegas, nunca mais tuas pupilas
terão um rosto impudente e rubro
de lascívia, nos seus espelhos refletido!

Benditas ceras fortes,
ceras geladas, ceras eternais
e duras, da morte!

Bendito toque sábio
com que selaram olhos, com que amarraram braços,
com que juntaram lábios!

Benditas ceras,
já não brasa de beijos luxuriosos
que vos quebrem, desgastem ou derretam!

SERENIDAD

Y después de tener perdida
lo mismo que un pomar la vida,
– hecho ceniza, sin cuajar –
me han dado esta montaña mágica,
y un río y unas tardes trágicas
como Cristo, con que sangrar.

Los niños cubren mis rodillas;
mirándoles a las mejillas
ahora no rompo a sollozar,
que en mi sueño más deleitoso
yo doy el pecho a un hijo hermoso
sin dudar...

Estoy como el que fuera dueño
de toda tierra y todo ensueño
y toda miel;
¡y en estas dos manos mendigas
no he oprimido ni las amigas
sienes de él!

De sol a sol voy por las rutas,
y en el regazo olor a frutas
se me acomoda el recental:
¡tanto trascienden mis abiertas
entrañas a grutas, y a huertas,
y a cuenco tibio de panal!

Soy la ladera y soy la viña
y las salvias, y el aguaniña:
¡todo el azul, todo el candor!
Porque en sus hierbas me apaciento
mi Dios me guarda de sus vientos
como a los linos en la flor.

SERENIDADE

E após haver perdido a vida
à semelhança de um pomar
em cinza informe consumido,
deram-me esta montanha mágica
e um rio e umas tardes trágicas
como Cristos, com que sangrar.

As crianças cobrem-me os joelhos;
desde que as faces pude ver-lhes,
já não me ponho a soluçar;
pois no meu sonho peregrino
amamento um lindo menino
sem duvidar.

Estou como quem fora dono
de toda a terra e todo o sonho
e todo o mel.
E nessas minhas mãos mendigas
as têmporas do meu amigo
não oprimi sequer.

Vou, sol a sol, pelos caminhos;
no colo aromado de frutas
acomodo o suave cordeiro:
tanto trescalam as minhas
entranhas a hortas e grutas
e favos em tepidez.

Sou a ladeira e sou a vinha
e as salvas e a água-menina,
o inteiro azul, todo o candor.
Nas ervas de Deus me apascento
e ele me preserva dos ventos
tal como ao linho em flor.

Vendrá la nieve cualquier día;
me entregaré a su joya fría,
(fuera otra cosa rebelión).
Y en un silencio de amor sumo,
oprimiendo su duro grumo
me irá vaciando el corazón.

Virá a neve qualquer dia;
entregar-me-ei à joia fria
(fora outra cousa rebelião).
E num silêncio de amor sumo
oprimindo seu duro grânulo
se esvaziará meu coração.

LOS SONETOS DE LA MUERTE – 2

Este largo cansancio se hará mayor un día,
y el alma dirá al cuerpo que no quiere seguir
arrastando su masa por la rosada vía,
por donde van los hombres, contentos de vivir...

Sentirás que a tu lado cavan briosamente,
que otra dormida llega a la quieta ciudad.
Esperaré que me hayan cubierto totalmente...
¡y después hablaremos por una eternidad!

Sólo entonces sabrás el porqué, no madura
para las hondas huesas tu carne todavía,
tuviste que bajar, sin fatiga, a dormir.

Se hará luz en la zona de los sinos, oscura;
sabrás que en nuestra alianza signo de astros había
y, roto el pacto enorme, tenías que morir...

SEGUNDO SONETO DA MORTE

Este largo cansaço aumentará um dia
e a alma ao corpo dirá que não quer prosseguir
arrastando seu peso inútil pela vida
por onde os homens vão contentes de existir...

Sentirás que a teu lado abrem cova recente
para a que dorme e chega à tranquila cidade.
Esperarei que o pó me cubra totalmente.
Falaremos depois por uma eternidade.

Só então saberás por que foi que, imatura
tua carne para os sepulcros, todavia
tu tiveste que sem fadiga adormecer.

Luz se fará então na zona mais escura.
Nossa aliança de amor signo de astros possuía
e rota – era fatal – terias de morrer.

EL RUEGO

Señor, tú sabes cómo, con encendido brío,
por los seres extraños mi palabra te invoca.
Vengo ahora a pedirte por uno que era mío,
mi vaso de frescura, el panal de mi boca.

Cal de mis huesos, dulce razón de la jornada,
gorjeo de mi oído, ceñidor de mi veste.
Me cuido hasta de aquellos en que no puse nada;
¡no tengas ojo torvo si te pido por este!

Te digo que era bueno, te digo que tenía
el corazón entero a flor de pecho, que era
suave de índole, franco como la luz del día,
henchido de milagro como la primavera.

Me replicas, severo, que es de plegaria indigno
el que no untó de preces sus dos labios febriles,
y se fue aquella tarde sin esperar tu signo,
trizándose las sienes como vasos sutiles.

Pero yo, mi Señor, te arguyo que he tocado,
de la misma manera que el nardo de su frente,
todo su corazón dulce y atormentado
¡y tenía la seda del capullo naciente!

¿Que fue cruel? Olvidas, Señor, que le quería,
y que él sabía suya la entraña que llagaba.
¿Que enturbió para siempre mis linfas de alegría?
¡No importa! Tú comprende: ¡yo le amaba, le amaba!

Y amar (bien sabes de eso) es amargo ejercicio;
un mantener los párpados de lágrimas mojados,
un refrescar de besos las trenzas del cilicio
conservando, bajo ellas, los ojos extasiados.

A SÚPLICA

Senhor, tu sabes como, e com que ardente anseio,
pelos estranhos minha palavra te invoca.
Venho hoje suplicar por alguém que era meu,
meu vaso de frescor, o mel de minha boca.

Cal de meus ossos, doce esteio da jornada,
canto de pássaro, penhor de minha veste.
De todos cuido, mesmo desinteressada;
não me olhes com rancor se te peço por este.

Digo-te que era bom, digo-te que trazia
o coração inteiro à flor da pele, que era
suave de índole, franco, igual à luz do dia,
pleno milagre, semelhante à primavera.

Tu me replicas que de rogos fez-se indigno
quem não ungiu de prece os seus lábios febris,
e uma tarde se foi sem aguardar teu signo,
rompendo as veias como cântaros sutis.

Respondo-te porém: seu coração de nardo
que toquei, ao sentir sua fronte dolente,
seu coração piedoso e atormentado
possuía a seda de um capulho alvorescente.

Que foi cruel? Senhor, olvidas que o queria,
pertencia-lhe, pois, a entranha que chagava.
Turvou-me para sempre a fonte de alegria?
Não importa. Compreende: eu o amava, eu o amava.

E amar – bem sabes disso – é amargo exercício;
de lágrimas manter as pálpebras molhadas,
de beijos refrescar as tranças do cilício,
sob elas conservando os olhos extasiados.

El hierro que taladra tiene un gusto frío,
cuando abre, cual gavillas, las carnes amorosas.
Y la cruz (Tú te acuerdas ¡oh Rey de los judíos!)
se lleva con blandura, como un gajo de rosas.

Aquí me estoy, Señor, con la cara caída
sobre el polvo, parlándote un crepúsculo entero,
o todos los crepúsculos a que alcance la vida,
si tardas en decirme la palabra que espero.

Fatigaré tu oído de preces y sollozos,
lamiendo, lebrel tímido, los bordes de tu manto,
y ni pueden huirme tus ojos amorosos
ni esquivar tu pie el riego caliente de mi llanto.

¡Di el perdón, dilo al fin! Va a esparcir en el viento
la palabra el perfume de cien pomos de olores
al vaciarse; toda agua será deslumbramiento;
el yermo echará flor y el guijarro esplendores.

Se mojarán los ojos de las fieras,
y, comprendiendo, el monte que de piedra forjaste
llorará por los párpados blancos de sus neveras:
¡toda la tierra tuya sabrá que perdonaste!

O ferro que retine é refrigério e enleio
quando abre em seu destelo as carnes amorosas.
Tu te lembras: também a cruz, Rei dos Judeus,
leva-se ao ombro assim como um galho de rosas.

Aqui me tens, Senhor, com a face caída
sobre o pó, a rezar, um crepúsculo inteiro
e outros crepúsculos que alcance a minha vida,
se tardas em dizer-me a palavra que espero.

Teus ouvidos fatigarei com meus soluços
a lamber, qual lebrel, os bordes de teu manto,
e já não podem mais fugir teus olhos dúlcidos
nem teus pés ao fluir de meu cálido pranto.

Dá teu perdão por fim! Vai esparzir no vento
tua palavra, o olor de cem pomos de olores.
Toda água, ao despertar, será deslumbramento.
Os ermos darão flor; as pedras, esplendores.

O olhar das feras chegarás a umedecê-lo.
Essas montanhas que de rocha tu forjaste
chorarão pelas brancas raias do degelo.
E toda a terra saberá que tu perdoaste.

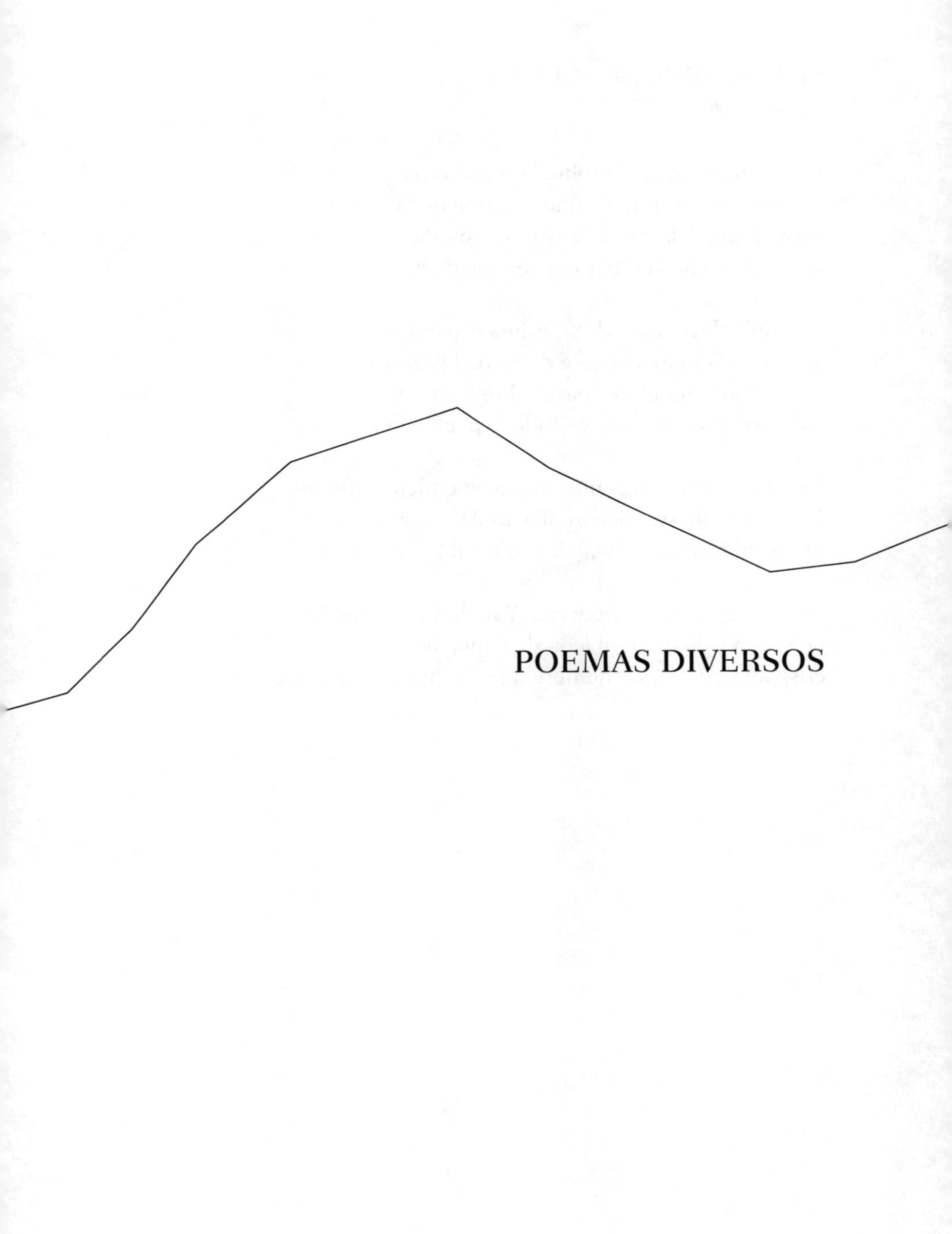

POEMAS DIVERSOS

EL PENSADOR DE RODIN

A Laura Rodig

Con el mentón caído sobre la mano ruda,
el Pensador se acuerda que es carne de la huesa,
carne fatal, delante del destino desnuda,
carne que odia la muerte, y tembló de belleza.

Y tembló de amor, toda su primavera ardiente,
y ahora, al otoño, anégase de verdad y tristeza.
El "de morir tenemos" pasa sobre su frente,
en todo agudo bronce, cuando la noche empieza.

Y en la angustia, sus músculos se hienden, sufridores.
Los surcos de su carne se llenan de terrores.
Se hiende, como la hoja de otoño, al Señor fuerte

que le llama en los bronces... Y no hay árbol torcido
de sol en la llanura, ni león de flanco herido,
crispados como este hombre que medita en la muerte.

O PENSADOR DE RODIN

Queixo apoiado à mão em postura severa,
lembra-se o Pensador que é da carne uma presa;
carne fatal, desnuda ante o fado que o espera,
carne que odeia a morte e tremeu de beleza;

que estremeceu de amor na primavera ardente
e hoje, imersa no outono, a tristeza conhece.
A ideia de morrer dessa fronte consciente
passa por todo o bronze, à hora em que a noite desce.

De angústia os músculos se fendem, sofredores;
os sulcos de seu corpo enchem-se de terrores;
entrega-se, folha outoniça, ao Senhor forte

que o plasma. E não se crispa uma árvore torcida
de sol nos plainos, nem leão de anca ferida,
como esse homem que está meditando na morte.

CANTO DEL JUSTO

Pecho, el de mi Cristo,
más que los ocasos,
más, ensangrentado:
¡desde que te he visto
mi sangre he secado!

Mano de mi Cristo,
que como otro párpado
tajeada llora:
¡desde que os he visto
la mía no implora!

Brazos de mi Cristo,
brazos extendidos
sin ningún rechazo:
¡desde que os he visto
existe mi abrazo!

Costado de Cristo,
otro labio abierto
regando la vida:
¡desde que te he visto
rasgué mis heridas!

Mirada de Cristo,
por no ver su cuerpo,
al cielo elevada:
¡desde que te he visto
no miro mi vida
que va ensangrentada!

CANTO DO JUSTO

Peito do meu Cristo
mais ensanguentado
do que o pôr do sol:
desde que te vi
meu sangue secou.

Mãos de Jesus Cristo
que à feição de pálpebras
retalhadas, choram:
desde que vos vi
nada mais imploro.

Braços do meu Cristo
largamente abertos
para toda a terra:
desde que vos vi
meu abraço existe.

Flanco do meu Cristo
fonte que se exaure
restaurando a vida:
desde que te vi
rasguei-me a ferida.

Olhares de Cristo
por fugir ao corpo
erguidos ao céu:
desde que vos vi
não contemplo mais
minha vida em sangue.

Cuerpo de mi Cristo,
te miro pendiente,
aún crucificado.
¡Yo cantaré cuando
te hayan desclavado!

¿Cuándo será? ¿Cuándo?
¡Dos mil años hace
que espero a tus plantas
y espero llorando!

Corpo do meu Cristo
nessa cruz de sempre
vejo-te cravado:
meu canto hei de erguer-te
no dia em que os homens
te hajam libertado.

Quando será? Quando?
Dois mil anos há
que espero a teus pés
e espero chorando.

DESHECHA

Hay una congoja de algas
y una sordera de arenas,
un solapamiento de aguas
con un quebranto de hierbas.

Estamos bajo la noche
las criaturas completas:
los muros, blancos de fieles;
el pinar lleno de esencia,
una pobre fuente impávida
y un dintel de frente alerta.

Y mirándonos en ronda,
sentimos como vergüenza
de nuestras rodillas íntegras
y nuestras sienes sin mengua.

Cae el cuerpo de una madre
roto en hombros y en caderas;
cae en un lienzo vencido
y en unas tardas guedejas.

La oyen caer sus hijos
como la duna su arena;
en mil rayas soslayadas,
se va y se va por la puerta.

Y nadie para el estrago,
y están nuestras manos quietas,
mientras que bajan sus briznas
en un racimo de abejas.

Descienden abandonados
sus gestos que no sujeta,
y su brazo se relaja,
y su color no se acuerda.

DESMEMBRADA

Há uma agonia de algas,
há uma surdez de areias,
um solapamento de águas
e um quebrantamento de ervas.

Sob a noite estamos nós,
as criaturas completas:
os muros brancos e fiéis,
o pinhal cheio de essência,
uma pobre fonte impávida
e uma vidraça em vigília.

Olhando umas para as outras
de vergonha estremecemos
por nossos joelhos intactos
e nossas frontes perfeitas.

Cai um corpo maternal
roto em ombros e em quadris,
cai numa tela, vencido,
numas tardas cabeleiras.

Ouvem-na tombar seus filhos
como à duna a própria areia,
em filamentos oblíquos
atravessando a soleira.

Ninguém susta o desperdício
e nossas mãos estão quietas,
enquanto baixam seus fios
em um enxame de abelhas.

Caem assim extenuados
seus gestos já sem governo
e seu braço se abandona
e sua cor não se lembra.

¡Y pronto va a estar sin nombre
la madre que aquí se mienta,
y ya no le convendrán
perfil, ni casta, ni tierra!

Ayer no más era una
y se podía tenerla,
diciendo nombre verídico
a la madre verdadera.

De sien a pies, era única
como el compás o la estrella.
Ahora ya es el reparto
entre dos devanaderas
y el juego de "toma y daca"
entre Miguel y la Tierra.*

Entre orillas que se ofrecen,
vacila como las ebrias
y después sube tomada
de otro aire y otra ribera.

Se oye un duelo de orillas
por la madre que era nuestra:
una orilla que la toma
y otra que aún la jadea.

¡Llega al tendal dolorido
de sus hijos en la aldea,
el trance de su conflicto
como de un río en el delta¡

*Desta estrofe, Henriqueta Lisboa não traduziu os dois últimos versos. Apresentamos deles a seguinte tradução livre: "e o jogo de 'toma lá e dá cá'/ entre Miguel e a Terra". (N. dos O.)

E logo estará sem nome
a mãe que aqui se apresenta
e já não lhe convirão
perfil, nem casta, nem terra.

Entretanto ontem foi uma
que se podia reter
dizendo nome verídico
de condição verdadeira.

Da fronte aos pés era única
tal o compasso ou a estrela.
Agora já se reparte
por dois teares, duas teias

Entre margens sugestivas
vacila assim como as ébrias
e agora sobe embebida
de outro ar e de outra ribeira.

Ouve-se um duelo de margens
pela mãe que se nos dera,
de um lado a margem que a arrasta,
de outro a margem que a persegue.

Chega ao tendal dolorido
de seus filhos pela aldeia,
o transe de seu conflito
como de um rio no delta.

LA MEMORIA DIVINA

A Elsa Fano

Si me dais una estrella,
y me la abandonáis, desnuda ella
entre la mano, no sabré cerrarla
por defender mi nacida alegría.
Yo vengo de una tierra
donde no se perdía.

Si me encontráis la gruta
maravillosa, que como una fruta
tiene entraña purpúrea y dorada,
y hace inmensa de asombro la mirada,
no cerraré la gruta
ni a la serpiente ni a la luz del día,
que vengo de una tierra
donde no se perdía.

Si vasos me alargaseis,
de cinamomo y sándalo, capaces
de aromar las raíces de la tierra
y de parar al viento cuando yerra,
a cualquier playa los confiaría,
que vengo de un país
en que no se perdía.

Tuve la estrella viva en mi regazo,
y entera ardí como en tendido ocaso.
Tuve también la gruta en que pendía
el sol, y donde no acababa el día.

Y no supe guardarlos,
ni entendí que oprimirlos era amarlos.
Dormí tranquila sobre su hermosura
y sin temblor bebía en su dulzura.

A MEMÓRIA DIVINA

Se em minhas mãos abandonardes
uma desnuda estrela,
nem para defender minha alegria
saberei escondê-la.
Eu venho de uma terra
onde não se perdia.

Se me abrirdes a gruta
maravilhosa assim como uma fruta
de ouro e púrpura que nos banha
os olhos de um grande assombro,
não cerrarei a gruta
nem à serpente nem à luz do dia,
pois venho de uma terra
onde não se perdia.

Se me oferecêsseis vasos
de cinamomo e sândalo, capazes
de perfumar as raízes da terra
e de deter o vento quando erra,
a qualquer praia os confiaria,
pois venho de uma terra
em que não se perdia.

Tive no peito a estrela viva
e inteira ardi como um ocaso.
E tive a gruta ensolarada
em que prolongava o dia.

Porém não as guardei, convicta
de que não oprime quem ama.
Dormi tranquila sobre a sua formosura,
fui serena ao sorver sua doçura.

Y los perdí, sin grito de agonía,
que vengo de una tierra
en donde el alma eterna no perdía.

Tudo perdi sem grito de agonia
pois venho de uma terra
onde a alma – eterna – não perdia.

LEÑADOR

Quedó sobre las hierbas
el leñador cansado,
dormido en el aroma
del pino de su hachazo.
Tienen sus pies majadas
las hierbas que pisaron.
Le canta el dorso de oro
y le sueñan las manos.
Veo su umbral de piedra,
su mujer y su campo.
Las cosas de su amor
caminan su costado;
las otras que no tuvo
le hacen como más casto,
y el soñoliento duerme
sin nombre, como un árbol.

El mediodía punza
lo mismo que venablo.
Con una rama fresca
la cara le repaso.
Se viene de él a mí
su día como un canto
y mi día le doy
como pino cortado.

Regresando, a la noche,
por lo ciego del llano,
oigo gritar mujeres
al hombre retardado;
y cae a mis espaldas
y tengo en cuatro dardos
nombre del que guardé
con mi sangre y mi hálito.

LENHADOR

Adormeceu na relva
o lenhador cansado
respirando o perfume
que o madeiro trescala.
Traz nos pés os resíduos
das plantas que pisaram.
Canta-lhe o dorso de ouro
e suas mãos têm sonhos.
Vejo seu lar de pedra,
sua mulher, seu campo.
Os amores que teve
perpassam-lhe nos flancos;
os que não desfrutou
como que o tornam casto.
E ele dorme, sem nome,
sono igual ao de uma árvore.

O sol a pino fere
semelhante a um venábulo.
Passo-lhe pelo rosto
uma fresca ramagem.
Dele vem para mim
seu dia como um canto;
e meu dia lhe entrego
como pinho cortado.

Ao regressar à noite
pela cega esplanada,
ouço: gritam mulheres
ao homem retardado.
Cai-me então sobre os ombros
e tenho em quatro dardos
nome do que guardei
com meu sangue e meu hálito.

LA MONTAÑA DE NOCHE

Haremos fuegos sobre la montaña.
La noche que desciende, leñadores,
no echará al cielo ni sus crenchas de astros.
¡Haremos treinta fuegos brilladores!

Que la tarde quebró un vaso de sangre
sobre el ocaso, y es señal artera.
El espanto se sienta entre nosotros
si no hacéis corro en torno de la hoguera.

Semeja este fragor de cataratas
un incansable galopar de potros
por la montaña, y otro fragor sube
de los medrosos pechos de nosotros.

Dicen que los pinares en la noche
dejan su éxtasis negro, y a una extraña,
sigilosa señal, su muchedumbre
se mueve, tarda, sobre la montaña.

La esmaltadura de la nieve adquiere
en la tiniebla un arabesco avieso:
sobre el osario inmenso de la noche,
finge un bordado lívido de huesos.

E invisible avalancha de neveras
desciende, sin llegar, al valle inerme,
mientras vampiros de arrugadas alas
rozan el rostro del pastor que duerme.

Dicen que en las cimeras apretadas
de la próxima sierra hay alimañas
que el valle no conoce y que en la sombra,
como greñas, desprende la montaña.

A MONTANHA DE NOITE

Acenderemos fogos na montanha.
Lenhadores, a noite se aproxima
e astro nenhum trará nos escaninhos.
Trinta fogueiras hoje acenderemos.

Porque a tarde quebrou há pouco um vaso
de sangue no horizonte. E é mau agouro.
Juntos fiquemos ao redor do fogo
para que não habite em nós o espanto.

Esse fragor de catadupas lembra
um incansável galopar de potros
pela montanha. Enquanto sobe um outro
fragor dos nossos temerosos peitos.

Dizem que pela noite o êxtase negro
os pinheiros esquecem, e a um estranho
sinal secreto, sua multidão
move-se, vagarosa, na montanha.

A esmeralda da neve então adquire
riscando a treva um arabesco oblíquo.
Sobre o ossário da noite que se estende
representa um bordado de ossos, lívido.

Há um alude invisível que dos montes
desliza mas não chega ao vale inerme.
Há morcegos que vêm, de asas rugosas,
roçar o rosto do pastor que dorme.

Dizem que pelos cimos apertados
da serra próxima, andam junto à sombra
daninhos animais que o vale ignora
nascidos, como grenhas, da montanha.

Me va ganando el corazón el frío
de la cumbre cercana. Pienso: "Acaso
los muertos que dejaron por impuras
las ciudades, elijan el regazo

recóndito de los desfiladeros
de tajo azul, que ningún alba baña,
¡y al espesar la noche sus betunes
como una mar invadan la montaña!"

Tronchad los leños tercos y fragantes,
salvias y pinos chisporroteadores,
y apretad bien el corro en torno al fuego,
¡que hace frío y angustia, leñadores!

Já me penetra o coração o frio
do cume ao lado. Penso: porventura
os mortos que deixaram por impuras
as cidades, escolhem o regaço

recôndito e ermo dos desfiladeiros
de escarpa azul que alba nenhuma banha
e, quando a noite adensa seus betumes,
tal como um mar invadem a montanha.

Rachai troncos espessos e fragrantes,
pinheiros que dão chama abrasadora,
apertai bem o cerco da fogueira
porque há frio e angústia, lenhadores.

RIQUEZA

Tengo la dicha fiel
y la dicha perdida:
la una como rosa,
la otra como espina.
De lo que me robaron
no fui desposeída:
tengo la dicha fiel
y la dicha perdida,
y estoy rica de púrpura
y de melancolía.
¡Ay, qué amada es la rosa
y qué amante la espina!
Como el doble contorno
de las frutas mellizas,
tengo la dicha fiel
y la dicha perdida...

RIQUEZA

Tenho a fortuna fiel
e a fortuna perdida.
Uma assim como rosa,
a outra assim como espinho.
Não me prejudicou
o roubo que sofri.
Tenho a fortuna fiel
e a fortuna perdida.
E estou rica de púrpura
e de melancolia.
Como é amada a rosa,
como é amante o espinho!
Tal num duplo contorno
frutas gêmeas unidas,
tenho a fortuna fiel
e a fortuna perdida.

AGUA

Hay países que yo recuerdo
como recuerdo mis infancias.
Son países de mar o río,
de pastales, de vegas y aguas.
Aldea mía sobre el Ródano,
rendida en río y en cigarras;
Antilla en palmas verdinegras
que a medio mar está y me llama;
¡roca lígure de Portofino:
mar italiana, mar italiana!

Me han traído a país sin río,
tierras-Agar, tierras sin agua;
Saras blancas y Saras rojas,
donde pecaron otras razas,
de pecado rojo de atridas
que cuentan gredas tajeadas;
que no nacieron como un niño
con unas carnazones grasas,
cuando las oigo, sin un silbo,
cuando las cruzo, sin mirada.

Quiero volver a tierras niñas;
llévenme a un blando país de aguas.
En grandes pastos envejezca
y haga al río fábula y fábula.
Tenga una fuente por mi madre
y en la siesta salga a buscarla,
y en jarras baje de una peña
un agua dulce, aguda y áspera.

ÁGUA

Há países de que me lembro
como lembro os tempos da infância.
São países de mar e rio,
de pastos, de veigas e de águas.
Aldeia minha sobre o Ródano,
transformada em rio e em cigarras;
Antilha em palmas verde-negras
que cercada de ondas me chama;
rocha ancestral de Portofino,
ó mar, ó mar italiano!

Trouxeram-me a país sem rio,
terras-Agar, terras sem água;
Saras brancas e Saras rubras
onde outras raças cometeram
o mesmo pecado de atridas,
segundo gredas fragmentadas;
que não nasceram como criança
com carnações assim macias,
quando as ouço, sem um suspiro,
quando as cruzo, sem um olhar.

Quero rever terras meninas;
conduzam-me ao país das águas.
Em grandes prados envelheça
contando ao rio minhas fábulas.
Tenha por mãe alguma fonte
e à hora da sesta vá buscá-la,
e em jatos baixe de uma penha
uma água doce, aguda e áspera.

Me venza y pare los alientos
el agua acérrima y helada.
¡Rompa mi vaso y al beberla
me vuelva niñas las entrañas!

Suspenda-me o próprio respiro
a água gelada e causticante.
Rompa meu copo e que ao bebê-la
volte a inocência à minha entranha.

PAN

A Teresa y Enrique Díez-Canedo

Dejaron un pan en la mesa,
mitad quemado, mitad blanco,
pellizcado encima y abierto
en unos migajones de ampo.

Me parece nuevo o como no visto,
y otra cosa que él no me ha alimentado,
pero volteando su miga, sonámbula,
tacto y olor se me olvidaron.

Huele a mi madre cuando dió su leche,
huele a tres valles por donde he pasado:
a Aconcagua, a Pátzcuaro, a Elqui,
y a mis entrañas cuando yo canto.

Otros olores no hay en la estancia
y por eso él así me ha llamado;
y no hay nadie tampoco en la casa
sino este pan abierto en un plato,
que con su cuerpo me reconoce
y con el mío yo reconozco.

Se ha comido en todos los climas
el mismo pan en cien hermanos:
pan de Coquimbo, pan de Oaxaca,
pan de Santa Ana y de Santiago.

En mis infancias yo le sabía
forma de sol, de pez o de halo,
y sabía mi mano su miga
y el calor de pichón emplumado...

PÃO

Deixaram sobre a mesa um pão
meio branco, meio queimado,
beliscado em cima e aberto
como umas migalhas de nácar.

Parece-me desconhecido
quando sempre me alimentou.
Alheia, porém, à substância,
olvidei esse tato e odor.

Tem o aroma de minha mãe
quando amamentava, o dos vales
chilenos que andei, o de minhas
próprias entranhas quando canto.

Não há na estância outros odores
por isso ele assim me chamou.
Não há ninguém mais em casa
senão este pão sobre um prato:
com seu corpo me reconhece,
com meus sentidos, reconheço-o.

Comeram-se em diversos climas
cem pães e eram todos o mesmo:
pão de Coquimbo, pão de Oaxaca,
pão de Santa Ana e de Santiago.

Na infância, eu me recordo, tinha
forma de sol, de peixe, de halo;
e no seu miolo eu sentia
calor de avezinha emplumada.

Después le olvidé, hasta este día
en que los dos nos encontramos,
yo con mi cuerpo de Sara vieja
y él con el suyo de cinco años.

Amigos muertos con que comíalo
en otros valles sientan el vaho
de un pan en septiembre molido
y en agosto en Castilla segado.

Es otro y es el que comimos
en tierras donde se acostaron.
Abro la miga y les doy su calor;
lo volteo y les pongo su hálito.

La mano tengo de él rebosada
y la mirada puesta en mi mano;
entrego un llanto arrepentido
por el olvido tantos años,
y la cara se me envejece
o me renace en este hallazgo.

Como se halla vacía la casa,
estemos juntos los reencontrados,
sobre esta mesa sin carne y fruta,
los dos en este silencio humano,
hasta que seamos otra vez uno
y nuestro día haya acabado...

Depois o esqueci até que hoje
finalmente nos encontramos,
eu com meu corpo de Sara velha,
ele com o seu de cinco anos.

Amigos mortos com que o comia
noutros vales, sintam as auras
de um pão em setembro moído
e que em Castilla foi segado.

É outro e é o mesmo que comemos
em terras onde repousaram.
No pão ficou-lhes o calor,
paira em torno dele seu hálito.

Com abundância se me entrega
olhos e mãos na minha mão.
Brota-me um pranto arrependido
por esse esquecimento de anos.
Talvez envelheça meu rosto,
talvez renasça – nesse encontro.

Como se acha vazia a casa,
fiquemos juntos os reencontrados;
sobre esta mesa sem carne ou fruta,
os dois neste silêncio humano
até que sejamos um só
e o nosso dia se acabe.

LA CASA

La mesa, hijo, está tendida,
en blancura quieta de nata,
y en cuatro muros azulea.
dando relumbres, la cerámica.
Esta es la sal, este el aceite
y al centro el Pan que casi habla.
Oro más lindo que oro del Pan
no está ni en fruta ni en retama,
y da su olor de espiga y horno
una dicha que nunca sacia.
Los partimos, hijito, juntos,
con dedos duros y palma blanda,
y tú lo miras asombrado
de tierra negra que da flor blanca.

Baja la mano de comer,
que tu madre también la baja.
Los trigos, hijo, son del aire,
y son del sol y de la azada;
pero este Pan "cara de Dios"[1]
no llega a mesas de las casas.
Y si otros niños no lo tienen,
mejor, mi hijo, no lo tocaras,
y no tomarlo mejor sería
con mano y mano avergonzadas.

Hijo, el Hambre, cara de mueca,
en remolino gira las parvas,
y se buscan y no se encuentran
el pan y el Hambre corcovada.

1 En Chile, el pueblo llama al pan "cara de Dios".

A CASA

A mesa está posta, meu filho,
em alvura quieta de nata;
e as quatro paredes de barro
em tons de claro azul rebrilham.
Este é o sal, este é o azeite,
e o pão que quase fala, ao centro.
Ouro mais lindo que o do pão
não se acha em fruta nem em giesta;
e é seu odor de espiga e forno
uma ventura que não cansa.
Nós o partimos juntos, filho,
firmes os dedos, palma branda,
e te assombras vendo-o tão branca
flor nascida da terra escura.

Baixa essas mãos para o alimento
que tua mãe assim o faz.
Os trigos pertencem ao ar
e são do sol e são da enxada;
mas este pão "cara de Deus"
nem sempre chega a toda casa.
E se outras crianças não o têm,
melhor será não o tocarmos,
melhor será não o comermos,
sentindo-nos envergonhados.

Filho, a fome, com seus trejeitos,
em redemoinho roda as searas;
buscam-se porém não se encontram
o pão e a fome corcovada.

Para que lo halle, si ahora entra,
el Pan dejemos hasta mañana;
el fuego ardiendo marque la puerta,
que el indio quechua nunca cerraba,
y miremos comer al Hambre,
para dormir con cuerpo y alma.

Para que o ache, se entra agora,
guarde-se o pão para amanhã;
o fogo ardendo marque a porta
que o índio quéchua não fechava.
E se virmos comer a fome
dormiremos de corpo e de alma.

DOS ÁNGELES

No tengo sólo un Ángel
con ala estremecida:
me mecen como al mar
mecen las dos orillas
el Ángel que da el gozo
y el que da la agonía,
el de alas tremolantes
y el de las alas fijas.

Yo sé, cuando amanece,
cuál va a regirme el día,
si el de color de llama
o el color de ceniza,
y me les doy como alga
a la ola, contrita.

Sólo una vez volaron
con las alas unidas:
el día del amor,
el de la Epifanía.

¡Se juntaron en una
sus alas enemigas
y anudaron el nudo
de la muerte y la vida!

DOIS ANJOS

Não é um anjo apenas
que me afeiçoa e guia.
Como embalam as duas
orlas ao mar, embalam-me
o anjo que traz o gozo
e o que traz a agonia;
o que tem asas voantes
e o que tem asas fixas.

Eu sei, quando amanhece,
qual vai reger-me o dia,
se o anjo cor de chama,
se o anjo cor de cinza.
E dou-me a eles como
alga às ondas, contrita.

Voaram uma só vez
com as asas unidas:
foi o dia do amor,
o da Epifania.

Fundiram-se numa asa
as asas inimigas
e apertaram o nó
que junta à morte a vida.

LA EXTRANJERA

A Francis de Miomandre

— "Habla con dejo de sus mares bárbaros,
con no sé qué algas y no sé qué arenas;
reza oración a dios sin bulto y peso,
envejecida como si muriera.
En huerto nuestro que nos hizo extraño,
ha puesto cactus y zarpadas hierbas.
Alienta del resuello del desierto
y ha amado con pasión de que blanquea,
que nunca cuenta y que si nos contase
sería como el mapa de otra estrella.
Vivirá entre nosotros ochenta años,
pero siempre será como si llega,
hablando lengua que jadea y gime
y que le entienden sólo bestezuelas.
Y va a morirse en medio de nosotros,
en una noche en la que más padezca,
con sólo su destino por almohada,
de una muerte callada y *extranjera*".

A ESTRANGEIRA

Fala com a deixa de seus mares bárbaros,
com não sei que algas e não sei que areias;
reza oração a Deus sem vulto ou peso,
envelhecida como se morresse.
Em horto nosso que tornou estranho
plantou uns cactos e agarradas gramas.
Respira a mesma ardência do deserto
e amou com essa paixão de que encanece,
de que não fala nunca e se falasse
seria como mapa de outra estrela.
Oitenta anos conosco viverá,
porém sempre será como quem chega,
falando língua que vacila e treme
só entendida dos irracionais.
E vai morrer assim no nosso meio,
alguma noite em que padeça mais,
tendo o destino só por almofada,
de uma morte calada e estrangeira.

HIMNO AL ÁRBOL

A don José Vasconcelos

Árbol hermano, que clavado
por garfios pardos en el suelo,
la clara frente has elevado
en una intensa sed de cielo:

hazme piadoso hacia la escoria
de cuyos limos me mantengo,
sin que se duerma la memoria
del país azul de donde vengo.

Árbol que anuncias al viandante
la suavidad de tu presencia
con tu amplia sombra refrescante
y con el nimbo de tu esencia:

haz que revele mi presencia,
en la pradera de la vida,
mi suave y cálida influencia
de criatura bendecida.

Árbol diez veces productor:
el de la poma sonrosada,
el del madero constructor,
el de la brisa perfumada,
el del follaje amparador;

el de las gomas suavizantes
y las resinas milagrosas,
pleno de tirsos agobiantes
y de gargantas melodiosas:

hazme en el dar un opulento.
¡Para igualarte en lo fecundo,

HINO À ÁRVORE

Árvore irmã que bem cravada
por ganchos escuros ao solo
a clara fronte levantaste
numa sede intensa de céu.

Faz-me piedoso para a escória
de cujos limos me mantenho
sem que se adormeça a memória
do país azul de onde venho.

Tu que anuncias ao viandante
a graça de tua presença
com ampla sombra refrescante
e com o nimbo de tua essência;

faze com que a minha presença
revele, nos prados da vida,
dúlcida e cálida influência
por sobre as almas exercida.

Árvore criadora dez vezes:
a que tem fruto cor-de-rosa,
a de madeira construtora,
a de zéfiro perfumada,
a de folhagem protetora,

a de bálsamos suavizantes
e a de resinas milagrosas
repleta de pesados ramos
e de gargantas melodiosas;

torna-me doador opulento,
faze-me como tu fecundo:

el corazón y el pensamiento
se me hagan vastos como el mundo!

Y todas las actividades
no lleguen nunca a fatigarme:
¡las magnas prodigalidades
salgan de mí sin agotarme!

Árbol donde es tan sosegada
la pulsación del existir,
y ves mis fuerzas la agitada
fiebre del mundo consumir:

hazme sereno, hazme sereno,
de la viril serenidad
que dio a los mármoles helenos
su soplo de divinidad.

Árbol que no eres otra cosa
que dulce entraña de mujer,
pues cada rama mece airosa
en cada leve nido un ser:

dame un follaje vasto y denso,
tanto como han de precisar
los que en el bosque humano, inmenso,
rama no hallaron para hogar!

Árbol que donde quiera aliente
tu cuerpo lleno de vigor,
levantarás invariablemente
el mismo gesto amparador:

haz que a través de todo estado
– niñez, vejez, placer, dolor –
levante mi alma un invariado
y universal gesto de amor.

o coração e o pensamento
me sejam vastos como o mundo.

E todas as atividades
não cheguem nunca a fatigar-me;
as magnas prodigalidades
surjam de mim sem esgotar-me.

Árvore, em que é tão sossegada
a pulsação do existir,
e vês meu alento a agitada
febre do mundo consumir;

faze-me sereno, sereno,
dessa viril serenidade
que deu aos mármores helenos
o seu sopro de divindade.

Tu que não és outra cousa
que doce entranha de mulher,
pois cada rama guarda airosa
em cada leve ninho um ser,

dá-me ramagem vasta e densa
tanto quanto hão de precisar
os que no bosque humano imenso
não tenham lenha para o lar.

Árvore que onde se levante
teu corpo cheio de vigor
assumes invariavelmente
o mesmo gesto protetor;

faze que ao longo dos estágios
da vida, no prazer, na dor,
minha alma assuma um invariado
e universal gesto de amor.

LA MEDIANOCHE

Fina, la medianoche.
Oigo los nudos del rosal:
la savia empuja subiendo a la rosa.

Oigo
las rayas quemadas del tigre
real: no le dejan dormir.

Oigo
la estrofa de uno,
y le crece en la noche
como la duna.

Oigo
a mi madre dormida
con dos alientos.
(Duermo yo en ella,
de cinco años.)

Oigo el Ródano
que baja y que me lleva como un padre
ciego de espuma ciega.

Y después nada oigo
sino que voy cayendo
en los muros de Arlès.
llenos de sol...

A MEIA-NOITE

Fina, a meia-noite.
Ouço os nós do rosal:
a seiva sobe dando impulso à rosa.

Ouço
as raias ardentes do tigre
real: não o deixam dormir.

Ouço
a estrofe de alguém
a crescer dentro da noite
como a duna.

Ouço
a minha mãe adormecida
com dois respiros
(Durmo em seu seio
aos cinco anos).

Ouço o Ródano
que baixa e me leva, pai
cego de espuma cega.

Nada mais ouço, após,
senão que vou tombando
entre os muros arlesianos
repletos de sol.

LA MUERTE-NIÑA

A Gonzalo Zaldumbide

En esa cueva nos nació,
y como nadie pensaría,
nació desnuda y pequeñita
como el pobre pichón de cría.

¡Tan entero que estaba el mundo!,
¡tan fuerte que era al mediodía!,
¡tan armado como la piña,
cierto del Dios que sostenía!

Alguno nuestro la pensó
como se piensa villanía;
la Tierra se lo consintió
y aquella cueva se le abría.

De aquel hoyo salió de pronto,
con esa carne de elegía;
salió tanteando y gateando
y apenas se la distinguía.

Con una piedra se aplastaba,
con el puño se la exprimía.
Se balanceaba como un junco
y con el viento se caía...

Me puse yo sobre el camino
para gritar a quien me oía:
"¡Es una muerte de dos años
que bien se muere todavía!"

A MORTE MENINA

Foi nessa cova que nasceu
e como ninguém pensaria,
nasceu desnuda e pequenina
como um filhote de cria.

Tão inteiro estava o mundo!
Era tão forte ao meio-dia!
Tão armado como o ananás,
seguro do Deus que o provia.

Algum de nós a sustentou
como se fosse vilania.
E como a terra ia aprovando
aquela cova se lhe abria.

Daquela toca saiu logo
com essa carne de elegia;
saiu tateando e engatinhando;
e aos olhos mal se distinguia.

Uma pedrada a esfacelava,
uma punhada a desfazia.
Balançava-se como o junco
e com o vento leve caía.

Pus-me no meio do caminho
para gritar a quem me ouvia:
– É uma morte de dois anos
que vai morrendo, todavia.

Recios rapaces la encontraron,
a hembras fuertes cruzó la vía;
la miraron Nemrod y Ulises,
pero ninguno comprendía...

Se envilecieron las mañanas.
torpe se hizo el mediodía;
cada sol aprendió su ocaso
y cada fuente su sequía.

La pradera aprendió el otoño
y la nieve su hipocresía,
la bestezuela su cansancio,
la carne de hombre su agonía.

Yo me entraba por casa y casa
y a todo hombre se lo decía:
"¡Es una muerte de siete años
que bien se muere todavía!"

Y dejé de gritar mi grito
cuando vi que se adormecían.
Ya tenían no sé qué dejo
y no sé qué melancolía...

Comenzamos a ser los reyes
que conocen postrimería
y la bestia o la criatura
que era la sierva nos hería.

Ahora el aliento se apartaba
y ahora la sangre se perdía,
y la canción de las mañanas
como cuerno se enronquecía.

Rijos rapazes a encontraram,
fêmeas fortes cruzou na via.
Nemrode e Ulisses a miraram,
entretanto nenhum compreendia.

Envileceram-se as manhãs,
tornou-se torpe o meio-dia;
cada sol aprendeu seu poente,
cada fonte a seca, à porfia.

A campina aprendeu o outono
e a neve sua hipocrisia;
o animal seu cansaço, a carne
do homem sua própria agonia.

Eu ia então de casa em casa
e a todos os homens dizia:
– É uma morte de sete anos
que vai morrendo, todavia.

E deixei de gritar meu grito
quando senti que adormeciam.
Já possuíam não sei que estigma
e não sei que melancolia.

Começamos a ser os reis
que conhecem o fim dos dias.
E essa fera ou essa criatura,
a que era a serva, nos feria.

Aqui o alento se esgotava,
aqui o sangue se perdia.
E a canção das manhãs, assim
como os búzios enrouquecia.

La Muerte tenía treinta años,
ya nunca más se moriría,
y la segunda Tierra nuestra
iba abriendo su Epifanía.

Se lo cuento a los que han venido,
y se ríen con insanía:
"Yo soy de aquellas que bailaban
cuando la Muerte no nacía..."

A Morte contava trinta anos
e já nunca mais morreria.
E eis que a segunda terra nossa
começou sua epifania.

Conto a todos os que chegaram
e riem-se de alma vazia:
– Eu sou das que bailavam quando
a Morte ainda não nascia...

BEBER

Al doctor Pedro de Alba

Recuerdo gestos de criaturas
y son gestos de darme el agua.

En el valle de Río Blanco,
en donde nace el Aconcagua,
llegué a beber, salté a beber
en el fuete de una cascada,
que caía crinada y dura
y se rompía yerta y blanca.
Pegué mi boca al hervidero,
y me quemaba el agua santa,
y tres días sangró mi boca
de aquel sorbo del Aconcagua.

En el campo de Mitla, un día
de cigarras, de sol, de marcha,
me doblé a un pozo y vino un indio
a sostenerme sobre el agua,
y mi cabeza, como un fruto,
estaba dentro de sus palmas.
Bebía yo lo que bebía,
que era su cara con mi cara,
y en un relámpago yo supe
carne de Mitla ser mi casta.

En la isla de Puerto Rico,
a la siesta de azul colmada,
mi cuerpo quieto, las olas locas,
y como cien madres las palmas,
rompió una niña por donaire
junto a mi boca un coco de agua,

BEBER

Recordo gestos de criaturas
– gestos com que me deram água.

No vale do Rio Branco,
lá onde nasce o Aconcágua,
cheguei, desci para beber
no jorro de uma cascata
que tombava copada e dura
e se rompia tesa e branca.
Juntei a boca ao fervedouro
e queimava-me a água sagrada,
e três dias sangrou-me a boca
daquele sorvo do Aconcágua.

No campo de Mitla, um dia
de cigarras, de sol, de marcha,
dobrei-me sobre um poço, e um índio
sustentou-me por sobre as águas;
minha cabeça como um fruto
dentro de suas mãos estava;
bebia eu o que bebia
que era seu rosto com meu rosto;
e num instante percebi:
era idêntica a nossa casta.

Lá na ilha de Porto Rico,
numa sesta plena de azul,
meu corpo quieto, as ondas loucas
e como cem mães as palmeiras,
rompeu graciosa uma menina
na minha boca um coco de água;

y yo bebí, como una hija,
agua de madre, agua de palma.
Y más dulzura no he bebido
con el cuerpo ni con el alma.

A la casa de mis niñeces
mi madre me llevaba el agua.
Entre un sorbo y el otro sorbo
la veía sobre la jarra.
La cabeza más se subía
y la jarra más se abajaba.

Todavía yo tengo el valle,
tengo mi sed y su mirada.
Será esto la eternidad
que aún estamos como estábamos.

Recuerdo gestos de criaturas
y son gestos de darme el agua.

e então bebi, como uma filha,
água materna, água de palma.
Nunca bebi tanta doçura
com o corpo nem sequer com a alma.

Na casa onde passei a infância
minha mãe matava-me a sede.
Entre um sorvo de água e outro sorvo
eu a via por sobre o jarro.
A cabeça sempre mais alta
e na frente o jarro mais baixo.

Ainda hoje contemplo o vale,
guardo a sede, seus olhos vejo.
Talvez seja isto a eternidade:
estarmos sempre como estávamos.

Recordo gestos de criaturas
– gestos com que me deram água.

PAÍS DE LA AUSENCIA

A Ribeiro Couto

País de la ausencia,
extraño país,
más ligero que ángel
y seña sutil,
color de alga muerta,
color de neblí,
con edad de siempre,
sin edad feliz.

No echa granada,
no cría jazmín,
y no tiene cielos
ni mares de añil.
Nombre suyo, nombre,
nunca se lo oí,
y en país sin nombre
me voy a morir.

Ni puente ni barca
me trajo hasta aquí,
no me lo contaron
por isla o país.
Yo no lo buscaba
ni lo descubrí.

Parece una fábula
que yo me aprendí,
sueño de tomar
y de desasir.
Y es mi patria donde
vivir y morir.

PAÍS DA AUSÊNCIA

É o país da ausência
estranho país,
mais leve do que anjo
e indício sutil,
cor de alga em desmaio
e ave peregrina,
com a idade de sempre
mas nunca feliz.

Jamais oferece
romã ou jasmim;
não tem claros céus
nem mares de anil;
entre outros, seu nome
de ninguém o ouvi.
Em país sem nome
vou por fim dormir.

Nem ponte nem barca
me trouxe até aqui;
nunca me falaram
sobre este país;
eu não o buscava
nem o descobri.

Parece uma fábula
que eu mesma teci;
sonho de tomar
e de desistir;
pátria onde se encontram
minha morte e vida.

Me nació de cosas
que no son país;
de patrias y patrias
que tuve y perdí;
de las criaturas
que yo vi morir;
de lo que era mío
y se fue de mí.

Perdí cordilleras
en donde dormí;
perdí huertos de oro
dulces de vivir;
perdí yo las islas
de caña y añil,
y las sombras de ellos
me las vi ceñir
y juntas y amantes
hacerse país.

Guedejas de nieblas
sin dorso y cerviz,
alientos dormidos
me los vi seguir,
y en años errantes
volverse país,
y en país sin nombre
me voy a morir.

Nasceu-me de cousas
que não são país:
de pátrias e pátrias
que tive e perdi;
de muitas criaturas
que morrerem vi;
de quanto era meu
e se foi de mim.

Perdi cordilheiras
onde me detive;
pomares com frutos
de suave delícia;
ilhas, canaviais
de verdes matizes;
tudo isso, com as sombras
a se confundirem
cerradas e amantes,
tornou-se país.

Cabelos de névoa
sem dorso e cerviz,
alentos de outrora
sempre a me seguirem
por percursos longos
viraram país.
Em país sem nome
vou por fim dormir.

POETA

A Antonio Aita

"En la luz del mundo
yo me he confundido.
Era pura danza
de peces benditos,
y jugué con todo
el azogue vivo.
Cuando la luz dejo,
quedan peces lívidos
y a la luz frenética
vuelvo enloquecido."

"En la red que llaman
la noche fui herido,
en nudos de Osas
y luceros vivos.
Yo le amaba el coso
de lanzas y brillos,
hasta que por red
me la he conocido
que pescaba presa
para los abismos."

"En mi propia carne
también me he afligido.
Debajo del pecho
me daba un vagido.
Y partí mi cuerpo
como un enemigo,
para recoger
entero el gemido."

POETA

“Na luz do universo
eu me confundi.
Era pura dança
de peixes benditos.
Recreei-me com
todo o azougue vivo.
Quando deixo a luz
quedam peixes lívidos
e à luz frenética
volto enlouquecido.”

“Na rede que chamam
noite, fui ferido
em vínculos de Ursas
e luzeiros vivos.
Eu amava a arena
de lanças e ristes,
até que a urdidura
lhe reconheci:
rede que pescava
presas para o abismo.”

“Nas próprias entranhas
também me afligi.
No fundo do peito
sentia um vagido.
E rompi meu corpo
como um inimigo
para recolher
inteiro o gemido.”

"En límite y límite
que toqué fui herido.
Los tomé por pájaros
del mar, blanquecinos.
Puntos cardinales
son cuatro delirios...
Los anchos alciones
no traigo cautivos
y el morado vértigo
fue lo recogido."

"En los filos altos
del alma he vivido:
donde ella espejea
de luz y cuchillos,
en tremendo amor
y en salvaje ímpetu,
en grande esperanza
y en rasado hastío.
Y por las cimeras
del alma fui herido."

"Y ahora me llega
del mar de mi olvido
ademán y seña
de mi Jesucristo
que, como en la fábula,
el último vino,
y en redes ni cáñamos
ni lazos me ha herido."

"Y me doy entero
al Dueño divino
que me lleva como
un viento o un río,
y más que un abrazo

"Nos limites vários
que toquei, feri-me.
Tomei-os por pássaros
marítimos, níveos.
Os pontos cardeais
são quatro delírios.
Os grandes alciões
não trago cativos.
Recolhi apenas
rubor e vertigem."

"Nos âmbitos da alma
eu tenho vivido:
onde ela cintila
de luz e de espadas
em tremendo amor
e selvagem ímpeto,
em grande esperança
e tédio e fadiga.
E pelas cumeadas
da alma, fui ferido."

"E agora me chega
do oceano do olvido
apelo e sinal
do meu Jesus Cristo
que, como na fábula,
só veio no fim
e em redes nem cânhamos
preso, não me quis."

"Inteiro me entrego
ao Dono Divino
que me leva como
um vento ou um rio,
e mais que um abraço

me lleva ceñido,
en una carrera
en que nos decimos
nada más que "¡Padre!"
y nada más que "¡Hijo!"

guarda-me cingido
em uma carreira
em que só dizemos
a palavra – Pai
e a palavra – Filho.”

PUERTAS

Entre los gestos del mundo
recibí el que dan las puertas.
En la luz yo las he visto
o selladas o entreabiertas
y volviendo sus espaldas
del color de la vulpeja.
¿Por qué fue que las hicimos
para ser sus prisioneras?

Del gran fruto de la casa
son la cáscara avarienta.
El fuego amigo que gozan
a la ruta no lo prestan.
Canto que adentro cantamos
lo sofocan sus maderas
y a su dicha no convidan
como la granada abierta:
¡Sibilas llenas de polvo,
nunca mozas, nacidas viejas!

Parecen tristes moluscos
sin marea y sin arenas.
Parecen, en lo ceñudo,
la nube de la tormenta.
A las sayas verticales
de la Muerte se asemejan
y yo las abro y las paso
como la caña que tiembla.

"¡No!", dicen a las mañanas
aunque las bañen, las tiernas.
Dicen "¡No!" al viento marino
que en su frente palmotea
y al olor de pinos nuevos
que se viene por la Sierra.

PORTAS

Por entre os gestos do mundo
guardo os que me vêm das portas.
Na luz eu as tenho visto
fechadas ou semiabertas,
por vezes voltando as costas
da mesma cor da raposa.
Mas por que foi que as fizemos
para ser seus prisioneiros?

Da grande fruta da casa
são o envólucro avarento.
Fogo amigo de que gozam
à estrada não o emprestam;
canto que dentro cantamos
sufocam-no com a madeira;
e à alegria não convidam
como a romã entreaberta:
sibilas plenas de poeira,
não jovens, nascidas velhas.

Parecem tristes moluscos
sem marés e sem areias.
Lembram, pelo sobrecenho,
umas nuvens de tormenta.
E às túnicas verticais
da Morte elas se assemelham.
E eu, quando as abro e transponho,
sou como a cana que treme.

Não! é o que dizem às ternas
manhãs quando estas as banham;
também ao vento marinho
que em frente lhes bate palmas;
e ao olor de pinhos novos
que vem chegando da serra.

Y lo mismo que Casandra,
no salvan aunque bien sepan:
porque mi duro destino
él también pasó mi puerta.

Cuando golpeo me turban
igual que la vez primera.
El seco dintel da luces
como la espada despierta
y los batientes se avivan
en escapadas gacelas.
Entro como quien levanta
paño de cara encubierta,
sin saber lo que me tiene
mi casa de angosta almendra
y pregunto si me aguarda
mi salvación o mi pérdida.

Ya quiero irme y dejar
el sobrehaz de la Tierra,
el horizonte que acaba
como un ciervo, de tristeza,
y las puertas de los hombres
selladas como cisternas.
Por no voltear en la mano
sus llaves de anguilas muertas
y no oírles más el crótalo
que me sigue la carrera.

Voy a cruzar sin gemido
la última vez por ellas
y a alejarme tan gloriosa
como la esclava liberta,
siguiendo el cardumen vivo
de mis muertos que me llevan.

Elas recordam Cassandra,
não salvam inda que saibam:
pois esse duro destino
transpôs a minha soleira.

Sinto, quando bato à porta,
a emoção da vez primeira.
O seco vitral de luzes
feito espada sempre alerta
e os batentes se reavivam
em fugitivas gazelas.
Entro como quem levanta
pano de rosto encoberto,
sem saber o que reserva
a minha casa, de amêndoa,
e pergunto se me aguarda
minha salvação ou perda.

Quero ir-me e abandonar
a sobreface da terra,
o horizonte que termina
como um cervo, de tristeza,
mais essas portas dos homens,
seladas como cisternas;
para não rodar nas mãos
as chaves, enguias mortas,
nem ouvir-lhes mais o crótalo
que me acompanha a carreira.

Vou cruzar sem um gemido
a última vez por elas
e a distanciar-me gloriosa
tal como a escrava liberta,
seguindo o cardume vivo
dos meus mortos que me levam.

No estarán allá rayados
por cubo y cubo de puertas
ni ofendidos por sus muros
como el herido en sus vendas.

Vendrán a mí sin embozo,
oreados de luz eterna.
Cantaremos a mitad
de los cielos y la tierra.
Con el canto apasionado
haremos caer las puertas
y saldrán de ellas los hombres
como niños que despiertan
al oír que se descuajan
y que van cayendo muertas.

Não estarão limitados
por cubo e cubo de portas,
nem ofendidos por muros
ou vendas no ferimento.

Virão a mim sem embuço
lavados de luz eterna.
Cantaremos na metade
dos céus azuis e da terra.
Com o cântico apaixonado
faremos cair as portas
e delas sairão os homens
como crianças que despertam,
ao ouvir que se esboroam
e que vão caindo mortas.

LA CABALGATA

A don Carlos Silva Vildósola

Pasa por nuestra Tierra
la vieja Cabalgata,
partiéndose la noche
en una pulpa clara
y cayendo los montes
en el pecho del alba.

Con el vuelo remado
de los petreles pasa,
o en un silencio como
de antorcha sofocada.
Pasa en un dardo blanco
la eterna Cabalgata...

Pasa, única y legión,
en cuchillada blanca,
sobre la noche experta
de carne desvelada.
Pasa si no la ven,
y si la esperan, pasa.

Se leen las Eneidas,
se cuentan Ramayanas,
se llora el Viracocha
y se remonta al Maya,
y madura la vida
mientras su río pasa.

Las ciudades se secan
como piel de alimaña
y el bosque se nos dobla
como avena majada,
si olvida su camino
la vieja Cabalgata...

A CAVALGADA

Passa por nossa terra
a velha Cavalgada
partindo meio a meio
a noite em polpa clara
e derrubando os montes
por sobre o peito da alba.

Com o voo dos petréis
remando as asas, passa,
num silêncio que lembra
uma tocha asfixiada.
Passa num dardo branco
a eterna Cavalgada.

Passa, única e legião,
em punhalada branca
sobre a noite desperta
de carne desvelada.
Passa se não a veem,
se acaso a esperam, passa.

Estudam-se as Eneidas,
contam-se os Ramaianas,
chora-se el Viracocha,
rememoram-se os Maias:
enquanto amadurece
a vida, o rio passa.

Cidades se encarquilham
como crosta de víbora
e se abatem os bosques
como aveia pisada,
se esquece o seu caminho
a velha Cavalgada.

A veces por el aire
o por la gran llanada,
a veces por el tuétano
de Ceres subterránea,
a veces solamente
por las crestas del alma,
pasa, en caliente silbo,
la santa Cabalgata...

Como una vena abierta
desde las solfataras,
como un repecho de humo,
como un despeño de aguas,
pasa, cuando la noche
se rompe en pulpas claras.

Oír, oír, oír,
la noche como valva,
con ijar de lebrel
o vista acornejada,
y temblar y ser fiel,
esperando hasta el alba.

La noche ahora es fina,
es estricta y delgada.
El cielo agudo punza
lo mismo que la daga
y aguija a los dormidos
la tensa Vía Láctea.

Se viene por la noche
como un comienzo de aria;
se allegan unas vivas
trabazones de alas.
Me da en la cara un alto

Às vezes pelos ares,
pelas grandes planuras,
às vezes pela entranha
de Ceres subterrânea,
às vezes tão somente
pelos píncaros da alma,
passa em cálido silvo
a santa Cavalgada.

Como uma veia aberta
de fundas solfataras,
como um jato de fumo
ou uma queda de águas,
passa na hora em que a noite
se rompe em polpas claras.

Ouvir, ouvir, ouvir
a noite como valva
com flanco de lebrel
e com olhos rapaces
e tremer e ser fiel
esperando a alvorada.

A noite agora é fina,
angustiosa e delgada.
O céu agudo fere
semelhante a uma daga.
E aguilhoa os que dormem
a tensa via-láctea.

Chega através da noite
o prenúncio de uma ária.
Entrechocam-se vivos
enlaçamentos de asas.
Batem-me contra o rosto

muro de marejada,
y saltan, como un hijo,
contentas, mis entrañas.

Soy vieja; amé los héroes
y nunca vi su cara;
por hambre de su carne
yo he comido en las fábulas.

Ahora despierto a un niño
y destapo su cara,
y lo saco desnudo
a la noche delgada,
y lo hondeo en el aire
mientras el río pasa,
porque lo tome y lleve
la vieja Cabalgata...

moles de marejada.
E alegres como um filho
minhas entranhas saltam.

Envelheci. Jamais
vi os heróis – que amei.
Foi por fome de heróis
que devorei as fábulas.

Acordo hoje um menino,
o seu rosto desvendo,
apresento-o desnudo
à alta noite delgada,
e aos ares o arremesso
enquanto o rio passa,
para que o tome e leve
a velha Cavalgada.

LA BAILARINA

La bailarina ahora está danzando
la danza del perder cuanto tenía.
Deja caer todo lo que ella había,
padres y hermanos, huertos y campiñas,
el rumor de su río, los caminos,
el cuento de su hogar, su propio rostro
y su nombre, y los juegos de su infancia
como quien deja todo lo que tuvo
caer de cuello, de seno y de alma.

En el filo del día y el solsticio
baila riendo su cabal despojo.
Lo que avientan sus brazos es el mundo
que ama y detesta, que sonríe y mata,
la tierra puesta a vendimia de sangre
la noche de los hartos que no duermen
y la dentera del que no ha posada.

Sin nombre, raza ni credo, desnuda
de todo y de sí misma, da su entrega,
hermosa y pura, de pies voladores.
Sacudida como árbol y en el centro
de la tornada, vuelta testimonio.

No está danzando el vuelo de albatroses
salpicados de sal y juegos de olas;
tampoco el alzamiento y la derrota
de los cañaverales fustigados.
Tampoco el viento agitador de velas,
ni la sonrisa de las altas hierbas.

El nombre no le den de su bautismo.
Se soltó de su casta y de su carne
sumío la canturía de su sangre
y la balada de su adolescencia.

A BAILARINA

A bailarina agora está dançando
a dança de perder quanto possuía.
Deixa cair tudo o que nela havia,
seus pais e irmãos, pomares e campinas,
o rumor de seus rios, os caminhos,
o conto de seu lar, o próprio rosto,
seu nome e seus brinquedos infantis,
como quem deixa tudo quanto teve
tombar de seio, de regaço e de alma.

Na lâmina do dia e do solstício
baila sorrindo seu despojamento.
O que atiram seus braços é esse mundo
que ama e detesta, que seduz e mata,
a terra que se apresta a colher sangue,
a noite dos saciados que não dormem
e o mal-estar dos que não têm pousada.

Sem nome, raça ou credo, desnudada
de tudo e de si mesma, ela se entrega
pura e formosa, com seus pés voadores,
sacudida como árvore e no centro
do redemoinho, feita testemunho.

Não está dançando o voo de albatrozes
salpicados de sal e jogos de ondas;
tampouco os alçamentos e a derrota
dos canaviais com força fustigados;
tampouco o vento agitador de velas,
nem o sorriso dos mais altos caules.

Não lhe deem o nome de batismo.
Soltou-se de sua estirpe e sua carne,
sufocou a cantiga de seu sangue
e a balada de sua adolescência.

Sin saberlo le echamos nuestras vidas
como una roja veste envenenada
y baila así mordida de serpientes
que alácritas y libres la repechan,
y la dejan caer en estandarte
vencido o en guirnalda hecha pedazos.

Sonámbula, mudada en lo que odia,
sigue danzando sin saberse ajena
sus muecas aventando y recogiendo
jardeadora de nuestro jadeo,
cortando el aire que no la refresca
única y torbellino, vil y pura.

Somos nosotros su jadeado pecho,
su palidez exangüe, el loco grito
tirado hacia el poniente y el levante
la roja calentura de sus venas,
el olvido de Dios de sus infancias.

Sem saber, nossas vidas lhe atiramos
como escarlate veste envenenada;
e baila assim mordida de serpentes
que alacremente e livremente a atingem
e fazem-na cair em estandarte
vencido ou em grinalda espedaçada.

Sonâmbula, mudada no que odeia,
sem saber de si mesma dança, alheia,
seus gestos distribuindo e recolhendo,
portadora de nossos estertores,
cortando os ares que não mais refrescam,
única e torvelinho, vil e isenta.

Ah! somos nós seu ofegante peito,
sua etérea palidez, o louco grito
lançado para poentes e nascentes,
o violáceo calor de suas veias
o abandono de Deus de sua infância.

CONFESIÓN

I

Pende en la comisura de tu boca,
pende tu confesión, y yo la veo:
casi cae a mis manos.

Di tu confesión, hombre de pecado,
triste de pecado, sin paso alegre,
sin voz de álamos, lejano de los que amas,
por la culpa que no se rasga como el fruto.

Tu madre es menos vieja
que la que te oye, y tu niño es tan tierno
que lo quemas como un helecho si se la dices.

Yo soy vieja como las piedras para oírte,
profunda como el musgo de cuarenta años,
para oírte;
con el rostro sin asombro y sin cólera,
cargado de piedad desde hace muchas vidas,
para oírte.

Dame los años que tú quieras darme,
y han de ser menos de los que yo tengo,
porque otros ya, también sobre esta arena,
me entregaron las cosas que no se oyen en vano,
y la piedad envejece como el llanto
y engruesa el corazón como el viento a la duna.

Di la confesión para irme con ella
y dejarte puro.
No volverás a ver a la que miras
ni oirás más la voz que te contesta;
pero serás ligero como antes
al bajar las pendientes y al subir las colinas,

CONFISSÃO

I

Pende na comissura de teus lábios
tua confissão, é visível:
quase me cai nas mãos.

Confessa-te, homem de pecado,
triste de haver pecado, sem alento,
sem voz de álamos, longe dos que amas,
pela culpa que não se rasga como o fruto.

Tua mãe é menos velha
da que te ouve e teu filho é tão tenro
que a confidência o queimaria como a um germe.

Sou velha como as pedras para ouvir-te,
profunda como o musgo de quarenta anos
para ouvir-te;
com o rosto sem assombro e sem cólera,
cheia de compaixão desde outras vidas
para ouvir-te.

A idade que me deres
será menor que a verdadeira,
porque outros mais nessas areias
me falaram do que não se ouve em vão.
A piedade envelhece como o pranto
e engrossa o coração como os ventos à duna.

A tua confissão irá comigo
e puro ficarás.
Não tornarás a ver a que te olha
nem a ouvir a voz que te contesta;
porém serás leve como antes
ao baixar os declives e ao subir as colinas,

y besarás de nuevo sin zozobra
y jugarás con tu hijo en unas peñas de oro.

II

Ahora tú echa yemas y vive
días nuevos y que te ayude el mar con yodos.
No cantes más canciones que supiste
y no mientes los pueblos ni los valles
que conocías, ni sus criaturas.
¡Vuelve a ser el delfín y el buen petrel
loco de mar y el barco empavesado!

Pero siéntate un día
en otra duna, al sol, como me hallaste,
cuando tu hijo tenga ya treinta años,
y oye al otro que llega,
cargado como de alga el borde de la boca.
Pregúntale también con la cabeza baja,
y después no preguntes, sino escucha
tres días y tres noches.
¡Y recibe su culpa como ropas
cargadas de sudor y de vergüenza,
sobre tus dos rodillas!

e beijarás de novo sem angústia
e com teu filho brincarás em penhas de ouro.

II

Agora solta as algemas e vive
dias novos e que te ajude o mar com iodo.
Não cantes mais as canções que sabias
e não recordes os povoados nem os vales
que conhecias nem seus habitantes.
Volve a ser o delfim e o bom petrel
louco de mar e barco engalanado.

Porém senta-te um dia
em outra duna ao sol como me achaste,
quando teu filho tenha já trinta anos;
e atenta para o que chega,
repleto como de alga o rebordo da boca.
Pergunta-lhe também de cabeça baixa
e depois não perguntes mas escuta
três dias e três noites.
E recebe-lhe a culpa como roupas
carregadas de suor e de vergonha
sobre teus joelhos.

LÁPIDA FILIAL

Apegada a la seca fisura
del nicho, déjame que te diga:
– Amados pechos que me nutrieron
con una leche más que otra viva;
parados ojos que me miraron
con tal mirada que me ceñía;
regazo ancho que calentó
con una hornaza que no se enfría;
mano pequeña que me tocaba
con un contacto que me fundía:
¡resucitad, resucitad,
si existe la hora, si es cierto el día,
para que Cristo os reconozca
y a otro país deis alegría,
para que pague ya mi Arcángel
formas y sangre y leche mía,
y que por fin os recupere
la vasta y santa sinfonía
de viejas madres: la Macabea,
Ana, Isabel, Lía y Raquel!

LÁPIDE FILIAL

Apoiada na seca frincha
do teu nicho venho dizer-te:
caros peitos que me nutriram
com um leite mais do que outro, vivo;
quietos olhos que me fitavam
com olhares que me cingiam;
amplo colo que me aqueceu
com uma chama que não se esfria
pequena mão que me tocava
com um contato que me fundia:
ressuscitai, ressuscitai,
se existe a hora e é certo o dia,
para que Cristo vos reconheça
e a outro país deis alegria,
para que pague meu Arcanjo
o sangue, o leite e as formas minhas,
e que por fim vos recupere
a vasta e santa sinfonia
de velhas mães: a Macabeia,
Ana, Isabel, Raquel e Lia.

LA FUGA

Madre mía, en el sueño
ando por paisajes cardenosos:
un monte negro que se contornea
siempre, para alcanzar el otro monte;
y en el que sigue estás tú vagamente,
pero siempre hay otro monte redondo
que circundar, para pagar el paso
al monte de tu gozo y de mi gozo.

Mas, a trechos tú misma vas haciendo
el camino de juegos y de expolios.
Vamos las dos sintiéndonos, sabiéndonos,
mas no podemos vernos en los ojos,
y no podemos trocarnos palabra,
cual la Euridice y el Orfeo solos,
las dos cumpliendo un voto o un castigo,
ambas con pies y con acento rotos.

Pero a veces no vas al lado mío:
te llevo en mí, en un peso angustioso
y amoroso a la vez, como pobre hijo
galeoto a su padre galeoto,
y hay que enhebrar los cerros repetidos,
sin decir el secreto doloroso:
que yo te llevo hurtada a dioses crueles
y que vamos a un Dios que es de nosotros.

Y otras veces ni estás cerro adelante,
ni vas conmigo, ni vas en mi soplo:
te has disuelto con niebla en las montañas
te has cedido al paisaje cardenoso.
Y me das unas voces de sarcasmo
desde tres puntos, y en dolor me rompo,
porque mi cuerpo es uno, el que me diste,
y tú eres un agua de cien ojos,

A FUGA

Minha mãe, ando em sonho
por paisagens agrestes:
um monte negro que se contorna
sempre, para alcançar um outro;
e no seguinte vagamente estás;
porém há sempre um novo monte
que circundar para a aproximação
do monte de teu gozo e de meu gozo.

Mas aos poucos tu mesma vais fazendo
o caminho de jogos e de espólios.
Vamos ambas sentindo-nos, sabendo-nos,
porém não nos podemos ver nos olhos
e nem trocar palavra,
qual Eurídice e Orfeu na solidão,
ambas cumprindo votos ou castigo,
com a voz entrecortada e os pés feridos.

Porém às vezes não te sinto ao lado:
levo-te em mim com amorosa angústia,
como carrega o pobre filho
condenado às galés ao pai galeote;
e cerros vários há que atravessar
sem dizer o segredo doloroso:
que te levo roubada a deuses cruéis
e que vamos até um deus que é o nosso.

Às vezes não estás no cerro adiante,
não vais comigo nem te sinto no hausto;
nas montanhas com a névoa te dissolves
à paisagem de cardos te incorporas.
E em tom sarcástico me falas
de três pontos e em dor me dilacero,
porque é meu corpo o mesmo que me deste
e tu és água de cem olhos,

y eres un paisaje de mil brazos,
nunca más lo que son los amorosos:
un pecho vivo sobre un pecho vivo,
nudo de bronce ablandado en sollozo.

Y nunca estamos, nunca nos quedamos,
como dicen que quedan los gloriosos,
delante de su Dios, en dos anillos
de luz o en dos medallones absortos,
ensartados en un rayo de gloria
o acostados en un cauce de oro.

O te busco, y no sabes que te busco,
o vas conmigo, y no te veo el rostro;
o vas en mí por terrible convenio,
sin responderme con tu cuerpo sordo,
siempre por el rosario de los cerros,
que cobran sangre para entregar gozo,
y hacen danzar en torno a cada uno,
¡hasta el momento de la sien ardiendo,
del cascabel de la antigua demencia
y de la trampa en el vórtice rojo!

tu és paisagem de mil braços,
nunca mais com o aspecto de amorosos:
um peito vivo contra um peito vivo,
nó de bronze abrandado no soluço.

E nunca estamos, nunca nos quedamos
como quedam os bem-aventurados
diante de Deus, em dois anéis de luz
ou em duas medalhas engastados
entre raios de glória
ou reclinados em um álveo de ouro.

Busco-te e não percebes que te busco,
estás comigo e não te vejo o rosto,
ou vais então em mim por terrível convênio
sem responder-me com teu corpo surdo,
sempre pelo rosário das colinas
que cobram sangue em troca de deleite
e que fazem dançar ao seu redor
até o instante do queimor das têmporas
dos guizos da demência antiga
e da cilada sobre o rubro vórtice.

NOCTURNO DE LOS TEJEDORES VIEJOS

Se acabaron los días divinos
de la danza delante del mar,
y passaron las siestas del viento
con aroma de polen y sal,
y las otras en trigos dormidas
con nidal de paloma torcaz.

Tan lejanos se encuentran los años
de los panes de harina candeal
disfrutados en mesa de pino,
que negamos, mejor, su verdad,
y decimos que siempre estuvieron
nuestras vidas lo mismo que están,
y vendemos la blanca memoria
que dejamos tendida al umbral.

Han llegado los días ceñidos
como el puño de Salmanazar.
Llueve tanta ceniza nutrida
que la carne es su propio sayal.
Retiraron los mazos de lino
y se escarda, sin nunca acabar,
un esparto que no es de los valles
porque es hebra de hilado metal...

Nos callamos las horas y el día
sin querer la faena nombrar,
cual se callan remeros muy pálidos
los tifones, y el boga, el caimán,
porque el nombre no nutra al Destino,
y sin nombre, se pueda matar.

Pero cuando la frente enderézase
de la prueba que no han de apurar,
al mirarnos, los ojos se truecan

NOTURNO DOS VELHOS TECEDORES

Acabaram-se os dias divinos
do bailado diante do mar,
e passaram as sestas do vento
com aroma de pólen e sal,
e outras sestas dormidas em trigos
com seus ninhos de pomba torcaz.

Tão distantes se encontram os anos
desses pães de farinha candial
desfrutados em mesa de pinho,
que negamos melhor a verdade
e dizemos que sempre estiveram
nossas vidas tais quais no presente,
e vendemos a branca memória
que largada deixamos no umbral.

Já chegaram os dias cingidos
como o punho de Salmanazar.
Chove cinza porém tão nutrida
que é de carne seu próprio saial.
Retiraram os molhos de linho
e se escarda sem não acabar
uma fibra porém não dos vales
porque é tela de fino metal.

Silenciamos as horas e os dias
sem querer o trabalho nomear:
o remeiro à tormenta se cala,
mais o peixe se encontra o caimão,
por que o nome não nutra o destino
e sem nome se possa matar.

Porém quando se aprumam as frontes
do penhor que não hão de apurar,
nossos olhos revelam pela íris

la palabra en el iris leal,
y bajamos los ojos de nuevo,
como el jarro al brocal contumaz,
desolados de haber aprendido
con el nombre la cifra letal.

Los precitos contemplan la llama
que hace dalias y fucsias girar;
los forzados, como una cometa,
bajan y alzan su "nunca jamás".
Mas nosotros tan sólo tenemos,
para juego de nuestro mirar,
grecas lentas que dan nuestras manos,
golondrinas – al muro de cal,
remos negros que siempre jadean
y que nunca rematan el mar.

Prodigiosas las dulces espaldas
que se olvidan de se enderezar,
que obedientes cargaron los linos
y obedientes la leña mortal,
porque nunca han sabido de dónde
fueron hechas y a qué volverán.

¡Pobre cuerpo que todo ha aprendido
de sus padres José e Isaac,
y fantásticas manos leales,
las que tejen sin ver ni contar,
ni medir paño y paño cumplido,
preguntando si basta o si es más!

Levantando la blanca cabeza
ensayamos tal vez preguntar
de qué ofensa callada ofendimos
a un demiurgo al que se ha de aplacar,
como leños de hoguera que odiasen
el arder, sin saberse apagar.

mais lealdade que a própria palavra.
E de novo baixamos os olhos
como o jarro à cisterna de sempre,
desolados de haver aprendido
junto ao nome uma cifra letal.

Os precitos contemplam a chama
que faz dálias e fúcsias girarem;
os galés como estrelas cadentes
baixam e alçam seu "nunca jamais".
Nós apenas podemos mirar,
para jogo de nossos sentidos,
gregas lentas que dão nossas mãos
– andorinhas – ao muro de cal,
remos negros de alento perdido
e que atravessam o mar.

Prodigiosas as doces espaldas
que se olvidam de se endireitarem,
que obedientes carregam os linhos
e obedientes, a lenha mortal,
porque nunca souberam nem onde
foram feitas e a que volverão.

Pobre corpo que tudo aprendeu
de seus pais Isaac e José,
e fantásticos dedos leais,
os que tecem sem ver nem contar
nem medir o tecido já feito
perguntando se basta ou não basta.

Levantando a cabeça grisalha
ensaiamos talvez indagar
de que ofensa calada ofendemos
a um demiurgo que se há de aplacar,
como cepos ao fogo que odiassem
seu queimor sem poder apagá-lo.

Humildad de tejer esta túnica
para un dorso sin nombre ni faz,
y dolor el que escucha en la noche
toda carne de Cristo arribar,
recibir el telar que es de piedra
y la Casa que es de eternidad.

Mansidão de tecer essa túnica
para um dorso sem nome nem face;
sofrimento, o que escuta na noite
toda carne de Cristo chegar,
receber o tear que é de pedra
e a morada de cunho imortal.

NOCTURNO DE LA CONSUMACIÓN

A Waldo Frank

Te olvidaste del rostro que hiciste
en un valle a una oscura mujer;
olvidaste entre todas tus formas
mi alzadura de lento ciprés;
cabras vivas, vicuñas doradas
te cubrieron la triste y la fiel.

Te han tapado mi cara rendida
las criaturas que te hacen tropel;
te han borrado mis hombros las dunas
y mi frente algarrobo y maitén.
Cuantas cosas gloriosas hiciste
te han cubierto a la pobre mujer.

Como Tú me pusiste en la boca
la canción por la sola merced;
como Tú me enseñaste este modo
de estirarte mi esponja con hiel,
yo me pongo a cantar tus olvidos,
por hincarte mi grito otra vez.

Yo te digo que me has olvidado
– pan de tierra de la insipidez,
leño triste que sobra en tus haces,
pez sombrío que afrenta la red.
Yo te digo con otro que "hay tiempo
de sembrar como de recoger".

No te cobro la inmensa promesa
de tu cielo en niveles de mies;
no te digo apetito de Arcángeles
ni Potencias que me hagan arder;

NOTURNO DA CONSUMAÇÃO

Olvidaste o rosto que deste
num vale a uma obscura mulher;
olvidaste entre as tuas formas
meu porte de lento cipreste;
cabras vivas, louras vicunhas
esconderam-te a triste e fiel.

Taparam o meu rosto humilde
os seres que fazem tropel;
apagaram meus ombros as dunas,
minha fronte, as alfarrobeiras;
as tuas gloriosas criações
velaram-te a pobre mulher.

Como tu me favoreceste
com o único dom da canção
e me ensinaste essa maneira
de trazer a esponja com fel,
ergo meu cântico e meu grito
a fim de atingir-te outra vez.

Digo-te, sim, que me olvidaste
– pão de terra da insipidez,
lenho de sobra nos teus feixes,
peixe a enfrentar, sombrio, a rede.
Repito-te com o Poeta: – "Há tempo
de semear como de colher".

Não te cobro a imensa promessa
de teu céu em níveis de seara;
não evoco a fome de arcanjos
nem de potências em que arder;

no te busco los prados de música
donde a tristes llevaste a pacer.

Hace tanto que masco tinieblas,
que la dicha no sé reaprender;
tanto tiempo que piso las lavas
que olvidaron vellones los pies;
tantos años que muerdo el desierto
que mi patria se llama la Sed.

La oración de paloma zurita
ya no baja en mi pecho a beber;
la oración de colinas divinas,
se ha raído en la gran aridez,
y ahora tengo en la mano una nueva,
la más seca, ofrecida a mi Rey.

Dame Tú el acabar de la encina
en fogón que no deje la hez;
dame Tú el acabar del celaje
que su sol hizo y quiso perder;
dame el fin de la pobre medusa
que en la arena consuma su bien.

He aprendido un amor que es terrible
y que corta mi gozo a cercén;
he ganado el amor de la nada,
apetito del nunca volver,
voluntad de quedar con la tierra
mano a mano y mudez con mudez,
despojada de mi propio Padre,
rebanada de Jerusalem!

não procuro os prados da música
onde apascentas a tristeza.

Mastigo há tanto tempo a treva
que a alegria não reconheço;
há tanto tempo piso as lavas
que a lã já não lembram meus pés;
mordo o deserto há tantos anos
que à minha pátria chamo Sede.

Prece de pomba juriti
não mais vem beber no meu peito;
a prece de excelsas colinas
desfibrou-se em grande aridez;
agora trago outra nas mãos,
a mais seca em oferta ao Rei.

Dá-me o perecer do carvalho
em fogão que não deixe cinza;
dá-me o crepúsculo das nuvens
que o sol coloriu e desfez;
dá-me o fim da pobre medusa
que na areia deixa seus bens.

Aprendi um amor terrível
que na raiz corta o prazer:
ganhei a volúpia do nada,
o desejo de não volver;
vontade de ficar com a terra,
mãos dadas, mudez com mudez,
perdida de meu próprio Pai,
ceifada de Jerusalém.

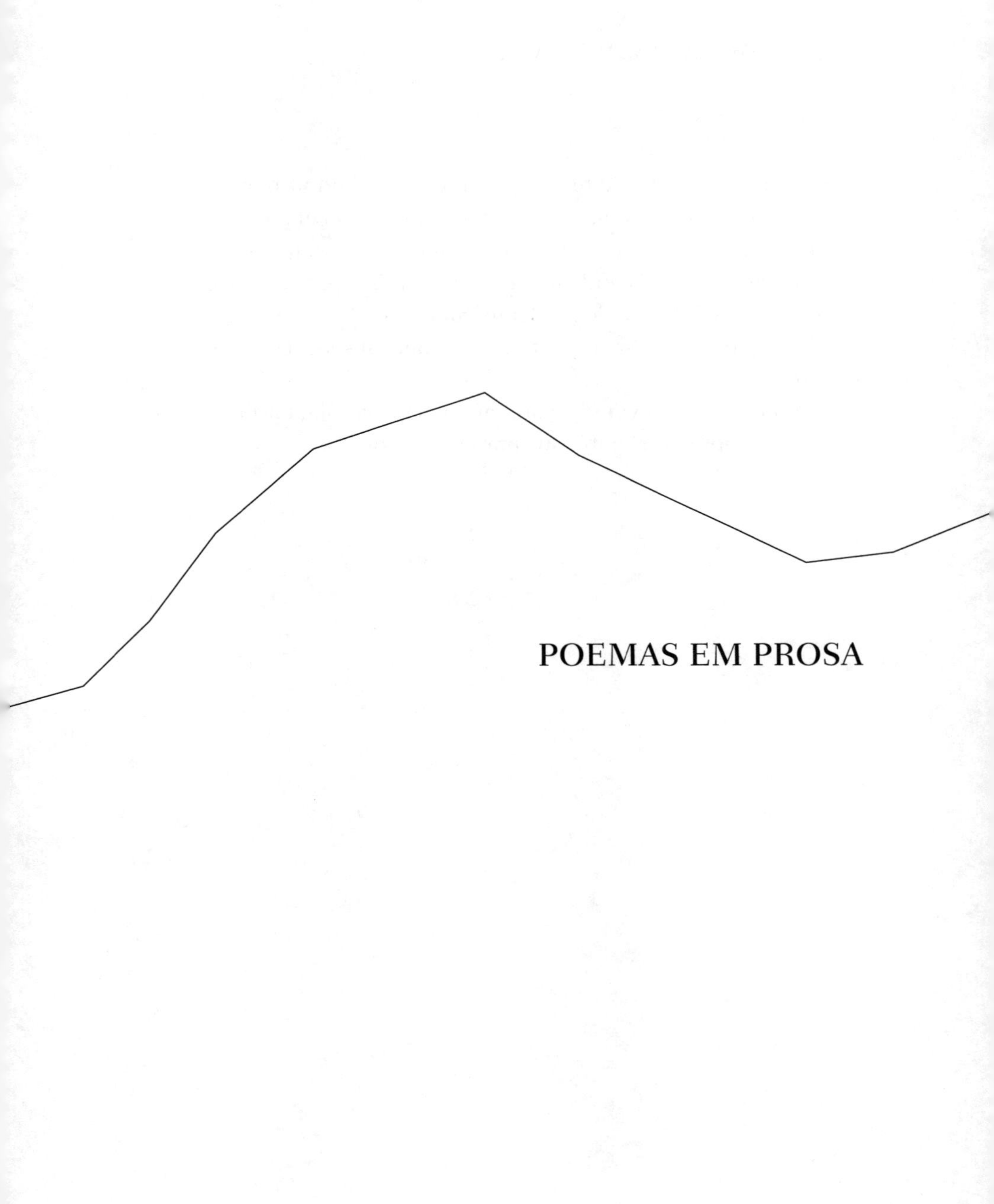

POEMAS EM PROSA

POEMA DE LA MADRE MÁS TRISTE

¿Para qué viniste?

¿Para qué viniste? Nadie te amará aunque eres hermoso, hijo mío. Aunque sonríes, como los demás ninõs, como el menor de mis hermanitos, no te besaré sino yo, hijo mío. Y aunque tus manitas se agiten buscando juguetes, no tendrás para tus juegos sino mi seno y la hebra de mi llanto, hijo mío.

¿Para qué viniste, si el que te trajo te odió al sentirte en mi vientre?

¡Pero no! Para mí viniste; para mí que estaba sola, hasta cuando me oprimía él entre sus brazos, hijo mío!

POEMA DA MÃE MAIS TRISTE

Para que vieste?

Para que vieste? Ninguém te amará ainda que sejas lindo, filho meu. Ainda que sorrias, como as demais crianças, como o caçula de meus irmãos, só eu te beijarei, filho meu. E ainda que se agitem tuas mãozinhas buscando brinquedos, não terás outros senão o meu colo e as meadas do meu pranto, filho meu.

Para que vieste, se aquele que te gerou odiou-te ao sentir-te em meu ventre?

Porém não. Para mim vieste, para mim que estava só, mesmo quando ele me apertava em seus braços, filho meu.

POEMAS DE LAS MADRES

La dulzura

Por el niño dormido que llevo, mi paso se ha vuelto sigiloso, y religioso mi corazón, desde que lleva misterio.

Mi voz es suave como por la sordina del amor, y es que temo despertarlo.

Con mis ojos busco ahora en los rostros el dolor de las entrañas, para que los demás miren y comprendan la causa de mi mejilla empalidecida.

Hurgo con miedo de ternura en las hierbas donde anidan codornices. Y voy por el campo cautelosamente: creo que árboles y cosas tienen hijos dormidos, sobre los que velan inclinados.

POEMAS DAS MÃES

A doçura

Pela criança dormida que levo, meu passo tornou-se sigiloso, e religioso meu coração, desde que leva mistério.

Minha voz é suave como pela surdina do amor, e é que temo despertá-la.

Com meus olhos procuro agora nos rostos a dor das entranhas para que os outros olhem e compreendam a causa da palidez de minhas faces.

De ternura removo com medo as plantas onde se aninham perdizes. E vou pelo campo cautelosamente: creio que árvores e cousas têm olhos adormecidos sobre os quais se inclinam em vigília.

Por él

Por él, por el que está adormecido, como hilo de agua bajo la hierba, no me dañéis, no me deis trabajos. Perdonádmelo todo: mi descontento de la mesa preparada y mi odio al ruido.

Me diréis los dolores de la casa, la pobreza y los afanes, cuando lo haya puesto en unos pañales.

En la frente, en el pecho, donde me toquéis, está él y lanzaría un gemido respondiendo a la herida.

Por ele

Por ele, por ele que está adormecido como fio de água sob a relva, não me molesteis, não me deis trabalhos. Perdoai-me tudo: meu descontentamento da mesa posta e meu ódio ao ruído.

Contar-me-eis as dores da casa, a pobreza e os afãs, quando o houver posto nuns tecidos.

Na fronte, no peito, onde me tocardes está ele e lançaria um gemido em resposta ao ferimento.

Sabiduría

Ahora sé para qué he recibido veinte veranos la luz sobre mí y me ha sido dado cortar las flores por los campos. ¿Por qué, me decía en los días más bellos, este don maravilloso del sol cálido y de la hierba fresca?

Como el racimo azulado, me traspasó la luz para la dulzura que entregaría. Este que en el fondo de mí está haciéndose gota a gota de mis venas, este era mi vino.

Para este yo recé, por traspasar en nombre de Dios mi barro, con el que se haría. Y cuando leí un verso con pulsos trémulos, para él, me quemó como una brasa la belleza, por que recoja de mi carne su ardor inextinguible.

Sabedoria

Agora sei por que tive sobre mim, vinte vezes, a luz do verão e por que me foi dado apanhar flores pelos campos. Por que, pensava nos dias mais belos, esse dom maravilhoso do sol cálido e da relva fresca?

Como o azulado galho de uvas, trespassou-me a luz para a doçura que se preparava. Este que no meu íntimo está se fazendo gota de minhas veias, este era o meu vinho.

Para este rezei, para trespassar em nome de Deus meu barro, com o qual se faria. E quando li um verso com pulsos trêmulos para ele, a beleza queimou-me como brasa, a fim de recolher de minha carne seu inextinguível ardor.

El dolor eterno

Palidezco si él sufre dentro de mí; dolorida voy de su presión recóndita, y podría morir a un solo movimiento de este a quien no veo.

Pero no creáis que únicamente estará trenzado con mis entrañas mientras lo guarde. Cuando vaya libre por los caminos, aunque esté lejos, el viento que lo azote me rasgará las carnes y su grito pasará también por mi garganta. ¡Mi llanto y mi sonrisa comenzarán en tu rostro, hijo mío!

Dor eterna

Empalideço se ele sofre dentro de mim; dolorida vou de sua pressão recôndita; e poderia morrer a um só movimento deste a quem não vejo.

Porém não penseis que unicamente esteja enredado às minhas entranhas enquanto o guardo. Quando se for livremente pelos caminhos, embora esteja distante, o vento que o açoite rasgará minhas carnes e seu grito passará também pela minha garganta. Meu pranto e meu sorriso começarão no teu rosto, filho meu!

Imagen de la tierra

No había visto antes la verdadera imagen de la Tierra. La Tierra tiene la actitud de una mujer con un hijo en los brazos (con sus criaturas en los anchos brazos).

Voy conociendo el sentido maternal de las cosas. La montaña que me mira también es madre, y por las tardes la neblina juega como un niño por sus hombros y sus rodillas.

Recuerdo ahora una quebrada del valle. Por su lecho profundo iba cantando una corriente que las breñas hacen todavía invisible. Ya soy como la quebrada; siento cantar en mi hondura este menudo arroyo y le he dado mi carne por breña hasta que suba hacia la luz.

Imagem da terra

Não havia visto antes a verdadeira imagem da terra. A terra tem a atitude de uma mulher com o filho nos braços (com suas criaturas nos amplos braços).

Vou conhecendo o sentido maternal das cousas.
A montanha que me olha é também mãe, e, pelas tardes, a neblina brinca como uma criança por seus ombros e seus joelhos.

Recordo agora uma vereda do vale. Por seu leito profundo ia cantando um regato que as brenhas tornam todavia invisível. Sou como a vereda: sinto cantar em minhas profundezas este arroio miúdo e dei-lhe por brenha minha carne até que suba para luz.

LA ORACIÓN DE LA MAESTRA

A César Duayen

¡Señor! Tú que enseñaste, perdona que yo enseñe; que lleve el nombre de maestra, que Tú llevaste por la Tierra.

Dame el amor único de mi escuela; que ni la quemadura de la belleza sea capaz de robarle mi ternura de todos los instantes.

Maestro, hazme perdurable el fervor y pasajero el desencanto. Arranca de mí este impuro deseo de justicia que aun me turba, la protesta que sube de mí cuando me hieren. No me duela la incomprensión ni me entristezca el olvido de las que enseñé.

Dame el ser más madre que las madres, para poder amar y defender como ellas lo que no *es carne de mis carnes*. Alcance a hacer de una de mis niñas mi verso perfecto y a dejarte en ella clavada mi más penetrante melodía, para cuando mis labios no canten más.

Muéstrame posible tu Evangelio en mi tiempo, para que no renuncie a la batalla de cada hora por él.

Pon en mi escuela democrática el resplandor que se cernía sobre tu corro de niños descalzos.

Hazme fuerte, aun en mi desvalimiento de mujer, y de mujer pobre; hazme despreciadora de todo poder que no sea puro, de toda presión que no sea la de tu voluntad ardiente sobre mi vida.

¡Amigo, acompáñame! ¡sosténme! Muchas veces no tendré sino a Ti a mi lado. Cuando mi doctrina sea más cabal y más quemante mi verdad, me quedaré sin los mundanos; pero Tú me oprimirás entonces contra tu corazón, el que supo harto de soledad y desamparo. Yo solo buscaré en tu mirada las aprobaciones.

Dame sencillez y dame profundidad; líbrame de ser complicada o banal en mi lección cotidiana.

Dame el levantar los ojos de mi pecho con heridas, al entrar cada mañana a mi escuela. Que no lleve a mi mesa de trabajo mis pequeños afanes materiales, mis menudos dolores. Aligérame la mano en el castigo y suavízamela más en la caricia. ¡Reprenda con dolor, para saber que he corregido amando!

A ORAÇÃO DA MESTRA

Senhor, tu que ensinaste, perdoa que eu ensine; que leve o nome de Mestra, que pela terra levaste.

Dá-me o amor exclusivo de minha escola; que nem a labareda da beleza seja capaz de roubar-lhe minha ternura de todos os instantes.

Mestre, faze-me duradouro o fervor e passageiro o desencanto. Arranca de mim esse impuro desejo de justiça que ainda me perturba, o protesto que sobe de mim quando me ferem. Não me doa a incompreensão nem me entristeça o olvido dos que ensinei.

Dá-me o ser mais mãe do que as mães, para poder amar e defender como elas o que não é carne de minha carne. Alcance fazer de minhas crianças meu verso perfeito e a deixar nelas gravada minha mais penetrante melodia, para quando meus lábios já não cantarem.

Mostra-me possível teu Evangelho em meu tempo, para que não renuncie à batalha de cada hora por ele.

Põe na minha escola democrática o resplendor que pairava sobre a tua assembleia de meninos descalços.

Faze-me forte, mesmo nesse desvalimento de mulher e de mulher pobre; faze-me desdenhosa de todo poder que não seja puro, de toda pressão que não seja a de tua vontade ardente sobre minha vida.

Amigo, acompanha-me, sustém-me! Muitas vezes, não terei senão a Ti a meu lado. Quando minha doutrina se torne mais perfeita e seja causticante a minha verdade, quedarei abandonada do mundo. Porém Tu me oprimirás então contra o teu coração, o que se fartou de soledade e desamparo.

Somente em teu semblante buscarei aprovação.

Dá-me simplicidade e profundeza; livra-me de ser complicada e banal em minha lição cotidiana.

Que eu levante os olhos de meu peito ferido ao entrar, cada manhã, na minha escola. Que não leve à minha mesa

Haz que haga de espíritu mi escuela de ladrillos. Le envuelva la llamarada de mi entusiasmo su atrio pobre, su sala desnuda. Mi corazón le sea más columna y mi buena voluntad más oro que las columnas y el oro de las escuelas ricas.

¡Y, por fin, recuérdame, desde la palidez del lienzo de Velázquez, que enseñar y amar intensamente sobre la Tierra es llegar al último día con el lanzazo de Longinos de costado a costado!

de trabalho meus pequenos afãs materiais, meus sofrimentos insignificantes. Torna-me leve a mão no castigo e suaviza-a ainda mais na carícia. Repreenda com dor, para saber que corrigi amando.

Permite-me transformar em espírito minha escola de argila. Que a chama do meu entusiasmo envolva seu átrio humilde, sua sala desnuda. Meu coração lhe seja coluna mais forte e minha boa vontade ouro mais puro, do que as colunas e o ouro das escolas ricas.

E por fim recorda-me, da palidez da tela de Velázquez, que ensinar e amar intensamente sobre a terra é chegar ao último dia com a lança de Longinos atravessada nos flancos.

ARCHIBALD MACLEISH

ARS POETICA

A poem should be palpable and mute
As a globed fruit,

Dumb
As old medallions to the thumb,

Silent as the sleeve-worn stone
Of casement ledges where the moss has grown –

A poem should be wordless
As the flight of birds.

A poem should be motionless in time
As the moon climbs,

Leaving, as the moon releases
Twig by twig the night-entangled trees,

Leaving, as the moon behind the winter leaves,
Memory by memory the mind –

A poem should be motionless in time
As the moon climbs.

A poem should be equal to:
Not true.

For all the history of grief
An empty doorway and a maple leaf.

For love
The leaning grasses and two lights above the sea –

A poem should not mean
But be.

ARTE POÉTICA

Um poema deveria ser palpável e mudo
como um fruto redondo.

Tácito
como insígnia no dedo,

Silente como a gasta camada da pedra
nas junturas onde o musgo germina –

Um poema deveria ser sem palavras
como o voo dos pássaros.

Um poema deveria ser imóvel no tempo
como a ascensão da lua.

Isento como a lua ao deixar
ramo a ramo o arvoredo noturno.

Isento como a lua detrás das folhas de inverno
o espírito de memória em memória –

Um poema deveria ser imóvel no tempo
como a ascensão da lua.

Um poema deveria ser igual a:
não verdadeiro.

Por toda a história do sofrimento
um vão de porta e uma fímbria de folha.

Por amor
a relva inclinada e duas luzes acima do mar –

Um poema deveria não significar
mas ser.

JORGE GUILLÉN

ESTATUA ECUESTRE

Permanece el trote aquí,
Entre su arranque y mi mano.
Bien ceñida queda así
Su intención de ser lejano.
Porque voy en un corcel
A la maravilla fiel:
Inmóvil con todo brío.
¡Y a fuerza de cuánta calma
Tengo en bronce toda el alma,
Clara en el cielo del frío!

ESTÁTUA EQUESTRE

Permanece o trote aqui
entre o arranque e minha mão.
Bem seguro fica assim
seu desejo de evasão.
Porque vou sobre um corcel
esplendidamente fiel:
imóvel com todo o brio.
E à força de quanta calma
Tenho do bronze toda a alma
Clara neste céu de frio.

GALLO DEL AMANECER

(Sombras aún. Poca escena.)
Arrogante irrumpe el gallo.
– Yo.
    Yo.
        Yo.
            ¡No, no me callo!

Y alumbrándose resuena,
Guirigay
De una súbita verbena:
– Sí.
    Sí.
        Sí.
            ¡Quiquiriquí!

– ¡Ay!
Voz o color carmesí,
Álzate a más luz por mí,
Canta, brilla,
Arrincóname la pena.

Y ante la aurora amarilla
La cresta se yergue: ¡Sí!
(Hay cielo. Todo es escena.)

GALO DO AMANHECER

(Meia sombra. Pouca cena.)
Arrogante irrompe o galo.
– Eu.
  Eu.
  Eu.
  Não, não me calo!

E resplendendo ressoa,
tartamelo
de uma véspera festiva:
– Sim.
  Sim.
  Sim.
  Quiquiriqui!

– Ai!
  Voz ou cor de carmim,
  eleva-te à luz por mim,
  canta, brilha,
  desafoga-me esta pena.

E diante da aurora pálida
levanta-se a crista: – Sim!
(Aberto o céu. Tudo é cena.)

CESARE PAVESE

In the morning
you always
come back

Lo spiraglio dell'alba
respira con la tua bocca
in fondo alle vie vuote.
Luce grigia i tuoi occhi,
dolci gocce dell'alba
sulle colline scure.
Il tuo passo e el tuo fiato
come il vento dell'alba
sommergono le case.
La città abbrividisce,
odorano le pietre –
sei la vita, il risveglio.

Stella sperduta
nella luce dell'alba,
cigolio della brezza,
tepore, respiro –
è finita la notte.

Sei la luce e il mattino.

20 marzo '50

O vislumbre da alba
respira com teus lábios
ao fundo das ruas desertas.
Luz cinzenta os teus olhos
doces pingos da alba
sobre colinas escuras.
O teu passo e o teu hálito
como o zéfiro da alba
submergem as casas.
A cidade se move,
trescalam as pedras
– és o despertar, a vida.

Estrela perdida
na luz do alvorecer,
cicio da brisa,
tepidez, respiro
– terminou a noite.

És a luz e a manhã.

Hai un sangue, un respiro.
Sei fatta di carne
di capelli di sguardi
anche tu. Terra e piante,
cielo di marzo, luce,
vibrano e ti somigliano –
il tuo riso e il tuo passo
come acque che sussultano –
la tua ruga fra gli occhi
come nubi raccolte –
il tuo tenero corpo
una zolla nel sole.

Hai un sangue, un respiro.
Vivi su questa terra.
Ne conosci i sapori
le stagioni i risvegli,
hai giocato nel sole,
hai parlato con noi.
Acqua chiara, virgulto
primaverile, terra,
germogliante silenzio,
tu hai giocato bambina
sotto un cielo diverso,
ne hai negli occhi il silenzio,
una nube, che sgorga
come polla dal fondo.
Ora ridi e sussulti
sopra questo silenzio.

Dolce frutto che vivi
sotto il cielo chiaro,
che respiri e vivi
questa nostra stagione,
nel tuo chiuso silenzio
è la tua forza. Come
erba viva nell'aria

Tens sangue e respiras.
És feita de carne,
de cabelos, de olhares,
tu também. Terra e planta,
céu de março, luz,
vibram e se assemelham a ti:
o teu riso e o teu passo
são águas que estremecem,
os vincos sob teus olhos
recolhidas nuvens,
o teu tenro corpo
uma gleba ao sol.

Tens sangue e respiras.
Vives sobre essa terra.
Dela conheces o sabor,
as estações, o acordar,
brincaste sob o sol,
falaste conosco.
Água clara, vergôntea
primaveril, terra,
germinante silêncio,
tu brincaste criança
sob um céu diferente
– de onde em teus olhos o silêncio,
uma nuvem que jorra
como fonte da grota.
Ris agora e estremeces
debaixo deste silêncio.

Doce fruto que vives
sob o céu claro,
que respiras e vives
essa nossa estação,
no teu fechado silêncio
reside tua força. Como
verde caule no ar

rabbrividisci e ridi,
ma tu, tu sei terra.
Sei radice feroce.
Sei la terra che aspetta.

21 marzo '50

tremulas e ris.
Tu, entretanto, és terra.
És raiz selvagem.
És a terra que espera.

Verrà la morte e avrà i tuoi occhi –
questa morte che ci accompagna
dal mattino alla sera, insonne,
sorda, come un vecchio rimorso
o un vizio assurdo. I tuoi occhi
saranno una vana parola,
un grido taciuto, un silenzio.
Così li vedi ogni mattina
quando su te sola ti pieghi
nello specchio. O cara speranza,
quel giorno sapremo anche noi
che sei la vita e sei il nulla.

Per tutti la morte ha uno sguardo.
Verrà la morte e avrà i tuoi occhi.
Sarà come smettere un vizio,
come vedere nello specchio
riemergere un viso morto,
come ascoltare un labbro chiuso.
Scenderemo nel gorgo muti.

22 marzo '50

A morte, ao vir, terá teus olhos –
esta morte que nos acompanha
da manhã à noite, insone,
surda, como um velho remorso,
ou um vício absurdo. Teus olhos
serão uma palavra em vão,
um grito calado, um silêncio.
Assim os vês cada manhã
quando solitária te dobras
no espelho. Ó cara esperança,
neste dia saberemos também nós
que és a vida e és o nada.

Para todos a morte tem um olhar.
A morte, ao vir, terá teus olhos.
Será como rejeitar um vício,
como ver no espelho
ressurgir uma face morta,
como ouvir um lábio cerrado.
Desceremos ao mudo sorvedouro.

You, wind of March

Sei la vita e la morte.
Sei venuta di marzo
sulla terra nuda –
il tuo brivido dura.
Sangue di primavera
– anemone o nube –
il tuo passo leggero
ha violato la terra.
Ricomincia il dolore.

Il tuo passo leggero
ha riaperto il dolore.
Era fredda la terra
sotto povero cielo,
era immobile e chiusa
in un torpido sogno,
come chi più non soffre.
Anche il gelo era dolce
dentro il cuore profondo.
Tra la vita e la morte
la speranza taceva.

Ora ha una voce e un sangue
ogni cosa che vive.
Ora la terra e il cielo
sono un brivido forte,
la speranza li torce,
li sconvolge il mattino,
li sommerge il tuo passo,
il tuo fiato d'aurora.
Sangue di primavera,
tutta la terra trema
di un antico tremore.

És a vida e a morte.
Vieste de março
sobre a terra desnuda –
teu calafrio perdura.
Sangue de primavera
– anêmona ou nuvem –
o teu passo ligeiro
violou a terra.
E a dor recomeça.

O teu passo ligeiro
restaurou a dor.
Era fria a terra
sob o pobre céu
era imóvel e fechada
num túrbido sonho
de quem já não sofre.
Até o gelo era doce
no coração profundo.
Entre a vida e a morte
a esperança calava.

Agora tem voz e sangue
cada cousa que vive.
Agora a terra e o céu
são um forte tremor:
ali se debate a esperança,
ali se conturba a manhã.
Ali submerge teu passo
o teu hálito de aurora.
Sangue de primavera
toda a terra treme
de um antigo tremor.

Hai riaperto il dolore.
Sei la vita e la morte.
Sopra la terra nuda
sei passata leggera
come rondine o nube,
e il torrente del cuore
si è ridestato e irrompe
e si specchia nel cielo
e rispecchia le cose –
e le cose, nel cielo e nel cuore
soffrono e si contorcono
nell'attesa di te.
È il mattino, è l'aurora,
sangue di primavera,
tu hai violato la terra.
La speranza si torce,
e ti attende ti chiama.
Sei la vita e la morte.
Il tuo passo è leggero.

25 marzo '50

Tu restauraste a dor.
És a vida e a morte.
Sobre a terra desnuda
passaste de leve
como andorinha ou nuvem
e a torrente do coração
despertou e irrompe
e se espelha no céu
e se reflete nas cousas
e as cousas no céu e na alma
sofrem e se conturbam
na tua expectativa.
É o amanhecer, a aurora,
sangue de primavera,
tu violaste a terra.
A esperança se debate
e te aguarda e te chama.
És a vida e a morte.
O teu passo é ligeiro.

Passerò per Piazza di Spagna

Sarà un cielo chiaro.
S'apriranno le strade
sul colle di pini e di pietra.
Il tumulto delle strade
non muterà quell'aria ferma.
I fiori spruzzati
di colori alle fontane
occhieggeranno come donne
divertite. Le scale
le terrazze le rondini
canteranno nel sole.
S'aprirà quella strada,
le pietre canteranno,
il cuore batterà sussultando
come l'acqua nelle fontane –
sarà questa la voce
che salirà le tue scale.
Le finestre sapranno
l'odore della pietra e dell'aria
mattutina. S'aprirà una porta.
Il tumulto delle strade
sarà il tumulto del cuore
nella luce smarrita.

Sarai tu – ferma e chiara.

28 marzo '50

O céu há de estar claro.
As estradas se abrirão
na colina de pinheiros e pedra.
O tumulto dos caminhos
não atingirá esse ar estável.
As flores salpicadas
de colorido nas fontes
contemplarão como damas
divertidas. A escada
o terraço e as andorinhas
cantarão ao sol.
Aquela estrada se abrirá
as pedras cantarão
o coração baterá estremecendo
como a água nas fontes –
será esta a voz
que virá de tua escada.
As janelas conhecerão
o odor da pedra e do ar
matutino. Uma porta se abrirá.
O tumulto dos caminhos
será o tumulto do coração
na luz extraviada.

Serás tu – firme e clara.

I mattini passano chiari
e deserti. Così i tuoi occhi
s'aprivano un tempo. Il mattino
trascorreva lento, era un gorgo
d'immobile luce. Taceva.
Tu viva tacevi; le cose
vivevano sotto i tuoi occhi
(non pena non febbre non ombra)
come un mare al mattino, chiaro.

Dove sei tu, luce, è il mattino.
Tu eri la vita e le cose.
In te desti respiravamo
sotto il cielo che ancora è in noi.
Non pena non febbre allora,
non quest'ombra greve del giorno
affollato e diverso. O luce,
chiarezza lontana, respiro
affannoso, rivolgi gli occhi
immobili e chiari su noi.
È buio il mattino che passa
senza la luce dei tuoi occhi.

30 marzo '50

As manhãs passam claras
e desertas. Assim teus olhos
se abriam outrora. A manhã
transcorria lenta, era um sorvedouro
de imóveis luzes. Silenciava.
Viva, tu silenciavas; as cousas
viviam sob teus olhos
(sem pena, sem febre, sem sombra)
como pela manhã o mar – claro.

Onde estiveres, luz, é manhã.
És a vida e as cousas.
Em ti despertos respirávamos
sob o céu que ainda está em nós.
Não pena não febre então,
não esta sombra grave do dia
oprimido e diverso. Ó luz
claridade longínqua, respiro
laborioso, volta os olhos
imóveis e claros sobre nós.
É escura a manhã que passa
sem a luz dos teus olhos.

The night you slept

Anche la notte ti somiglia,
la notte remota che piange
muta, dentro il cuore profondo,
e le stelle passano stanche.
Una guancia tocca una guancia –
è un brivido freddo, qualcuno
si dibatte e t'implora, solo,
sperduto in te, nella tua febbre.

La notte soffre e anela l'alba,
povero cuore che sussulti.
O viso chiuso, buia angoscia,
febbre che rattristi le stelle,
c'è chi come te attende l'alba
scrutando il tuo viso in silenzio.
Sei distesa sotto la notte
come un chiuso orizzonte morto.
Povero cuore che sussulti,
un giorno lontano eri l'alba.

4 aprile '50

Também a noite se assemelha a ti,
a noite remota que chora
muda, no coração profundo,
e as estrelas passam cansadas.
Uma face toca uma face
– é um álgido arrepio –, alguém
se debate e te implora, só
perdido em ti, na tua febre.

A noite sofre no anseio da alba,
pobre coração que estremece.
O semblante fechado, obscura angústia,
febre que entristece as estrelas
eis como a alba te espera
escrutando-te o rosto em silêncio.
Estás estendida sob a noite
como um fechado horizonte morto.
Pobre coração que estremece,
foste a alba, um dia longínquo.

The cats will know

Ancora cadrà la pioggia
sui tuoi dolci selciati,
una pioggia leggera
come un alito o un passo.
Ancora la brezza e l'alba
fioriranno leggere
come sotto il tuo passo,
quando tu rientrerai.
Tra fiori e davanzali
i gatti lo sapranno.

Ci saranno altri giorni,
ci saranno altre voci.
Sorriderai da sola.
I gatti lo sapranno.
Udrai parole antiche,
parole stanche e vane
come i costumi smessi
delle feste di ieri.
Farai gesti anche tu.
Risponderai parole –
viso di primavera,
farai gesti anche tu.

I gatti lo sapranno,
viso di primavera;
e la pioggia leggera,
l'alba color giacinto,
che dilaniano il cuore
di chi più non ti spera,
sono il triste sorriso
che sorridi da sola.
Ci saranno altri giorni,

A chuva ainda estará caindo
sobre tuas afáveis calçadas
uma chuva leve
como um hálito ou um passo.
Ainda estarão a brisa e a alba
florescendo de leve
como sob o teu passo
quando tu regressares.
Entre floridos peitoris
os gatos o saberão.

Aí serão outros dias
aí serão outras vozes.
Sorrirás solitária.
Os gatos o saberão.
Ouvirás palavras antigas
palavras cansadas e vãs
como os desusados meneios
das festas de ontem.
Gesticularás, tu também.
Responderás palavras,
rosto de primavera
gesticularás, tu também.

Os gatos o saberão,
rosto de primavera;
e a chuva leve
a alba cor de jacinto
que dilaceram o coração
de quem já não te espera
são o triste sorriso
que sorris solitária.
Aí serão outros dias

altre voci e risvegli.
Soffriremo nell'alba,
viso di primavera.

10 aprile '50

outras vozes e despertares.
Nós sofreremos na alba,
rosto de primavera.

BREVES NOTAS BIOGRÁFICAS SOBRE OS POETAS TRADUZIDOS

Archibald MacLeish

Poeta norte-americano, nasceu em 1892, em Glencoe, e morreu em 1982, em Boston. Ocupou cargos no governo americano e na Unesco, e foi também editor da revista *Fortune*. Ganhou o prêmio Pulitzer em duas ocasiões, com o poema épico *Conquistador*, em 1932, e com seu *Collected poems*, em 1952.

Cesare Pavese

Poeta italiano, nasceu em 1908, no Piemonte, e morreu em 1950, em Turim. De origem humilde, filho de camponeses, ainda estudante aderiu ao movimento antifascista, como comunista. Tradutor de literatura norte-americana dos anos 1930, teve grande sucesso e exerceu certa liderança no meio literário italiano depois de 1945, destacando-se também como diretor literário da Editora Einaudi. O fato de ter sido preso várias vezes por motivos políticos marcou sobremaneira a temática de sua obra ficcional, inserida na corrente literária italiana do Neorrealismo. Suas experiências de prisão encontram-se descritas nos romances *Il carcere* (1948) e *Il compagno* (1947). Desiludido politicamente com o partido e sofrendo profundo desgosto amoroso, termina por suicidar-se, gesto que é anunciado na última página de seu romance *Il mestiere di vivere*, datada da véspera de sua morte.

Dante Alighieri

Considerado o criador da literatura e da língua poética italiana, nasceu em 1265, em Florença, e morreu em 1321, em Ravenna. Em 1300, envolvido na conturbada política de seu tempo, teve de fugir de sua cidade natal, passando o resto de sua vida no exílio. Proclamada patrimônio da humanidade, *A divina comédia* é sua obra-prima e compõe-se de três partes – "Inferno", "Purgatório" e "Paraíso" –, cada qual contendo trinta e três cantos. Do "Purgatório", Henriqueta Lisboa traduziu dez cantos, o que lhe valeu o prêmio Presenza d'Italia in Brasile.

Delmira Agustini

Poeta uruguaia, nasceu em 1886 e morreu em 1914. Seus livros mais importantes são *Cantos de la mañana*, de onde foi extraído o poema traduzido por Henriqueta Lisboa, e *El libro blanco*.

Friedrich Schiller

Poeta e dramaturgo alemão, nasceu em Marbach am Neckar, em 1759, e morreu em 1805, em Weimar. Foi médico militar e professor de história da Universidade de Iena. Autor do ensaio *Poesia ingênua e sentimental*, é tido também como um dos mais importantes dramaturgos em língua alemã; *Os bandoleiros* é sua peça mais famosa. Como poeta, compôs baladas com desfechos moralizantes.

Gabriela Mistral

Nasceu em 1889, no Chile, e morreu em 1957, nos Estados Unidos. Foi o primeiro escritor latino-americano a ganhar o prêmio Nobel de literatura, em 1945. Em 1940, foi consulesa do governo chileno no Rio de Janeiro, época em que nutriu grande amizade por Henriqueta Lisboa e com quem se correspondeu intensamente, como mostram as cartas trocadas com a poeta mineira, guardadas no Acervo de Escritores Mineiros. O livro *Desolación*, espécie de cancioneiro cristão do amor infeliz, é considerado sua melhor obra.

Giacomo Leopardi
Nasceu em 1798, em Recanati, na Itália, e morreu em 1837, em Nápoles. Autor de uma obra poética de pequena extensão, marcada por um cunho classicista e constituída de poemas compostos em diferentes épocas, seus *Canti* exerceram grande influência nos poetas herméticos italianos do século XX, como Montale e Ungaretti. "O infinito" – aqui traduzido – foi composto em 1819 e é considerado talvez seu melhor poema e, por isso, o mais célebre.

Giuseppe Ungaretti
Poeta italiano que nasceu em 1888, em Alexandria, no Egito, e morreu em 1970, em Milão. Ligou-se à vanguarda parisiense da primeira década do século XX, tendo recebido influência do futurismo no início de sua produção. Além de colaborador em vários jornais e revistas europeus, foi professor de literatura italiana da Universidade de São Paulo durante quinze anos (1942-1957). Destacou-se também como tradutor.

Henry W. Longfellow
Poeta norte-americano, nasceu em 1807, na cidade de Portland, Maine, e morreu em Boston, em 1882. Formado em direito e dotado de sólido conhecimento de literaturas modernas, resultado de suas diversas viagens de estudo na Europa, foi professor de línguas modernas da Universidade de Harvard. Dedicou-se também à atividade de tradutor, tendo feito uma tradução em versos da obra de Dante, *A divina comédia*. Autor de obras em verso e em prosa, entre sua obra lírica chamam atenção *Voices of the night* (1839) e *Ballads and other poems* (1841).

Joan Maragall
Nasceu em 1860, na Catalunha, Espanha, e morreu em 1911. Poeta catalão de grande lirismo, escreveu *Cant espiritual*, considerada uma das obras-primas da poesia contemporânea.

Johann Ludwig Uhland
Poeta, professor e político alemão, natural de Tübingen, nasceu em 1787 e morreu em 1862. É considerado um dos maiores representantes do romantismo alemão e fez pesquisas sobre a literatura popular de seu país. Muitos de seus poemas são lidos nas escolas e alguns foram musicados por Brahms, Schubert, Schumann e Franz Liszt.

Jorge Guillén
Poeta espanhol, nasceu em 1893, em Valladolid, e morreu em 1984, em Málaga. Expatriou-se ao começar a guerra civil na Espanha. Além de poeta, foi tradutor de Valéry e também professor, tendo ensinado literatura no Wellesley College (Massachusetts, Estados Unidos), no período de 1940 a 1958, ano este em que se aposentou. Entre seus livros destacam-se *Cántico* (1950), *Clamor* (1963) e *Y otros poemas* (1973).

José Martí
Poeta e líder revolucionário cubano, nasceu em 1853, na capital Havana, e morreu em 1895, em Dos Ríos. Empenhado na luta pela independência de Cuba (1868), dedicou-se à publicação do jornal *Patria Libre*. Preso, foi deportado para a Espanha (1871) e regressou em 1878, sendo novamente deportado. Morto em combate, sua memória é, até hoje, reverenciada pelo povo cubano. Além de escritor e líder revolucionário, foi professor, tendo escrito numerosos ensaios, artigos e crônicas. Dois livros importantes de sua obra poética são *Ismaelillo* (1882) e *Versos sencillos* (1891).

Lope de Vega
Poeta contemporâneo de Shakespeare, nasceu em 1562 e morreu em 1635, na cidade de Madri. Fundador do teatro espanhol, é considerado o mais produtivo e aplaudido autor dramático de seu país, tendo feito largo uso do soneto em suas peças, empregando-o como monólogo das personagens. Sua obra lírica é integrante de seu teatro, destacando-se as *Rimas humanas* (1602) e *Rimas sacras* 1614).

Luis de Góngora
Natural de Córdoba, Espanha, nasceu em 1561 e morreu em 1627. Destacou-se como poeta, romancista e criador do teatro nacional espanhol. Um dos grandes nomes da literatura barroca, sua poesia influenciou a geração de García Lorca, Jorge Guillén e Dámaso Alonso. Uma obra-prima de sua poesia é a *Fábula de Polifemo*.

Rosalía de Castro
Nasceu em 1837, na Galícia, Espanha, e morreu em 1885. Considerada a figura mais importante da poesia galega do século XIX, sua obra se inicia com o livro *Cantares gallegos* (1863), em que Henriqueta Lisboa foi buscar o poema aqui traduzido.

Sándor Petöfi
Poeta húngaro, nasceu em 1823 e morreu assassinado em 1849, na revolução de independência da Hungria. Autor de excelente obra lírica, compôs o poema nacional *Talpra magyar* (1848) e vários outros poemas épicos, a exemplo de *János vitéz* (1845). Sua poesia serviu de inspiração para a luta pela libertação de seu país.

ÍNDICES

ÍNDICE DE POEMAS
(POR OBRA EM ORDEM DE ENTRADA)

GABRIELA MISTRAL

ÍNDICE DE POEMAS
(EM ORDEM ALFABÉTICA)

ÍNDICE DE PRIMEIROS VERSOS

Esta edição foi impressa nas
oficinas da Ipsis em São Paulo
na primavera de 2020.